他なる映画と　2

濱口竜介

インスクリプト

目次

I

II

III

IV

V

I

あるかなきか
——相米慎二の問い

相米映画を語ることなど、できはしない。
それでも語るために、ごく個人的な記憶から始めたい。

1 距離

初めて相米慎二の画面を見たのは、大学に入学して間もない映画論の講義でのことだと記憶している。それは『ションベン・ライダー』（一九八三）の中盤のクライマックス、追いつ追われつする人々が、叫び声をあげ、銃声を響かせ、続けざまに水に落ちて行く、あの貯木場のシーンを見せるものだった。劇場ほどではないが、大教室の大きなスクリーンに投影されたビデオ映像が、私にとって最初の相米体験となった。そのシーンを私は、漫然と眺めた。それは「驚き」に満ちたその後のあらゆる相米体験と比べて、およそ「驚き」を欠いたものだった。私は、別にそのシーンに対して無関心であったわけではない。私は単純に反応できなかった。「今、目の前で起きていること」が何かわからなかったというのとも少し違う。その様子が私をある程度、惹き付けたのはまったく確かなのだが、本来驚くべきあのシーンに関して、私が何より強く感じていたことは「離れている」ということだった。私は、自分とは離れたところで展開されている何かが、目の前を通り過ぎて行くのを耐えていた。「退屈」な時間が流れていたと言ってもいいかも知れない。それは別に批判ではない。そのシーンは決して耐え難いものでもなかったからだ。ただ、私にとってその時間は何より「距離」を感じる体験としてあった。

もちろん、一面においては、この印象は単に感性、もしくはあらゆる脈絡の欠如がもたらしたものとも言える(今となっては、特にあらゆる「声」の出元が把握できなかったことがこの「距離」の印象の主たる原因と考えている)。しかし、私は今でもこのときの自分の印象に、ある種の確信を抱いてもいる。それはこの印象がどこか、相米映画の本質に関わるものではなかったかと未だに思うからだ。当時の私は、具体的な映画の作り方などおよそ想像もつかないまま映画を見ていた。「映画はカメラによって撮られている」というごく単純な事実を、実感を持って知るのは、それから何年も後のことになる。つまり当時、私にとって映画における距離とは、劇場におけるスクリーンと客席との距離以外になかった。その私に初めての相米映画が示したものは「もう一つの距離」の存在だった。今になってはっきりとわかるのは、それは「役者とカメラの間の距離」であった。「離れている」という感覚は、相米慎二という監督が、私に初めて映画における「カメラ」の存在を知覚させた、ということを意味していた。

フィルモグラフィを紐解けば、デビュー作『翔んだカップル』(一九八〇)ではまだ決定的には露わにならないこの距離の感覚は、続く『セーラー服と機関銃』(一九八一)において萌芽を見せていることがわかる。薬師丸ひろ子と渡瀬恒彦の二人が、薬師丸が組長を務める羽目になったヤクザ「目高組」事務所の屋上で、組員の弔いとともに解散式を行うラスト近くのシーン、ひょっとしたら映画内でも最も情緒的なものになり得たかも知れないこの場面を、観客は何よりもまず彼らとの「距離」において認識せざるを得ない。このシーン全体を通じて、観客は一度も彼らの表情を明瞭には確認できない。ここではっきりさせておきたいのは、「距離」の感覚を決定づけるのはこの「顔の失認」である、ということだ。距離によって顔が認識できないと言うのは正確ではなく、顔が認識できない（顔を見せない）ことによって、この距離の感覚は生まれている。

相米映画の「距離」が招来する事態について触れる前に改めて確認しておきたいことは、記録装置としてのカメラの本性である。眼前の世界から生きるために有用な「情報」を選び取ろうとする我々の瞳とは異なって、カメラはレンズの前に広がる光景を無差別に、逐一記録する。我々の瞳が排除したり、恣意的にねじ曲げるような事実をカメラは漏らさず、ありのまま瞳に突きつける。ある固定カメラの映像を五分も眺めていればすぐにわかることだが、我々の瞳は、その映像に耐えることができない。もし見つめようとすれば、その映像は我々の感覚にとって圧倒的に「退屈」なものとして襲いかかる。圧倒的な「退屈」は、我々の瞳が日々の生活を営むための「情報」化によって何とか隠蔽している世界の本性であるのだが、カメラはそれを全面的に受け止め、解放してしまう。つまりカメラによって記録された映像とは本来、我々の瞳を、ひいては我々が作り上げてきた人間的生活を蹂躙する野蛮としてあるのだ。

グリフィスによるクロースアップ、即ち「顔」の発見は、何よりこの「退屈」を（束の間でも）消去する方法として画期的なものであった。映画の物語りとは根本的には、フレームの中の顔を特権化し、それらを「因果の連鎖」として継起させること、即ち顔のリレーと言ってよく、この「顔」は、同軸／視線／アクションによるつなぎを経て継起することによって、実際に流れているのとは別の強固に連続的な「退屈ではない」時間、つまりは物語を作り出す。このようにして物語＝映画を作り、観客に見せることのサイクルは、ハリウッドのみならず世界中の撮影スタジオで共有されることとなった。とすれば、そのような語りを持つ映画は、単にハリウッド映画や商業映画と呼ぶよりは「撮影所の映画」と呼びたくなる。日本ではほとんどそれは潰えたと言ってよいと思うが、現代のハリウッド映画が遂に、その画面から退屈を消去する術をほとんど完全なものとして身につけようとしているとすれば、現在ハリウッドが技術を伝承し、蓄積し、発展させる撮影所としての性格を保っている（もしくは再興した）からだ。ただ、それは時には官僚的な切り返しの連続として現れ、それ自体まったく退屈極まりないというパラドクスに陥ることも多々あるのだが。

そのパラドクスを避けるために、積極的に自らに「退屈」を導入する映画も存在する。先に述べたことからも明らかなように、カメラの捉える「退屈」とは我々の日常的な認識能力では取り逃がしてしまうような、この世界の微細な震えのことであって、我々が感覚の触手を伸ばしてそのすべてを感知しようとするときには、かえってそれは我々の感覚を圧倒する。だから、映像に写り込んだ「退屈」は、それに触れたいと願う倒錯的な瞳の前では、尽きせぬ快楽の源泉にさえなるのだ。世界にはそうした「退屈」を積極的に愛でんとする映画もまた存在する。

相米映画がどんな映画か、どちらに属する映画か結論づけることは避けつつ、ここではただ、先に相米映画の特徴として指摘してきた「距離」のもたらす顔の失認とは何かということを明確にしておきたい。映画における顔の失認とは即ち、物語りの機能不全である。それは、映像を「因果の連鎖」として編成することの失敗である一方で、それこそが映画史のある一側面においては徹底的に排除されてきた「退屈」を映画に積極的に含み込む方法でもある。では、果たして、相米映画とは退屈な映画なのだろうか。答えは是であり、非である。相米映画の「距離」はそれ自体独自な、映画の方法だからだ。

相米映画の「距離」もまた、物語りを機能不全に陥らせ、「退屈」を映画の中に含み込む。だが、他の「退屈な映画」たちと決定的に違う点は、相米映画の「退屈」は決して、それ自体を愛でるために含み込まれているのではない、ということだ。むしろ対極とも言えるアプローチが、相米映画を世界に類のない映画にしている。

2 退屈

そのことは『台風クラブ』(一九八五)の「台風」として最も明確に現れる。台風の中、学校に閉じ込められた三上祐一たちを、カメラはある距離において捉える。そのとき、そこには逃れ難く退屈が写り込む。その退屈との戦いこそがおそらく『台風クラブ』の主題でもある。彼らが始めるのは祝祭とも言うべき歌と踊りであり、彼らはそれでもって自分たちにまとわりつく退屈を排除しようとする。

体育館でのストリップショーを経て、台風の目の内にあった体育館の外へ出て、彼らが「もしも明日が」と歌い、踊るとき、雨が降り始める。「台風」を表象するのに申し分ないその雨は、まるでもう一つの主役のようにフレームの余白を埋め尽くす。それは、歌い踊る彼らとともにこの祝祭的空間を作ることで、退屈を排除せんとしているように見える。

当たり前だが、映画において「雨」として表象されているものは、実際のところ特機部が「雨降らし」として フレーム外の撒水車から撒き散らす大量の水であり、照明によってカメラとは逆方向から照らされない限り、それが「雨粒」としてフィルムに定着することもない。それを台風に見せるなら、大型の送風機が幾つも必要になりもする。単純に言えば、それは自然ではなく、尋常ならざる意志の産物なのだ。そして、その退屈を拒絶する意志と、実際にそれを可能にする技術は、彼らがそもそも撮影所での映画撮影の経験を持つことに由来している。

もはや退屈から逃げもせず、歌い、踊る彼らを、カメラが距離を保って示す。距離がフレームに余白を与える。余白は、退屈を呼び込む。その退屈を排除するために、スタッフの協働が始まる（この協働を確かなものとするため、集団全体に直観を与えるべく、幾度となく役者へのリハーサルやテストは繰り返されたのではないか?）。このとき、映画を自ら信ずるような映画であらしめるためなら、フレーム内の「余白」などすべて雨で埋め尽くしてみせる、というスタッフの側の強烈な意志がある。この意志があるからこそ、この雨と風はこんなにも強烈なものとして、まさに台風として我々に呈示されている。それは言わば退屈を殺すために導入された退屈として、まるで血清のように機能する。相米映画の距離は、それ自体が映画を作る方法となっている。そう、相米映画の退屈は、映画を退屈なものにすることを是としないスタッフを触発するのだ。

『台風クラブ』においては「台風」という主題と正当に結びついていた、退屈に抗するスタッフの過剰なまでの意志は、ときには物語、「因果の連鎖」とは無関係にフレームの中に現れる。それは例えば『ラブホテル』（一九八五）ラストの舞い散る花びらや、『魚影の群れ』（一九八三）『東京上空いらっしゃいませ』（一九九〇）における背景の花火のように、脈絡を欠いて突然現れるし、『雪の断章　情熱』（一九八五）冒頭の一八シーン・ワンショットのステージセットや『光る女』（一九八七）におけるジョコンダの空間のように、単に世界観を強化する背景という以上に過剰な、因果関係を示すという観点からすればほとんど無償の記号として画面全体を覆っている。

ただ、それらは不可避的に「因果の連鎖」の弛緩や混濁を招くものである以上、観客の物語への信を弱めずにはおかない。それ自体どれほど映画を退屈から遠ざけ、どれほど言い知れぬ魅力を放っていようとも、相米慎二が映画に含み込んだ「距離」とは、映画の「物語」に対して負ったリスクであることは間違いない。しかし、では、相米映画は観客からの信を得ていない映画であるか、と言えば答えはまったくの否なのである。そのような離れ業はどのようにして可能になるのか。

3 越境

『ションベン・ライダー』で示されるのは、絶え間ない「越境」である。

境界は至るところに存在している。扉、窓、柵、塀、そして極端な段差、高低差（それはいずれ陸／水を作り出す）は、我々の生活を規定する境界として作用している。境界は人を、その内側に留まるよう促す。境界の内側に留まること、そこから出る際には正当な手続きを踏むことが、我々が社会生活を営むための基本条件ともなっている。

しかし、『ションベン・ライダー』の登場人物たち（永瀬正敏、河合美智子、坂上忍……）は、その正当な手続きをほとんど知らないように見える。彼らは柵を見たら越えずにはいられない、窓枠をすり抜け、扉を突き破る。川を見たら渡らずにはいられない。彼らはほとんど越境に対する禁断症状のようなものを持っている。言うなれば「越境」の機会を常に窺っている本性的越境者、それが相米的登場人物なのだ。

こうした越境を促すものは何か？　一つ確かに言えるのは、『ションベン・ライダー』が追跡／逃亡劇であることだ。クラスメート・デブナガを誘拐したヤクザを追う永瀬らと、ヘロインの行方を追うヤクザの兄貴分・藤竜也が横浜〜熱海〜名古屋〜大阪を往還する。しかしここでの、追う者／逃げる者の関係は絶対的なものではない。本来、追う立場にあるはずの藤竜也が永瀬に追われるように、永瀬らは横浜で警官の伊武雅刀に追われるし、永瀬と分断された河合・坂上は教師の原日出子を伴って、改めて永瀬を追う。追跡／逃亡の立場は容易に反転し得るとしても、追跡／逃亡の運動自体は終わることなく、越境を誘発し続ける。境界を越えることは、逃げる者にとっては決定的に追手を引き離すチャンスであり、追う者にとっては追いつくための必須条件になるからだ。

我々の「日常」が境界によって確保されている以上、境界を越える瞬間とは必然的に、非日常的な身体性が現れる瞬間となる。越境を課せられた彼らの身体は、日常的運動から大きく飛躍した非日常的運動、身体の潜在的な力を現前させる。そのとき、彼らは手や足を大きく振り上げ、時には上下を反転させ、重力に逆らったり、逆になすがままになったりと、我々が日常的としている動きを遥かに逸脱していく。その過剰な身体性こそが「相米的アクション」と呼ぶべきものだ。

この相米的アクションの現れは、先述の貯木場のシーンにおいて一つのピークを迎える。ここではついに、追う者と追われる者のすべてが出会い、誰が追い、誰が逃げる者か、もはやほとんど区別がつかない。追跡と逃走の混濁が極まり、そこかしこで越境が多発する。越境者である彼らの本性は、やがて彼らを映画の絶対的な境界と思われている「フレーム」へと向かわせる。彼らはフレームを越える越境者となる。つまり、役者がついにカメラからの逃走を始めるのだ。カメラが近付けば、役者は逃げる。しかも一直線にではなく、四散するように逃げる。(1) カメラが追い得る限界を遥かに越えたこの逃亡は、役者はカメラに向かって演技をする存在であるという映画作りの大前提を破壊するものだ。演じる者たちの肥大した身体性＝相米的アクションは、映画において物語／構成の一部に留まることを全身で拒絶する。いや、相米慎二がそう振る舞うようにけしかけている。こうなるともはや相米慎二はカメラを映画から振り落とそうとしているようにさえ見えるのだ。もちろん、カメラを振り落とした瞬間、映画はこの世に存在できなくなってしまう。これは、「距離」のもたらす退屈よりもずっと映画にとって本質的な、深刻な事態である。それでも相米は、ただひたすら役者を駆り立て、越境させる。そのとき何が起こるのか。再び映画が映画であるために、カメラまでが越境を始める。

越境し続ける彼らを追うためには、カメラはもはや映画作りの特権的な支配者であることはできない。カメラ自体が越境者にならなくてはならない。越境に際して登場人物たちに現れる過剰な身体性を、カメラまでもが獲得する。役者の越境が、カメラマン、ひいてはあらゆるスタッフを越境者として覚醒させる。スタッフは撮影所から受け継ぎ、自らに蓄積させた技術のすべてを尽くして、逃げ去る映画を狩る優秀なハンターと化す。『ションベン・ライダー』の撮影初日から三日をかけて、冒頭からタイトルまでの一シーンを、クレーンを三台乗り継いで撮影が為されたというのは伝説的なエピソードだが、それは越境する役者を追う内に、カメ

（1）このことは、同様に役者がカメラから逃げようとしている、と指摘される溝口健二の作品との決定的な差異だ。例えば『西鶴一代女』において走る田中絹代を林で追うカメラはただ田中絹代だけに執拗に狙いを定める。だからこそカメラは彼女の顔を追い得る。溝口にも、役者とカメラの逃走／追跡関係は確かに存在するが、カメラは一体何が重要かをはっきり理解しているし、それを見誤ることはない。だからこそ、溝口のカメラは逃げ去る女優の「顔」を決して逃がしはしない。それこそが、溝口映画の恐ろしさでもある。

ラが、いや現場そのものが遂に越境を始めたということに他ならない。現場全体が相米的登場人物と化す事態がここに訪れる。(2)

こうした追跡／逃亡は「越境」を、伸び縮みするカメラと役者の「距離」のバリエーションとして出現させている。だが、「越境」は「距離」以上にそれ自体まったく退屈からほど遠いダイナミックな相米映画の方法としてある。その端緒はやはり『セーラー服と機関銃』における、薬師丸ひろ子と林家しん平の暴走シーンに見られる。これ自体は越境というよりは極めて長距離の移動撮影であるが、この撮影は香盤表(3)のシーン区切りを明らかに越えるものであり、つまりロケハンから撮影の段取りに至るまで従来通りの映画作りの発想を越えなくてはこのシーンは生まれない。ここに越境の精神の萌芽が明確に見られる。絶え間ない越境の映画『ションベン・ライダー』以降も、追跡／逃亡のためには越境を厭わない身体が相米映画の最も驚くべき場面を構成し、映画を退屈から遥かに遠ざける。『魚影の群れ』においては、水中のマグロを陸上に釣り上げること、マグロを追って海に出ること（更に、マグロを追う男を追うこと）が映画の基本的な運動を作り上げているし、『台風クラブ』の大西結花を執拗に追ってドアを蹴り破る紅林茂、『ラブホテル』においては正妻に不倫を責められる速水典子をときに正妻以上の執拗さで追うカメラ、『お引越し』（一九九三）の引っ越しトラックに飛び乗る田畑智子、『夏の庭 The Friends』（一九九四）では陸橋の欄干を歩くことで生と死の狭間を感じる少年など枚挙に違がない。そして『雪の断章』冒頭の一八シーン・ワンショットにおいては、遂にカメラは役者を追い越して、それ自体で越境を始めているようにさえ見える。

「越境」を目にした観客は驚かずにはいられない。越境とは常に信じ難いリスクそのものであるからだ。それはそもそも社会的に禁じられていたり、身体的に明らかな危険を伴うものであって、時に映画制作そのものを強制終了させる可能性すらあるものだ。ではなぜ、そんなリスクを背負うのか。リスクを背負うことは、一般に周囲から「信」を引き出すことがあるからだ。相米は「距離」と「越境」を自らの方法とすることにおいて、映画に二重のリスクを導入している。

「距離」が物語と観客との関係を揺さぶる（物語を信じ難くさせる）という点でそれ自体一つのリスクであることは先ほど述べた通りだ。このことによって、相米は観客が映画とアクセスするための、物語とは別のもう一つの回路を活性化させる。その回路とは、記録のことだ。相米はリスクそのものを記録する。カメラの記録の力は、基本的に映っているものに関して疑いを抱かせない。実際に起こったことしか映らない、という基本的な前提がカメラによる撮影行為にはあるからだ。特に、映っているものが物理法則に反した事柄でない限り、人はそれを疑うことはほとんどできない。つまり、映っている極めてリスキーな「越境」の瞬間がどれだけ信じ難いものであろうとも、映っている以上観客はそれを疑うことは許されない。そして、もし映っているリスクがあまりに苛酷であるとき、それが克服される様子は、ほとんど奇跡とも呼びたくなるものとしてある（奇跡とはそもそも、人から信を引き出すために起こされるものでもある）。「奇跡」を記録すること、相米映画の「距離」も「越境」もそのための方法であったのではないか。相米は物語を語ることとはまったく違うやり方で、奇跡の記録によって、映画に対する観客の信を引き出そうとしているように

（2）この事態を指して、友人の映画監督・吉田雄一郎は「相米の映画は現場全体がアクションしている」と評した。この論考はこの言葉を出発点としている。この場を借りて感謝したい。
（3）映画制作の、主に準備段階に使用される、脚本上のシーン番号と内容を一対一対応させて整理した表。

見える。ただ、ここで改めて強調したいのは「距離」や「越境」という方法が成り立つためには、ある奇跡を捉えるためには、本来、物語を語るためにこそ蓄えられた撮影所の技術が必須であるということだ。

こうした方法は、おそらく映画を巡る当時の状況、つまりは撮影所崩壊以後の日本映画の状況に対して相米が抱いていた危機感から選択されたことだ。テレビ映像が完全に生活の一部となり、ハリウッド映画の大作化、スペクタクル化が進行する中で、相米がしたことは、自らを育んだ「撮影所の映画」は、果たして形を変えながらでも生き延びうるのか、と問いかけることだった。その問いかけが、「距離」や「越境」という方法としても現れ、それは結果的に一部の観客からの極めて強い信を勝ち取ることにも成功した。

ただ、このように時系列的に相米映画を見るのであれば、当然指摘されなければならないのは、「距離」や「越境」は必ずしも相米映画の全体を貫く方法論ではない、ということだ。それどころか、経年的変化と言っていいようなゆるやかな、しかし確実な変化の中で、相米映画は「距離」や「越境」を廃棄していく。

既存の（物語り）映画の文法から大きく逸脱していく、これまで述べてきたような「距離」や「越境」を含む相米映画の魅力は筆舌に尽くし難いものだ。では、それらを廃棄した相米映画、これを時系列に従って「後期」相米映画と呼ぼう。果たしてそれらは「前期」相米映画に比べて、魅力を欠いているのか。断じて否である。

そのことを一体どのように捉えればいいのだろう。

実際、相米映画を巡る「前期」と「後期」の区別というのは、相米映画を見た者の間に確かに存在しているように思われる。問題は、一方を顕揚するために他方を貶めるような態度だ。多くの「相米ファン」は『ションベン・ライダー』『魚影の群れ』『台風クラブ』といった明らかに前期に属する作品群を傑作と見なす傾向が強いように思える。このとき、彼らは「距離」や「越境」を廃棄して見せる後期相米を、言わば「奇跡（の記録）」を欠いた映画と見なし、信じようとしない。しかし、事態は全く逆なのだ。それ故に、後期相米は何よりも信じることが必要とされているのだ。

ここで、この論考の真の目的も明らかにできる。この論考は、言わば後期相米を、つまりは相米映画全体を肯定する試みであるのだ。それは相米映画全体を貫くたった一つの方法論を発見することでもある（「距離」も「越境」もその相米的方法のバリエーションなのではないか）。その鍵となる、前期／後期を貫く要素がある。それがヒロインたちの「声」だ。

4 ヒロインたちの声

佐藤浩市と夏目雅子が並んで歩いている。二人は海について話をしている。佐藤浩市は親の残した店を捨てて、漁師になる決意を夏目雅子に伝える。それは二人が一緒になる決意でもある。二人の向こうにはバスが停まるのが見える。クラクションが鳴り、バスが出発しようとすると、夏目雅子はそのバスに乗るために走り出す。夏目はバスに乗り込み、バスが走り出す（カメラはクレーンに乗って上昇して街路を俯瞰めで捉える）。佐藤浩市はそれを見ている。夏目はバスの窓を開けて大きく叫ぶ。「わいなー、遊ばれてもいいと思ってたんだあ、おめえなら！」と叫ぶ夏目の声が距離を越えて響く。バスはそのまま夏目を連れて去る。このシーンは、『魚影の群れ』において、と言うか相米映画全体を通しても、最も印象的なシーンの一つであるだろう。「越境」「距離」そして「声」のすべてがある。

ここで夏目雅子の内実を疑い得る者はいないだろう。彼女の声には、何の裏腹さもなく、彼女そのものの声として響いて来るように思える。相米映画の音響は、それだけで幾つもの論考が可能な複雑さを持っているが、その中でもひときわ印象的に、直截に響いて来るのは、ヒロインたちの「声」ではないだろうか。夏目だけではない。同様の印象を与える声を、薬師丸ひろ子、河合美智子、牧瀬里穂、田畑智子といった相米映画歴代のヒロインたちは響かせてはいないだろうか。声帯と言うよりも、腰の辺り、身体の重心から発されているような声だ。その出所に相応しく、彼女たちの声は演技の巧拙という次元を越えて彼女たち自身をほとんどそのまま表現している。言わば彼女たちの身体そのもののような声が発せられている。この声が、「距離」の中での彼女らの身体の在り処をはっきりと呈示し、観客から物語を決定的に切り離すのを拒む。「撮影所の映画」を生き延びさせるということは、どれだけ機能不全を起こそうとも、相米映画が物語りに留まり、その矛盾を生きなくてはならないことを意味してもいた。「声」は、相米映画と物語りをつなぐ細い線としても機能している。

おそらく、相米慎二に初めて、映画の方法としての「距離」を発見させたのは、薬師丸ひろ子の声ではなかっただろうか。薬師丸の声は『翔んだカップル』から一貫して、自分の全身を表現するような清明さを保っている。前述の目高組解散式のシーンにおいて、薬師丸と渡瀬の声は、距離を越えて観客に直接届けられている。彼らの顔は見えないが、薬師丸の清明な声が彼女の顔を見せるまでもなく、彼女自身を表現して感じられる以上、この距離を選ぶことはどこか合理的な選択にさえ思える。それはこの、距離を越えた整音によって届けられた声即ち台詞が、観客の内に物語を浮かび上がらせるだけの最低限の情報を与えるというだけではない。その声は、彼らの真情を伝えさえするものに思える。薬師丸の声を得ることで、初めて相米はこの距離によって物語ることを選択できたのではないか。

ここで、彼女たちの陰画として浮かび上がるヒロインがいる。『雪の断章』における斉藤由貴である。斉藤の声は、他のヒロインたちとはどこか異なる湿り気を帯びて聞こえる。それは、彼女らのような裏腹さのない声としては響いて来ない。それはむしろ、奥深いところに秘密を抱えたままの声として響いて来る。もちろん『雪の断章』という作品自体が、そもそもメロドラマとして構想されており、斉藤由貴はそのヒロインに相応しく、自らの心情を他人に伝えることを禁じられた役柄を演じているということはある。だから彼女の声が何ら間違っているというのでもないし、もしかしたら役柄と合っているのかもしれない。彼女の演技の質が他のヒロインに劣るという話でもないし、『雪の断章』という映画自体の魅力を否定するものでもない。ただ、もしかしたら『雪の断章』においても採用されている相米的な距離と、斉藤の声がどこか齟齬を起こしているのではないか、という疑念は消えない。実際、『雪の断章』は相米のフィルモグラフィの中でも唯一、映画のラストにおいてカメラが強制的にヒロインをフレームアウトさせてしまう作品でもある(道化人形へとカメラが寄って行くことで映画の本篇は終わる)。そこに監督の女優への興味の欠落を読み取ることも可能だ。しかし、相米慎二と斉藤由貴は一〇年以上の時を置いて、再び映画の時間を共にすることになる。それが『あ、春』(一九九八)である。

5 あるかなきか

『あ、春』について、失望混じりに語る声を今まで幾度となく聞いたし、その多くは心から相米映画を愛する人々から発されてもいた。確かにこれはほとんど相米的ではない、いやまったく前期相米的ではない映画であると言えるだろう。しかし、まさにそのことによって私は相米の後期と呼べるものがあるのだとすれば、それはむしろ『あ、春』からこそ始まるのだと宣言したい。『あ、春』こそ「距離」も「越境」も廃棄した最初の相米映画であるからだ。

「距離」の消失は、既に『東京上空いらっしゃいませ』から特徴的に感じられる。カメラが、登場人物の顔を知覚する上で適切な距離を保つことによって、距離の感覚は消失する。ただ、『あ、春』においてもはや「距離」がほとんど前景化されない、廃棄されていると言っていいのは、カメラの動きが登場人物の顔を追尾することをほとんど第一義としているからだ。シーン内のカット割り自体は決して多いとは言えないが、カメラの動き自体がカット割りを代替しており、そこには顔の継起が、つまりは溝口健二やマックス・オフュルスにも正統に連なるような、伝統的な物語りが見られる。実際、『あ、春』を家族映画たらしめているのは、何よりも多様かつ的確に配置され、継起していく各世代の顔である。それらの「顔」の中でも、最初に強調されるのが、斉藤由貴のものだ。開巻間もない最初の夜のシーン、斉藤由貴は夫・佐藤浩市の就寝中にそっと彼の腹を噛む。佐藤は起きない。そのとき、斉藤由貴の横顔はズームインして示される。ここには、「興味の欠落」と呼べるようなものは見当たらない。

そして『あ、春』において相米映画としてこの上なく特徴的なのは、「越境」までもほとんど廃棄されていることだ。唯一、いかにもそれまでの相米らしいシーンは佐藤浩市の母を演じる富司純子の経営する食堂のシーンである。この国道沿いらしい風情の食堂の内外を富司や佐藤が出入りするのに従って、(おそらくはレンズ先端のみを内に突き出させていた)カメラはすり抜けるようにして彼らを追う。追った先では、相米印の雨まで降る。ただ、この「越境」と呼ぶにはいささか洗練され過ぎた一連の役者／スタッフの動きは、どちらかと言えばコレオグラフィとでも呼ぶべきものであって、それまでの相米映画を知る者からしたら随分と統御された印象を受けるだろうし、このシーンはここまでの大仕掛けにもかかわらず、ワンショットにこだわることなく、シーン全体は四つのショットによって構成されている。

「距離」も「越境」もない相米。人によっては『あ、春』においてこうした事態を指して、「成熟」と呼んでしまうのもまったくわからなくはない。しかし、相米愼二は自らを映画の伝統的な語りを担う者として、再構築しようとしていたのだろうか。彼は自分の手腕を、観客の信を再び映画によって語られた「物語」へと集めるために使おうとしたのだろうか。どうも一向にそうとは思われない。そのように確信させるものはラストに生まれる「ヒヨコ」である。登場人物たちにとっては、極めて些細な、しかし確かな奇跡として現れるこのヒヨコは、観客がこの映画を信じることを難しくする。何せ、それは我々の一般常識を映画に転用するのであれば、決して生まれるはずのないヒヨコだからだ。それ故に、物語内世界においてもこのヒヨコは小さな「奇跡」として機能している。前期相米映画であれば、ここは当然「奇跡の記録」として殻を突き破って現れるヒヨコそのものが求められたろうし、そのために尋常ならざる労力が費やされたかもしれない。しかし、ここに現れたのは明らかにただ籠の中に隠されただけのヒヨコであり、スタッフ側の労力は前期相米においてて感知されるそれに比べれば遥かに軽微なものであるのはまったく否定できない。つまり、ここにはそれ自体で観客に映画を信じるよう促すものがほとんど何もないのだ。実際、相米自身の希望で、ラストには「ヒヨコの孵らない」バージョンが撮影され、編集段階まで現行のラストと比べられたと言う。[4] このエピソードにはもちろん、ヒヨコが生まれる、という明らかに荒唐無稽な展開に対する相米の迷い、疑いを見て取ることができる。ただ、そのエピソードがよりはっきり示しているものがあるとすれば、相米は、この荒唐無稽さを、言わばフィクションの成立にとってこの上ないリスクを最終的には、進んで引き受けた、ということだ。それはどちらかと言えば、前期には「距離」によって負っていた映画の物語へのリスクをここでも背負い直した、ということだ。観客の物語への信は、ここでも激しく揺さぶられている。では、「越境」なき『あ、春』で、つまり「奇跡の記録」のない本作において、一体何が観客と映画をつなぎ止めるのだろうか。それが斉藤由貴の声、正確には斉藤由貴の顔と声なのではないか。

『あ、春』に見られる相米的距離の消失とは、即ち顔と声の乖離の全面的な消失であり、顔と声が一致して観客に届く事態である。他の映画であれば、およそ意識にも上らないような一般的な事態であるものの、それは特に斉藤由貴の声にとって最も適した距離なのだ。『雪の断章』のときにあった距離と声の齟齬はここにはもはやない。

斉藤由貴の声は、やはり『雪の断章』のときと同じく、彼女は本当に言いたいことを、本当に言いたい人に対して決して口にできていないと感じさせる、どこか抑圧された、それでいて切迫した声だ。この声は特に、夫である佐藤浩市との会話のときに現れる。それはこの夫婦間のコミュニケーション不全と、同時に斉藤由貴からのコミュニケーションの意志を示唆している。斉藤の声が隠しているものは、「顔」とともに呈示されることによってのみ正当に受け取れる。画面が示す斉藤由貴の頬の微細な震えが、この「顔」からこの「声」が発されているということが、彼女の声が奥深くに隠しているものの存在を確信させる。その奥深いものを今は仮に「感情」と呼んでみよう。

さて、劇映画を見ていて「感情」が確かに存在する、と感じることは実は随分倒錯した事態である。というのは、劇映画は演じられることによって存在している。とすれば、ここにあるのは事態に即して言えば「演じられた」感情であるはずだ。しかし、結局のところ『あ、春』の驚きとしてあるのは、それが演じられて存在する感情とは受け取れないこと、それが歴代ヒロインの身体と同様に、ただそこに確かにあると感じられることである。相米歴代のヒロインの声が確かに、彼女たちの身体がそこにあることを伝えて来たのと同様に、演技の巧拙とはまったく別の次元で、斉藤由貴の顔と声は確かに「感情」が存在していることを示している。

映画のほとんどラストにおいて生まれて来たヒヨコの荒唐無稽さは、遡行的に映画全体を虚偽のもの、茶番として書き換えようとさえするが、そのときどうしても、この斉藤由貴の声／感情がそれを拒絶する。それは荒唐無稽どころか、まさに我々が生きる世界そのものに存在する声／感情だからだ。この「確かにある」ことがかえって、荒唐無稽なヒヨコの誕生というあからさまなファンタジーをファンタジーならざるものへと書き換えんとしている。ここで観客が映画から要求されていることは、ヒヨコの誕生という茶番を、ファンタジーとして微笑とともに受け入れることでは一切ない。映画から突きつけられているのはより苛酷な要求だ。「信じること」。現在、それはほとんど一つの狂気でさえある。

ここにはもはや、我々をほとんど平伏させ、問答無用に信じることを要求する「奇跡の記録」はない。物語上に呈示された些細な、ほとんど茶番にも近い奇跡があるのみだ。それが「確かにある」と言えるために

（4）金原由佳「新しい家族の関係を目指して──『あ、春』撮影現場レポート」、『キネマ旬報』一九九九年一月上旬新年特別号（一二七四号）、六九頁。

は、斉藤由貴の「感情」を信じる必要があるのだが、これは思いのほか、難しいことだ。何故なら、ある画面や音声は、究極的には「感情」の客観的な証拠として呈示することはできないからだ。そこには、斉藤由貴の顔と声の微細な震えがあるばかりだ。それは「感情」の徴候ではあるが、「感情」そのものではない。ただ一つ言えるとすれば相米映画は常にこの、あるかなきかの小さきものを捉え続けてきたということだ。

それは、前期においては、ある距離において捉えられた身体だった。前期相米映画には、風景の中に飲み込まれてしまう、退屈の一部になってしまう前に、自らの身体を風景にとっての異物として呈示する「小さきもの」たちが画面には映り込んでいる。このとき、「小さきもの」が発露させる身体性は、幾度となく延々と繰り返された（と誰もが口を揃える）リハーサルやテストを越えることによって生まれた、いや発見されたものだ。言うなれば、相米がしていたこととはただひたすらに、あるかなきかの小さきものを見つめ、あると信じ、あらしめることである（それがただの一瞬も狂気として、役者やスタッフの目に映らなかったか、私は知らない）。

それは実は、『あ、春』においても変わらないのではないか、それはよりラジカルな形で観客に向かって投げ出されているだけなのではないか。かつては過剰な身体性として、清明な声として呈示されていたものが、ここでは微細に震える斉藤由貴の顔と声に変わっているだけなのではないか。ラジカルだと言うのは、その奥に存在する感情が「確かにある」と証し立てる客観的な証拠を最後まで欠いたまま、言うなれば「あるかなきか」のまま呈示されていることだ。しかし実は、これは方法としての相米的距離がフレームに与えた余白に似ている。ただ、『あ、春』においてそれを埋めるべく求められているのは、スタッフではなく、観客の側なのだ。それまで、役者やスタッフへと向けられていた問い「あるかなきか」がここでは遂に、観客へと矛先を変えて突きつけられているように思える。そこで観客が「感情」を「確かにある」ものとすることは決定的な飛躍だ。それは簡単ではないし、簡単であるべきでもない。相米が、二通りのラストの間で煩悶したように、観客も「あるかなきか」という問いにさらされなくてはならない。『あ、春』のヒヨコは、物語に導入された決定的な、しかし決然たる弱さとして、観客を映画の作り手たるべく誘っている。『あ、春』という映画を、い、い、い、い、い、映画としてあらしめるために観客として求められていることは、決して簡単ではないが、必ずしも特別な技術ではない。このあるかなきかの小さきものを信じること、もしそれができたら、実はそのとき初めてヒヨコは生まれるのであるし、『あ、春』はそれまで相米映画がたどり着いたのとはまた違う境域に至る。それはつまり「感情」の、そして新たな形での「奇跡」の記録を観客が見出す映画だ。その映画は、何よりもジョン・カサヴェテスの映画に似ていると私は思う。

6 勇気

観客からの主体的な助けをより多く必要とする映画は、明らかに「撮影所の外の映画」としてある。『あ、春』が公開された一九九八年とは、テレビ局資本の映画が空前の大ヒットを記録する一方で、黒沢清が『CURE』[5]によって国内外の評価を確立した年でもある。時期は折しも「ポスト撮影所」の時代と呼ぶべきものに入って行くタイミングだった。だとすれば、相米慎二は時代の要請を受けて、遂に「撮影所の映画」た

（5）『CURE』の公開は一九九七年の最終週、一二月二七日。

ることを諦めたのだろうか。まったくそうではあるまい。『あ、春』で発揮されている照明技術の繊細さは、むしろ「撮影所の映画」の正統を継ぐものとして捉えるのが自然だ。自らの方法＝問いを貫きつつ、後期の相米慎二が目指しているのは、記録と物語が一致する、それが同時に信じられるような地点ではないか。それは「撮影所の映画」と「撮影所の外の映画」の区別を無にする試みである。一三本ある相米映画の一二本目である『あ、春』を後期の始まりと呼ぶのは、ここでその試みが明確に始まったと思えるからだ。そして、結果的な遺作としか言いようがない『風花』(二〇〇一)では、『あ、春』のヒヨコに対するのと同様の選択が見られる。それは小泉今日子への眼差しとして現れる。相米慎二は『風花』において小泉今日子が雪山で突然踊り出す理由についてこう語る。

レモンちゃんは死にたいと思ってる。だけどレモンちゃんの肉体は死にたいと思っているのかという問いかけ。そういう意味で踊らせてみたわけ。もし死にたいように映ったら最後殺そうと思った。それでもストーリーとしては成り立つからね。でも小泉今日子の動きを見ると彼女は生きていたかった。だから生きた。(6)

相米は、小泉今日子の身体に、語られるべき物語に相応しい「生への意志」があるか、なきかをここでも見つめているし、それ次第では物語をその記録に沿わせる意志のあることを語っている。物語だからと言って嘘をつくことが許されているわけではない。(7)もちろん、作家による自作についての発言など基本的には信じるに値しないものだが、結果的に選ばれてあるラストと、小泉今日子の身体に生への意志のあるかなきかは、『あ、春』同様またしても観客へと投げ出された問いとしてある。

ただ、『風花』を結果的な遺作と呼ばざるを得ないのは、その試みが道半ばで途絶したとしか思えないからだ。私自身は率直に言えば、小泉今日子の身体が「死にたがっていない」とは確かに感じられたとしても、『あ、春』の斉藤由貴のように一本の作品を通してその人が「確かにある」ものと感じることはできない。そのことが、後に準備されていた『壬生義士伝』こそを相米の新たな到達点として夢想させずにはおかないところがある。

しかし、相米映画は途絶したが故に、かえって今も続いているのだ、とは言えないだろうか？ 正確には、相米映画を貫くたった一つの方法論「あるかなきか」という問いは『風花』によって途絶えたわけではなく、今も浮遊しているのではないか。本論で示した通り、それはいわゆる映画の作り手のための閉じられた問いではない。それはまず、おそらくすべての相米映画において未だ捉えられぬままあり、観客がこの問いを再発見することも可能なはずだ。

相米映画は今こそまさに見られるべき映画としてある。本来、相米慎二について語れることなど何もないからだ。できることなら劇場で、スクリーン上で蠢く何かに目を見張り、大音量のざわめきに耳を傾けるの

（6）「学生部会・コダック共催 第8回スチューデントセミナー・リポート」（二〇〇一年二月一五日に行われた相米慎二講演会の「概略」採録記事）、『映画テレビ技術』、日本映画テレビ技術協会、二〇〇一年五月号（五八五号）、三頁。
（7） ちなみに前掲の相米の言葉は以下のように続く。「そういう風にね、作り手が言ってる事は時には本当で時には真実なんだ。嘘ばっかりついているわけではないよ。」

がよい。見るたびに、無数の記号が相異なるつながり合いを見せるその体験を叙述する言葉は存在しない。作品を見ること以上の相米体験は、存在しない。そこには、観客が新たに映画の作り手として招来されていると言ってもいい。「後期相米」は観客によってまだ続けることができるのかもしれない。だとすれば、この極めて魅惑的な事態に背を向ける理由はあるまい。しかし、当の相米映画が示す通り「あるかなきか」の問いはいつも苛酷な体験として現れる、ということは忘れてはならない。

「あるかなきか」を問うことは、作ろうとしているまさにその映画を破壊する可能性を常にはらんでいる。もし自分の信じるような形で映画を作りたいと望んだならば、「あるかなきか」の前に留まり、「あらしめる」意志を持ち続けなければならない。それができなければ、映画は映画として存在することができないからだ。そして、この苛酷さの源は撮影現場に存している。撮影現場の記録はそのまま、未来の無限の目へと向けられている。無限の目はいつかカメラの記録の能力と拮抗する形で「あるかなきか」を判定するだろう。嘘はもちろんつけない。現場にいる人間にとって特に苛酷なことがあるとすれば、たった一度で「あるかなきか」の小さきものを見て取らなくてはならないということだ。いや、究極的にはそれは見ることができないのだから、最後にはどこかで「ある」と信じるしかないということだ。あるテイクが「OK」であれ、「NG」であれ、取り返しようなく判定されるそのときに必要とされている態度は、この「信」である。そして何度も言うように、その態度は一つの狂気として映りもする。さて、「現場にいる人間」とは私のことでもある。そんなことができるだろうか。

この論考は、浮遊したままの「あるかなきか」の問いを取り返すための嚆矢としてあった。今回、相米映画を言語化不可能とわかっていながら、この文章を書いた理由があるとすれば、決して言語化し得ないあるかなきかの小さきものが「ある」と信じる、これが「映っている」と言うことによってしか、相米の向かう先を擁護し得なかったからだ。どれだけ確かに映っている、と感じられることであっても、それを言葉にすることは案外、勇気のいることだった。しかし、書き終えた今になって初めて確信できるのは「相米慎二は、いつも勇気を振り絞っていた」ということだ。「勇気」とは何とも陳腐な、時に危険な、使い古された言葉だが、問いを持ち続けるために必要なことはおそらくそれだけなのだ。相米慎二が選んだように、今は私もそれを選びたい。

木村建哉・中村秀之・藤井仁子編『甦る相米慎二』インスクリプト、二〇一一年九月

映画におけるＩＳＡウィルス問題に関する研究報告

1　ヘップバーンのため息

今号（『nobody』三二号）は女優特集、もっと言えばロマンチック・コメディ特集ということだが、コメディを撮ろうなどと思ったことはない自分になぜだか原稿依頼を頂いた。コメディのことはとんとわからない。何を書けばいいのかもわからないが、そんな時はまず愚直に映画でも見るのがよかろう、ということで『赤ちゃん教育』（一九三八、ハワード・ホークス）をＤＶＤで再見する。二〇分ぐらい見たところで、狐につままれたような気持ちになる。途中で止めてもう一回見直すことにする（映画を途中で見直す、という振る舞いの是非はここでは問わずにいただきたい）。さて、見てみよう。

『赤ちゃん教育』では冒頭、キャサリン・ヘップバーンは主人公ケイリー・グラントに一切興味を示している様子はない。二人は夜のパーティー会場で、不意な再会を果たす。彼女は誤ってグラントの燕尾服を裂いてしまう。そのことを責めて彼は彼女に「消えろ」と言う。今度は彼女が怒って退出しようとしたはずみにドレスが破けてしまう。それに気付いたグラントが彼女の体に身を密着させることによってそれを隠し、彼らはその場を立ち去る。その次のシーンでは、ヘップバーンが彼の燕尾服を纏っている。彼は話の中で自分に婚約者がいることを告げる。この時だ。「そう、婚約者がいたの……」と、ヘップバーンが今までになかったようなクロースアップで目線を下に落とし、実に切なげに呟くのである。いや……、まさか、と思うと同時に観客もまた（内心）呟くことになるのだ。キャサリン・ヘップバーンよ。あなたは一体、いつの間に、そんなに、愛してしまったのですか？

この映画史上最も有名なコメディの粗筋をこれ以上ここで概説はしない。ただ、このキャサリン・ヘップバーンのため息（クロースアップ）の瞬間に驚くことができるか否か、その上でこの映画に対してどのような態度を取るのか、ということが映画を見る、また作る上での最も重要な問題なのだ。

さて、ふと顕微鏡でウィルスを発見してしまうかのように、映画における最も重要な問題に行き当たってしまった以上、これを避けて通るわけにはいかない。問題は女優やコメディに留まらず、いずれすべての映画へと突きつけられるが、まずはこれを「ＩＳＡウィルス」と名付け、それがもたらす映画的現象を見ていこう。ちなみにＩＳＡとはもちろん「いつの間に・そんなに・愛しちゃったの？」の略である。

2 ISAウィルスとSBウィルス

ウィルスというのは、おそらく常にパンデミック的事態を狙っているものであろうが、同時にそれは宿主を破壊しかねないものでもあって、ウィルス自身の繁殖と生存の境目は微妙なものがある。ただ繁殖すればいいというものではないのだ。このＩＳＡウィルスの繁殖力も微妙なものである。それどころか実は、こと最近になると映画の中にその存在をなかなか見出すことの難しい、ほとんど淘汰されつつあるウィルスなのだ。しかし、先ほども言ったようにこれは映画における最重要問題をはらんだウィルスであり、その絶滅はほとんど映画の絶滅まで示唆する。そう、ISA（いつの間に・そんなに・愛しちゃったの？）ウィルスは映画を破壊する可能性と、映画の存続の可能性を同時に担っているのである。

そんなわけで、真に映画を作ろうとするすべての人間は、常に自らの映画の中にこのウィルスを忍び込ませようとする。その彼らの姿はほとんどテロリストを想わせる。しかし危険な破壊工作と見なされるこの活動は、当局の厳重な監視によって世の中に届けられる前にほとんど淘汰されてしまうのが現実である。では、その当局の正体とは？　例えば、それはプロデューサーであろう。彼らは脚本の中にISAウィルスを発見したとき、こんな風に言うかも知れない。「あのさ、これじゃ観客がついて来ないと思うんだよね。感情のラインをもっと丁寧に描かないとさあ」。またはそれは役者かも知れない。「あの、この台詞なんですけど、あたしだったらこんな風に言わないと思います。ていうか何でこんなことを言うのか、わからなくって。……言わなくってもいいですか？」。このようにしてISAウィルスの多くは製作段階で滅菌され、映画館まで辿り着くそれは驚くほど少ないのである。

ここで間違ってはいけないのは、彼らはおそらくある面でまったく正しい、ということだ。結果的に検疫機能を果たすことになる彼らの多くは、極めて優秀で、そして真摯な、映画を作る仲間でもある。彼らは映画を思えばこそ、そのように振る舞いもするのだ。彼らは何か別のことを恐れている。しかし、彼らの中にも裏で手を引く輩はいて、ISAウィルスが時折ごくわずかにスクリーンへと定着することがある。私なんぞは、実際に映画館でこのウィルスに相見えると、それだけで、そこまでこぎつけた先達や同志の苦労を思って涙を流しかねない。その美しい結晶っぷりの数々たるや。

それは例えば『フェイシズ』（一九六八、ジョン・カサヴェテス）においてジーナ・ローランズが初めてジョン・マーレイと熱くキスを交わす瞬間である。エリック・ロメールの「喜劇と格言劇」シリーズのヒロインたちが男性に思いを寄せ始めるそのスピードには目を見張るものがある。ダグラス・サーク作品におけるジェーン・ワイマンや成瀬巳喜男『乱れ雲』（一九六七）における司葉子など、皆優秀なウィルスのキャリアー（運び手）の一人であるし、溝口健二の『西鶴一代女』（一九五二）の田中絹代などは最も優秀なキャリアーであろう。『麦秋』（一九五一、小津安二郎）で結婚の意思を表明する原節子にもそれを見出すことができる。こうしてざっと見ただけでＩＳＡウィルスは（ジャンルの枠を遥かに越えて）映画そのものを生息地と選んだウィルスなのだということが見て取れる。しかし列挙した名前を見れば明らかなように、これらは現代においては極めて見ることの少なくなったウィルスなのである。思い当たるところでは、『LOFT』（二〇〇五）の中谷美紀や『UNLOVED』（二〇〇二）の森口瑤子、『接吻』（二〇〇六）の小池栄子たちの系譜があるくらいだ。この状況はなぜ起きているのか？

何を隠そう、このウィルスに対する最も強力な検疫者がこのスクリーンの前に控えているのだ。それは、誰あろう観客である。彼らが、画面に焼き付けられたＩＳＡウィルスに感染したとして、彼らは発症から逃れる手段がある。それは、「そんなバカな」と（内心）呟くことである。呟くや否や、ＩＳＡウィルスは長い旅路の果てに観客の中で朽ちる。永遠の感染という夢はもはや露と消える。

いや、しかしもし顕微鏡で観客の中で発見されたこれらのウィルスを検分すれば、実はそれがＩＳＡウィルスとは似て非なるものであることが明らかになるだろう。その正体はＳＢウィルス。このＳＢ（そんな・バカな）ウィルスに感染した観客は、目の前で起きている事態をまず信じることができない。彼らにとって映画の残りの上映時間は単なる苦痛以外の何ものでもない。そしてＳＢウィルスは映画の上映終了とともに、体内で消えてしまい、どこへも感染することはない。観客はことによっては、映画を見ること自体やめてしまうかもしれない。ＳＢウィルスは映画を破綻させ、観客と映画の関係を決定的に破壊する機能を持つウィルスなのである。

そう、映画を愛する優秀な製作者・役者諸氏が真に恐れ、検疫を図っていたのはこのＳＢ（そんな・バカな）ウィルスの方だったのである。彼らが自分の作品からこのＳＢウィルスを取り除こうとするのも至極当然、映画にとって最も重要な観客との関係を破壊するからだ。そして、このＳＢウィルスとＩＳＡウィルスの関係は未だ詳らかになっていない。ただ一つ言えることは、製作段階でそれを見分けることはほとんど不可能だ、ということだけだ。それらは見た目、あまりに似通っている。そもそもこれらは同一のものかも知れず、観客の中でＩＳＡウィルスとＳＢウィルスに生成している可能性が高い。何にせよ事態の深刻さはＳＢウィルスを淘汰する為に、このＩＳＡウィルスまでもがその監視の網の目に引っかかってしまうことにある。何度も言うように、ＩＳＡウィルスには映画の生存そのものが賭けられているからである。

3　ＩＳＡウィルス、闘いの歴史

映画史は、このＩＳＡウィルスを、映画に潜り込ませようという不断の、そして孤独な努力の賜物である。以下はその闘いの実録である。

Ａ、いくつかの段階を踏む。しかし、これこそまさしくＳＢウィルスへの恐れから為される滅菌作業でもある。いつの間にか「いつの間に」も「そんなに」もそこそこに滅菌される。例えばそれは『或る夜の出来事』

（一九三四、フランク・キャプラ）だろう。スタッフの努力によって仕上がった感動的な作品であることは間違いないが、ここにはISAウィルスは既にないのである。

B、愛は既に始まってしまっている、というパターンである。いわゆる再婚もの（『ヒズ・ガール・フライデー』（一九四〇）『新婚道中記』（一九三六）『結婚五年目』（一九四二）などはこれに当たる。元々あったはずの愛を取り戻そうとする運動が映画に活気を与える。しかし、これはISAの「I＝いつの間に？」の部分を映画の中で描くことを避けている為に、純然たるISAウィルスとは言えない。

C、時間を飛ばす。あるカップルが恋愛関係に落ちるその瞬間は決して見せない。大胆な省略である。危険ではあるが、実は意外なぐらい映画は壊れない。『ハズバンズ』（一九七〇）におけるカサヴェテスとジェニー・ラナカーのカップルが早朝の喫茶店で見せる突然の恋人っぷりがこれに当たる。小津の諸作品における突然の結婚の決定もこの中に含めていいだろう。省略がはっきりしており、観客の当惑も少なくてすむだけに、「いや、俺たちが見ていない間にどうもそういうことがあったらしい」という理性的な消化によって「いつの間に？」が非常に弱まってしまうのが、この方法の欠点である。

D、性と愛をごっちゃにする。主に、ヘイズ・コードが崩壊して以降見られる現象であり、つまりは当然現代的なアプローチである。コスチューム・プレイ以外のロメールの諸作、アントニオーニの「愛の不毛」四部作などがこれに含まれるだろう。果たしてそれが愛なのか性欲なのか判然としない状況で男女が結ばれたり、思いを通わせたりする。性欲と愛の区別の不在が、彼らを迷わせもする。よりリアリスティックなアプローチだと言えるが、ここでの問題は、映画を卑近なリアリズムの範疇に収めてしまう可能性である。故にこれは「S＝そんなに」の部分、つまり激しさを欠くことが多い上、そもそも「愛とは何か？」という根本的かつ無為な問いまで提起しかねないのが難点である。シーゲル、アルドリッチ、フライシャー、ペキンパーなどの七〇年代アクション映画で起きている諸状況がこれに当たるかは研究が必要だろう。

E、いきなり愛してる。これが、最もラジカルな方法であり、ここにあるのはむきだしの、純然たるISAウィルスである。冒頭の『赤ちゃん教育』を初めとして、ここに増村保造の『暖流』(一九五七)、ロメールの『O公爵夫人』(一九七六)、ジャン・グレミヨン『曳き船』(一九四一)、既に挙げたサークの『天が許し給うすべて』(一九五五)、黒沢清『LOFT』、万田邦敏『UNLOVED』、恋愛はサブプロットであってもジョン・フォードの『駅馬車』(一九三九)を加えてもいいだろう。このむきだしのISAウィルスの結晶を前にして、観客は当惑し、リアリズムの観点から言えばおよそ受け入れがたいものを前にして、しかしやはりこう呟くのだ。「いつの間に、そんなに、愛しちゃったの?」

さて、なぜISAウィルスが映画にとって危険かつ、絶対不可欠なものであるか、そろそろ明らかにせねばなるまい。感染とともに、ウィルスの主戦場は観客の内側へと移行する。彼らが「……愛しちゃったの?」と呟く寸前、もちろん観客は驚きと激しい動揺の中で、目の前の事態を否定したくも感じてはいる。それにもかかわらず、彼らは既に目の前の出来事を受け入れ、それを信じ始めているのだ(なぜならそれは確かに目の前で起こっているのだから)。そして彼らがついに「……愛しちゃったの?」と呟くその時にISAウィルスは発症し、破壊を開始する。しかしこのとき、それらが破壊するのは、SBウィルスがそうしたような映画と観客の関係ではなく、その間にある秩序である。それがいかに危険な事態であるか改めて言うまでもない。

4 フィクションの力

多くの観客が因果律を通じて映画を把握することによって、ある支配者の感覚を味わっている。映画を彼らの合理的・日常的な解釈の側に従属させているのだとも言える。しかし、ＩＳＡウィルスが撃つのはこの安穏とした感覚なのであって、この時、初めて映画は観客の支配を逃れ、観客と対等の存在となる。それは「映画の中に、観客も知らないようなリアルな時間が流れている」という認識を持つこととはまったく違って、ただ単に目の前で起きている信じがたい事柄を、それでもなお信じるか否か、つまりはフィクションを信じるかという問い、それをＩＳＡウィルスは観客の内に誘発するのである。

もし観客が身を翻して「そんなバカな」と呟けば、ウィルスは破壊されるが、一方で「……愛しちゃったの？」と呟けば、そのとき、観客は映画のフィクションの成立を支える絶対要件となる。ウィルスはＩＳＡウィルスへと生成を遂げ、観客自身がＩＳＡキャリアーとなる。言ってみれば観客はフィクションの一部となるのだ。このＩＳＡキャリアーとなった観客は、一般的な観客からすればほとんど狂人に近い。ＩＳＡキャリアーの観客は映画をほとんど現実と同等のものと見なし、現実と虚構の序列をなくしているようにさえ見えるからだ。しかし、映画と観客がともに生きるのはまさにこの瞬間なのだ。

映画と観客が、フィクションの力を解放させる為の要件を等しく分け合う、稀有な事態がここでは起こっている。フィクションの力は、頭の中で仮定された境界「／」（現実／虚構、日常／非日常、合理／不合理、安全／暴力……）を無化していく。それ故に、それは出鱈目かつ危険な、またポジティブな力でもある。そして、原初的には「記録」であるが故に、映画の獲得するフィクションの力はもっとも大きなものであり得るのだ。

かつて映画のフィクションを支えていたのは、観客の意志というよりは、ジャンルと呼ばれた曖昧な約束ごとの世界、映画と観客の間の共同幻想であっただろう。その共同幻想を温床として、かつてISAウィルスはこの世界を跋扈していたのである。現代において、ISAウィルスを潜ませることがかつてよりずっと難しいのは、もはやジャンルという約束ごとの世界を映画と観客がほとんど共有し得ないからだ（こうした共同幻想は、まさにISAウィルスと共にかつて大量に世に放たれたSBウィルスによって破壊されたのではないか）。だから今こそISAウィルスのキャリアーになるには、より強い観客の意志が必要とされるし、キャリアーとなった観客はほとんど作者と同等に映画に力を与える。そのとき作家／観客という「／」は無化され、映画は信なき世界を生きる方法になる。それ故に、現代においてもISAウィルス、またそのキャリアーになることの意義は減ずることなく、むしろますます大きなものになって来ているのだ。ある映画を前にして、「そんなバカな」と呟くか、「いつの間に、そんなに、愛しちゃったの?」と呟くかの岐路に立ったとき、自らの意志で後者を選ぶ観客が増えること＝ISAウィルス・パンデミックへの闘いは今も続いているし、いよいよ熾烈を極めている。私もまたこの闘いに身を投じることになるだろう。というのも私自身も既に、このISAキャリアーだからだ。

5　ISAキャリアーとしての女優

『赤ちゃん教育』を見終えた後、比較的最近のコメディも、ということで初めて『ノッティングヒルの恋人』（一九九九）を見た。驚いたのは、そこでまた一つISAウィルスを発見したことである（ジュリア・ロバーツがいきなりヒュー・グラントにキスをするその瞬間）。映画の出来不出来は兎も角として、ジュリア・ロバーツが妙に信じ得る何かを保っていたのは確かで、彼女もまたＩＳＡウィルスの優秀なキャリアーであることが見て取れる。

おそらくコメディというジャンル（というよりもはやアプローチ）がＩＳＡウィルスにとって理想的な温床であることは確かだろう。しかしそれ以上に重要なのは、これは経験論でしかないが、どうやら男優よりも女優の方が、遥かに優れてＩＳＡキャリアーとしての素質を持っているということだ（男優の場合は、例えばジェイムズ・スチュアートやゲイリー・クーパー、もしくは渥美清のような過剰な「朴訥さ」のペルソナを必要とするようだ）。しかし一方で、彼女たちは映画における最も恐ろしいもう一つのＩＳＡウィルス、「いつの間に、そんなに、愛が冷めちゃったの?」ウィルスの非常に優秀なキャリアーでもあるのだ。その同時的両立の不可思議さはフィクションの力を再想起させるものであり、それに関していくら言葉を費やしても構わないものではある。しかし、もはや紙幅もない。その研究報告はまた別の機会を待つことにしたい。

『nobody』三二号、特集「She's So Lovely 現代のコメディエンヌに向けて」、二〇〇九年一二月

ロメールと「死」にまつわる7章

1 「死」とロメール（の暴かれた関係）

小中学生の頃、いわゆる親の事情で転校ばかりしていた。行ったそこでの馴染めなさはさておき、離れていくそこで、別れの挨拶をしながら子供ながらに考えていたことは「おそらく、これでもう一生彼らとは会わないのだろう。だとしたら、これは、彼らにとって、自分にとって、死ぬこととどの程度違うことなのだろうか」ということだった。連絡を取り合えばいい、というのはもちろんだが、まだ携帯電話もPCも普及してない頃のことだ。子供が連絡を取り合うのは非常な意志が必要だったし、繰り返す転校の中でその意志は確実に摩耗していった。

「再会」と「死」を巡る小学生らしい恐怖混じりの思考の中で、僕が出した結論は、「死との決定的な違いは、何はともあれ、彼らとふたたび出会う可能性は在る」ということだった（もちろんそれはもっと曖昧な言葉だったと思うが）。僕がそれを望もうと望むまいと、それはそうなのだ。そのことは僕の人生における「可能性」の発見だった。「起こるかもしれないし、起こらないかもしれない、しかし、それが起き得る、ということだけは確かだ」ということ。ただ単に、可能性とはそういうものだ。だとすれば裏を返せば、この可能性の決定的な消失こそが「死」ということの本質（の少なくとも一つ）ではないか、ともそのときまた思い当たったのだ。

エリック・ロメールが死んだ。誰も超人ではないのだから、ロメールの不死など期待していたわけではないが、おそらく誰もが感じたこととして「あ、ロメールって死んだりするんだ……」ということがあったのではないか。それは彼の齢からすれば当然想像し、準備して然るべきことだったし、ロメール本人が「引退」という形で既に果たしていた準備にもかかわらず、我々はいつもロメールに対してそうであったように、まったく不意を突かれてしまった。まるでロメールと「死」の間にあった隠された関係が発表されるように、その事実は二〇一〇年の一月一一日（ロメールの映画でいつもそうであったように、単に章を改めるように、もっともらしい数字を伴って）、我々にも知らされたのである。カナシミのあまり、とかそういうことではなく、その事実は何とも奇妙に像を結ばない何ごとかなのだ。しかし、この奇妙な感覚には何か理由があるのではないか。ある一人の人間を徹底的に「死」のイメージから遠ざけたロメールとは、一体何者なのか。この「死」とロメールの暴露された関係は、我々が抱いていたロメールという作家のイメージを根本から覆す何かを含んではいまいか。ロメールを巡る真のミステリーは、今まさに始まったのではないか。

2 「欲望」と「倫理」の可視化（例えば、『飛行士の妻』）

だとすれば、まず、我々がロメールに対して抱いていた根本的なイメージの側から検証しなくてはならない。僕自身に関して言えば、ロメールを根本的に「欲望」と「倫理」の作家と捉えていた。映画には決して映ることのないそうした「内面」をロメールがいかに可視化するか、それに関しては既に別の機会に述べたことがあるので、軽く繰り返すに留めよう。

『飛行士の妻』（一九八一）において、主人公カップルがほとんど三〇分近くの長きにわたって口喧嘩をするシーンがある。触れたいと強く願うフランソワ（フィリップ・マルロー）に対して、下着姿のアンヌ（マリー・リヴィエール）が示す嫌悪が、このシーンの性格を決定付ける。それがどれほどの繊細さを以て演出されたシーンかを言葉にすることは容易くないが、ただ一言、それはまるで一つの踊りを見るようだ、と言っておこう。彼らは何度も、一つの画面に収まり触れ合っては（接近）、二つの画面へと別れる（離脱）。しかし、彼らは単に接近するのでも離脱するのでもない、それでは彼らは踊りを続けられない。彼らは突然振り返る。それが接近の為にせよ、離脱の為にせよ、突然起こる「振り返り」が、こうした画面の連鎖の舞踊性を決定的なものにする。一方で、この時観客はただただ呆気に取られるしかない。その振り返りによって、今まで見てきた彼らの行動を、彼ら自身が否定しているように見えるからだ。アンヌに罵倒され今にも帰ろうとしていたフランソワが、帰る間際に「帰らないで」とアンヌが突然口にすることによって振り返る。二人は抱き合い、嘘のように愛撫し合い始める。しかし、フランソワの発した不用意な一言によって、アンヌは再び彼の元を離れて、服を着始め、拒絶の意志を明確にする。この時絶えず交わされる台詞は、ロメール映画における自らの役割をまた一つ明らかにしている。台詞はそれ自体説話における決定的な役割を担っていないが、これは現実における多くの場合と同様に、彼らのコミュニケーションの意志の表明なのであり、台詞は彼らがその場に留まり続ける理由を与える。それは言わば、彼らが踊り続ける為の音楽となるのだ。

こうした踊りのヴァリエーションは、ほとんどすべてのロメール映画に見出すことができる。我々はロメール映画の内に、物語の因果律に沿って動かされる駒のような人間ではなく、動因を持つ存在としての人物を発見することになる。この接近・離脱・振り返りの動因として、素肌の誘惑によってかき立てられた「欲望」が浮かび上がってくるのはもちろんだが、登場人物特有の（我々には立ち入れないような）内化された規律、モラルをさしあたって「倫理」と呼ぶことも間違いではない。ロメール映画における「踊り」は、誘惑に抗しきれない「欲望」と、誘惑を断ち切ろうとする「倫理」の間に起こる戦いを視覚化するのである。

3 「陰謀」と「待機」（もしくは「偶然」に対する態度）

この考えを更に展開する契機となったのは、二〇〇九年一月に東京日仏学院において行われたジャン＝マルク・ラランヌ氏の講演であった。ラランヌ氏はその時、ロメール映画における「シナリオを書く者＝たくらむ人々」について語った。彼はロメール作品における「陰謀」のテーゼについて語ったのである。その講演は、本号（『nobody』三三号）に採録されると聞いているので詳細はそちらに譲る。以下は、その講演に想を得たものである。

陰謀などと言うと「恋愛」と「おしゃべり」のロメール映画を愛する人たちにとって少し大げさに聞こえるかも知れない（それ故に、それはロメールに関するイメージに風穴を空けることのできる可能性を含んだ概念でもあるのだ）。しかし、そもそもロメールの映画における「陰謀」のテーゼを、彼自身が主にバルザックから受け取ったものとして話題にしているし、それはよく聞けば「あー」と首肯できそうな、小さな「たくらみ」まで含んでいるのだ。

ロメール映画における人物たちは目論み、たくらみ、世界を自分が望むように改変しようとする。例えば、

「六つの教訓話」では、一本目の『モンソーのパン屋の女の子』(一九六三)から一貫して、主人公の男がふたりの女性に対して抱く性的欲望を何とか達成しようとたくらむ。より微笑ましい(しかし子供騙しの)「たくらみ」としては、玉の輿に乗っかろうとする『美しき結婚』(一九八二)におけるベアトリス・ロマンと彼女の参謀となるアリエル・ドンバール、そして『春のソナタ』(一九九〇)においてヒロインを父の恋人にしようと企てる娘、『恋の秋』(一九九八)においてやはりベアトリス・ロマンに恋人を見つけようとするマリー・リヴィエールを思い浮かべることができる。そして、このとき、「陰謀」が「誘惑」「欲望」の系譜に属するものであることもまた明らかだろう。

このとき、ロメール的主題は互いに絡み合う。「誘惑」は「欲望」を喚起し、欲望の成就を意図する者はやがて「陰謀」をたくらむ。しかしながら、個人レベルの陰謀はしばしば子供騙しであり、失敗を宿命づけられている。そして、この陰謀の失敗が何によって起こるのかと言えば、多くの場合「偶然」によって起こるのである。その偶然は例えば、第三者による「目撃」という形となって現れる。そして、この目撃者の証言は陰謀を破壊する力を持つ一方で、図らずも見てしまったものに対する態度の決定を迫られるという点で、目撃者はロメールの映画の中でも特殊な存在となる。彼/彼女は証人として「証言」「偽証=嘘」そして「黙秘=沈黙」の選択を課される。率直な「証言」は多くの場合、陰謀を破壊するのだが、より複雑なのは「嘘」と「沈黙」を選択した場合である。これらは、新たな陰謀として事態を一層複雑なものへと変化させていくのだが、これについては後に述べる。問題は「誘惑や陰謀をたくらむ者は、何故失敗を宿命づけられなければならないのか」ということであるが、これは誘惑や陰謀が、強烈な意志に基づいて偶然の排除を図るからだ。しかし、何かを意図して企てたことのある者なら、誰もが知っていることだが、誰も偶然を排除することなどできない。このとき個人レベルの「陰謀」に対して、世界に遍在する「偶然」は圧倒的優位に立ってそれを破壊する。このとき「偶然」はほとんど、世界の側のたくらみ、「世界の陰謀」にさえ見える(『木と市長と文化会館』(一九九三))。

このような世界の陰謀＝偶然に対して、人は敗北し続けるしかないのだろうか。ロメールはここである逆説を示す。ロメール映画においては、誘惑する女性はほとんど常に失敗する一方で(例えば『満月の夜』(一九八四)『美しき結婚』、もしくは「六つの教訓話」を女性の場合から見た場合、そこには「誘惑の失敗」がある)、多くを望まず「待機」の態度を選ぶ女性の下には、恩寵とも言うべき奇跡が訪れる(最もそれが顕著なのは『緑の光線』(一九八六)『冬物語』(一九九二)においてである)。

この偶然に対する「陰謀」と「待機」の在りようは、単に接近・離脱・振り返りに留まらない、「欲望」と「倫理」の戦いに関する新たな側面と言える。では、なぜ待機を選択する者にのみ訪れる僥倖があるのか。それを考察するには、やはりロメールによる「偶然」映画の極北、『冬物語』を取り上げなくてはならない。

4　フィクションに賭けること(『冬物語』)

『冬物語』のヒロインは、些細な言い間違いから恋人と離別してしまう。彼らはお互い、現在の連絡先も、住所も、本名さえ知らない。ヒロインは彼の子供を生み、既に五年の月日が流れている。彼らが再会できる可能性はほとんどないように思える。しかし、それでもヒロインは男との再会を望み続け、そして映画のラストにおいて遂にそれを果たす。

『冬物語』では、かつて『モード家の一夜』(一九六九)において議論された「パスカルの賭け」が、ヒロインが自ら辿り着く論理として反復される。「パスカルの賭け」を極めて簡単に示すなら、それは「神の存在に賭けるか否か」という選択の問題である。このとき、神の不在に賭ける者は、勝つ可能性は圧倒的に高いかもしれないが、これに勝利したところでもはや魂の栄光はない(×0)。一方で、神の存在に賭ける者は、負ける可能性は極めて高いが、これに勝つことで得られる肉体の死後に至るまでの魂の幸福、人生の意義は無限大なのだから(×∞)、可能性がいかに低いとしても賭けるべきはこちらである、とパスカルは考える。このテーゼは、ヒロインが、かつての恋人に会える可能性がほとんどないに等しいにもかかわらず、彼を待ち続ける選択を宣言する際に持ち出される。

出会うことは容易く、再会することは難しい。出会いは望まざる偶然であり得るが、再会を望む者にとって「望まれた偶然」はほとんど「運命」や「奇跡」と名付けたくなるほどのものだ。しかし、彼女にとって、彼のいない人生は無意味なものなのだから、彼女がその選択をすることも彼女(もしくはパスカル)の論理からすれば当然のことなのである。かくして、決して起こらないと思われた「奇跡」の側に賭けた彼女の許に、それは現れる。

この「奇跡」がラストにおいて、いともあっさりと起こることのデタラメさは、ロメールという作家自身の倫理を問いに付すものかもしれない。ロメールの作品はもちろん、ロメール自身が作り出したフィクションであり、そこにはロメール自身の恣意性が働いているとはもちろん言える。しかし、実際のところ、恣意性などというあやふやなものはここにはない。何故ならこうした「奇跡」をラストで起こすことは、映画をむしろ崩壊の側へと近づける態度なのであり(現にこうして我々はロメールの態度に疑問を抱く)、この時のロメールの選択は、単に自己の欲望の正当化ではあり得ず、そこにはデタラメさを選び取るロメール自身の決意がある。まるでヒロインに殉じるように、ロメールもまた最も信じがたいものを選び取るのだ。この選択は同時に、『冬物語』という映画そのものを受け入れるか否かという選択を観客に迫るものでもある。そして、迫られるその苛酷な選択こそが『冬物語』という映画の本質であり、そのとき選択は、言うなれば作家／作品／観客のすべてに等しく課せられているのである。

そもそもパスカルの賭けの本質は、実は神とは関係あるまい。それは、ある「フィクション」に賭けること、あるフィクションをそうと知りつつ、フィクションのまま信じるか否か、という問題なのだ。このとき、最も脆く、微弱で、信じがたいものであるからこそ、それは常に賭けられるべきものになる。それは、正しいから、強大だから、偉大だから信じるというのとはまったく異なる態度だ。逆説的に、もし最も脆く、微弱で、信じがたいものに価値がないのがこの世界の実態であるのだとしたら、我々がこの世界で生きる意義は限りなく少ない。何故なら我々は常に最も脆く、微弱で、信じがたい存在であり得るからだ。このとき、「パスカルの賭け」の論理的基盤の脆弱さを指摘する態度にあまり意味はあるまい。それは論理と言うよりはやはり「倫理」であり、倫理は論理自体の脆弱さを取り込んで強化されていく。それは信じがたいが故に、何より信じられるべきものとなる。

この、最も信じがたいものを選択することの必然的な慎ましさは、即ち「待機」の姿勢と軌を一にするものだ。このとき待機は明らかに「偶然」「倫理」の側にある態度であり、これこそがロメールの映画における特権的な態度でもある。この選び取られた待機を、例えば最も信じがたい偶然に賭ける態度を、単なる待機と区別するために「能動的待機」と呼ぼう。それは言わば「欲望と倫理」、「陰謀と待機」を同時に達成する方法として在るのだ。

5 能動的待機の作家・ロメール(『我が至上の愛 アストレとセラドン』)

我々はロメールの映画の中でも最も明らかな、かつ曰く言いがたい魅力を放つ作品群が、この「能動的待機」の系譜に属することを確認することができる。

そこには、まさに「待機」を選択する女性が恩寵を得る『緑の光線』『冬物語』がある。また、この「能動的」な「待機」という矛盾は、言わば欲望と倫理の奇妙に一致した態度として生きられる。婚約者を裏切ることなく、ただ少女の膝に触ることにのみ執着する男が遂にはそれを達成する『クレールの膝』(一九七〇)や、「自分の親友のために恋人を見つける」という陰謀の成功者であるはずのマリー・リヴィエールが、ラストにおいて自分の欲望を抑え込むような暗い瞳を見せる『恋の秋』がそれである。ここにおいて先ほど保留した「嘘」や「沈黙」とは何であったかを言うことができる。それらはロメール映画における「能動的待機」のヴァリエーションとして現れる。それは例えば、妻の心から負担を取り除くために嘘を選択する『モード家の一夜』、従姉の恋の記憶を汚さないために沈黙を選択する『海辺のポーリーヌ』(一九八三)のことだ。ふとしたことで崩れかねない「陰謀」をこれからも保持し続けるという、一個人の密やかな意志がここでは我々、観客だけにそっと伝えられる。そのとき我々もまた彼らの共謀者となる。

能動的待機はそのままロメールの演出術でもある。言ってみれば、ロッセリーニやルノワールと通じ合うような、あらゆる偶然を拒まず映画の力とせんとする態度が演出においても選び取られる。我々は、この能動的待機の、演出・説話両面における達成を引退作『我が至上の愛 アストレとセラドン』(二〇〇七、以下『アストレとセラドン』)の内に見ることができる。森のニンフ、ガラテの城に幽閉されていたセラドン(アンディ・ジレ)は、ガラテの侍女レオニード(セシル・カッセル)の善意の陰謀によって城を抜け出す。その直後、川辺で吹き荒れる風を思い起こして欲しい。この映画のストーリーを忘れたとしても、決してこの風を忘れることはないだろう。それぐらい強烈な風である。

この風は果たして何故吹いたのか。それは、彼らが外に出たからだ。バカみたいに単純な答えだが、それはそうなのだ。それがガラテのものにせよ、レオニードのものにせよ、ガラテの城が陰謀で埋め尽くされるのは風ひとつ通さない、その堅牢さ故である。このとき、レオニードがセラドンを連れ出したから、そしてロメールがこのシーンをロケーションで撮ることを選んだからこそ、画面はあれほど強烈な風を含んでいるのだ。しかも、セラドンがアストレを心底愛するが故に、セラドンがレオニードを「妹として愛する(それ以上には愛さない)」ことを誓うシーンでその風は吹き渡る。ここでは「偶然」と「待機」と「倫理」が単なる画面でも物語でもなく、「映画」としか言い表すことのできない一致を示している。

我々はロメールの引退作『アストレとセラドン』に、この「能動的待機」の系譜、つまり「欲望」と「倫理」、「陰謀」と「待機」の奇妙な一致の系譜の極点を見ることができる。主人公セラドンは「アストレに会いたい」という切なる思いと「私の前に現れないで」というアストレの言葉に従おうとする忠実さ(fidélité)の戦う場となり、その奇妙な一致はラストにおけるセラドンの「変装」によって果たされる。このとき奇妙さはそのままに視覚化され、やはり我々にそれを受け入れるか否かを迫るだろう。しかし、映画の与える悦びをすべて甘受する為にどちらがより有効な態度かは改めて言うまでもない。

ここまでのことから、そのタイトルの含みからしても明らかに「六つの教訓話」「喜劇と格言劇」が、さらに「四季の物語」も、「倫理（モラル）」つまり「待機」に重きが置かれたシリーズであり、そして引退作の『アストレとセラドン』における能動的待機の視覚化において、それはある頂点を迎えたのだと言っていいだろう。しかし、ここまではまだ単に、ロメール映画のある一側面に一応の筋道を付けたに過ぎない。果たしてロメールとは、そのような幸福な作品のみを世に送り続けた作家であったろうか。決してそうではない。今までの流れで決して触れられなかった一連の映画群がある。それは言わば観客の意識から隠されている映画たちである。その閉ざされた扉を開く鍵を握るのは、おそらく『三重スパイ』（二〇〇四）である。

6　「陰謀」と「死」の作家・ロメール（『三重スパイ』）

『三重スパイ』のヒロインはロシアを亡命した元将軍の妻で、二人はパリで暮らしている。彼女の夫は諜報活動にいそしむが、やがて彼の行動は露見し、姿をくらます（そしておそらく処刑されただろう、と語られる）。ただただ彼を信じたヒロインは獄死する。

『三重スパイ』におけるヒロイン、アルシノエを演ずるカテリーナ・ディダスカルは『満月の夜』のパスカル・オジエと並んで、ロメールのフィルモグラフィの中でも最も魅惑的な女優の一人として描かれる。そんな彼女がなぜ死ななければならなかったのか。考えられることは、まさに彼女が誰より魅惑的であるからだ。彼女は望むと望まざるとに関わらず「誘惑者」である。誘惑者は、我知らず欲望を、陰謀を呼び込む。

映画の冒頭、肌色の薄物を身にまとい、夫に筆記具を渡すアルシノエは、そのときそっと彼の肩に触れて、また離れて行く。彼女の態度は「誘惑」そのものだ。それは彼女が家庭で夫を待つよき妻であることとは何も関係ない。そう、彼女は、映画の中でほとんど外（ロケーション）に出ることをしない。丁寧なことに「趣味の絵を描く時でも外出はしない」と隣人のアマンダ・ラングレへと明言までする。それが偶然を積極的に廃棄する態度であることは、改めて言うまでもない。つまり彼女は「目撃」の機会を、真実によって自らを救う機会を、自ら放棄している。又聞きの目撃情報は、守秘義務を重んじる諜報員としての夫の論理を突き崩すものではなく、アルシノエは常に言いくるめられ、彼に同調してしまう（その同調は肉体的な接触として現れる）。この、選択を伴わない彼女の態度を単純に「待機」と呼ぶことはもはやできない。この、ロメール作品において初めて現れた「待機」と似て非なる態度を、仮に「受動的誘惑」とでも呼ぼうか。

ここにおいてロメール的状況が反転し、裏面が現れる。この、徹底的に偶然が、ひいては恩寵や奇跡があらかじめ廃棄された世界では一体何が起こるか。『三重スパイ』というタイトルの示す通り、折り重なる陰謀の主体はもはやわからず、荒唐無稽な推測はされるものの（「ヒトラーとスターリン？」）、だいたい何が真実で何が嘘か判別する術はない。夫は果たして妻に余計な心配をかけない為に（もしくは守秘義務の遵守として）、妻に嘘をつき続けていたのだろうか？ それとも最初から妻の存在など何がしかのカモフラージュでしかなかったのだろうか？ そもそも夫の言葉に何か嘘はあったのだろうか？ もしかしたら、むしろ夫こそ妻の「誘惑」によって身を滅ぼした被害者なのではないか……？『条理ある疑いの彼方に』（一九五六、フリッツ・ラング）にも比肩する底なしの闇の中に我々は投げ出される。

『三重スパイ』の存在は、ロメールのフィルモグラフィの中に「陰謀」の側に立つ作品の系譜を明確に浮かび上がらせる。小さなたくらみはより大きな陰謀に踊らされていたに過ぎないことが示される『レネットとミラベ

ル 四つの冒険』（一九八七）、偶然とは即ち世界の仕掛ける陰謀であることを仮定法（「もし〜でなかったら」）で明らかにする『木と市長と文化会館』、偶然が決して幸福な機能を担うことのない『パリのランデブー』（一九九五）。これらはどこか出口を欠いた、呑み込まれてしまいそうな世界の闇を含み込んだ作品群であり、ロメール自身が「寸劇」と呼んだ分類できない映画である。『アストレとセラドン』が待機の系譜の極点であるなら、『三重スパイ』は陰謀の系譜の極点であると言うことができるだろう。映画のラストで響き渡る「彼女は死んだ」という一言が示すのは、待機の果ての「奇跡」に対置されるような、陰謀の果ての「死」である。

今、彼の一本の映画がそうであるように、この「陰謀」と「待機」の絶え間ない交替がエリック・ロメールのフィルモグラフィを構成していることが明らかになる。思えば、この絶えざる交替、そして「死」はデビュー作に既に含まれたものだった。『獅子座』（一九六二）においては、偶然が死を呼び込み（交通事故）、死は遺産という僥倖を主人公にもたらす（しかし全編を通して見た観客は、その事実のひとつひとつを単なる幸／不幸という概念では定義できなくなっていることに気付くだろう）。そうなると問題は「なぜ我々は、こんなにもあからさまに存在していたロメール映画の「陰謀」と「死」を不当に無視していたのか」ということであるが、もはや答えは簡単だろう。我々がそれを見るのを拒んだからだ。幸福な偶然の作家、奇跡の作家としてロメールを捉えることの心地よさに我々は安住していた。またしても自分の見たいものだけを選び取り、ロメールと死の間に境界を無邪気に仮定していたのだ。しかし、今はっきりした。ロメールとはもはや我々が考えていたような幸福な作家ではない、もっと恐ろしい、もっと危険な何者かである。

ロメールの死そのものが、我々が「ロメール／死」の間に無邪気に仮定していた「／」を破壊した。まるで『ピラミッド』（一九五五、ハワード・ホークス）のラストのように、回路が開かれ、あらゆる装置が駆動し始めている。

それはまず、今まで無視されていた「陰謀」と「死」の作家としてのロメールを明確に浮かび上がらせた。そのことは、彼のフィルモグラフィにおける「倫理」「待機」「奇跡」の作品群を否定するものでは決してない。いいいいいいいい、それは同時に可能なのだ。『獅子座』においてそうであったように、それらはあまりに速く交替するので、我々はそれが果たしてどちらの系譜に属するものであるか正確に同定することができなくなる。それはやがて奇妙な一致として現れる。もはや「欲望／倫理」「陰謀／待機」の間に我々が仮定していた「／」は徹底的に破壊される。思えば、この「／」の徹底的な破壊こそが、ロメールが延々と行ってきた作業だったのではないか。『冬物語』のヒロインをよく思い出そう。自らが最も待ち望んだ奇跡を前にして、彼女は何と逃げ出してしまう。待ち望んでいた事柄を奇跡として受け止めるのではなく、無価値な偶然と見なす。そして、そのことによって彼女は真に価値のある何かを手に入れるのではないか。『冬物語』は奇跡に驚くべきなのではない。その奇跡の平坦さにこそ驚くべきなのである。このとき、「偶然／奇跡」の「／」は破壊され、『冬物語』は「運命」や「奇跡」にまったく新しい言葉を与える為の戦いとして在る。

だとすれば、引退とは、彼の「死」に対して為した能動的待機に他ならない。彼の死は、自らの死後も「／」を破壊し続ける装置を完成させる為の最後の陰謀なのではないか。だがそれは、あのピラミッドのような閉じられた回路ではない。彼の一本の作品は彼のフィルモグラフィと、今までとは違う回路を通じて互いに

7 回路は開かれた（境界の消失）

響き合う。そのことで、今までとは違った相貌を示し、我々の仮定した境界線やカテゴリーを破壊し続けるだろう。もちろん、その回路は彼のフィルモグラフィの範囲内に留まるものではない。「陰謀」と「死」の系譜の浮上は、彼自身が幾度も敬愛する作家としてその名を口にしながら、我々がその関係について語る術を持たなかったフリッツ・ラング、それもアメリカ時代のフリッツ・ラングとロメールの間に確かな回路を開くことになる。それはラングのフィルモグラフィの中にある「改心（変心）」の映画の系譜に光を当てることにもなるだろう。ロメールのフィルモグラフィは今改めて、映画史と互いに光を当て合い、同定不可能な乱反射を既に始めている。

その開かれ続ける回路の完成の為に、我々にできることがあるとすれば、それは追悼とは別のことだ。それはロメール全作品の大規模なレトロスペクティブ、そして『三重スパイ』のロードショー公開の為の活動になるだろう。そのとき我々はまったく新しい未知のロメールを見る。この文章は来るべきその日の為の、僕なりの能動的待機である。個人的には、それは僕が幼い日に仮定した「再会／死」の「／」が破壊される機会となるのではないか、という期待と恐怖がある。それが『アストレとセラドン』のラストのような甘美なものであると期待してはならない。それはおそらく最も苛酷な体験として我々のもとに訪れるだろう。「可能性」とは思い返せばいつも、そうした甘美で苛酷な体験なのだ。ただその甘美で苛酷な可能性の側に常に立ち続けることを、僕はロメールから学んだ気がしている。そのことにはあらゆる境界を越えて、感謝の気持ちを届けたい。

『nobody』三三号、特集「エリック・ロメール、不純な映画のために」、二〇一〇年三月

II

『東京物語』の原節子

1 世界にたったひとつの映像――小津の方法

二〇一五年の九月五日、原節子が逝った。しかし、私は原節子についてほとんど何も知らない。本名の会田昌江さんのことなると尚更知らない。私はただ幾本かの映像を通じてのみ原節子を知っている。このような追悼文めいた文章を書く資格があるかどうかも怪しい。にも拘らず、私は書かなくてはならない。そして、書くとすれば小津安二郎監督の『東京物語』(一九五三)の原節子－紀子について語る、ということ以外にあり得ない。それを見て得た驚きは、私がこの文章を書き得る極めて限定的な、しかし決定的な理由だ。そのことは今、私が映画を撮り続ける理由の一つですらある。

私が驚いたものは、それ自体珍しくもない。おそらく誰しもが、驚きはしないでも心を揺さぶられる『東京物語』の最終部における原節子と笠智衆のやりとりだ。その中で原節子がカメラを正面にして見せる表情に、驚いた。映画作りを続けながら、今も驚きを深めている。一体、人はカメラの前であのような表情をし得るものなのだろうか。いや、し得るのだ。その証拠映像が残っている。疑いようはない。

明らかに演技をしているにも拘らず、いやもしかしたらそのことによって、ただ信じることしかできないような人がそこに写っている映像。いわゆる「人間」を描いたとか、そういうことではない。むしろ新たにここで人間が創造されており、その瞬間にカメラが間に合っている、ということ。『東京物語』の原節子は私が知る限り、このように表現し得る世界にたったひとつの映像なのだ。なぜそのようなことが可能なのか。

その問いに身を浸すならば、原節子に捧げるこの文章は、避け難く小津安二郎の方法を巡る小論にもなる。私にとっては原節子について語ることは、小津安二郎のカメラの前に立った原節子について語る以外ではあり得ない。そのようなアプローチを取るのは、間違いなく小津自身が「映画の演技」を巡る不可能性を十二分に自覚した上で、あのカメラ位置を選択したからだ。あの原節子は偶然写ったものではあり得ない。そこには明確に、小津の選択した方法がある。一九四一年に発表された小津安二郎の論考「映画演技の性格」から引用してみよう。

（……）往々にして映画の中の演技に未だ舞台劇的の残臭があるのみならず、例へば映画俳優を志すと言ふやうな人々の中にも、やゝもすれば今以て、映画に出る、キャメラの前に立つ、と言へば、殊更に芝居をしなければいけない、と言つたやうな誤つた考へが可成り根強くあるかに見受けられる。

（……）何が故に映画は舞台劇模写に満足出来なくなつたであらうか。それは映画の天性である高度の写実的性格のために他ならなかつた。（……）映画演技とは、一口に言つて、ありのまゝの形、ありのまゝの気持ちでいゝ、現実そのまゝの巧まない仕種、つまり写実といふことが映画演技の基本であるといふことは、昨日も今日もそして明日も変りないであらう。

然し、かう言つたからと言つて、映画演技が現実と同じ、つまり実写そのまゝでなければならぬと言ふのではない。といふのは、映画劇は実写ではないからだ。映画劇は単なる実写とは違つて、現実そのものの再構成であり、もつと完全な、そしてもつと納得の出来るやうな人生の姿を伝へることを志し努めるものである。これは他のいろ〳〵の芸術の場合にも言へることであるが、映画はその天分に於ても、従つてその使命に於ても、敢てそれ等にひけをとるまじきものである。かう言ふ意味での映画劇と実写との相違が、そのまゝ、映画演技と現実そのものとの相違を意味することになるのである。即ち、現実そのものから出発し、絶えず現実そのものゝ鑑に於て反省され、終に現実そのものよりもつと完全な、そしてもつと納得の出来るやうなものであらうとする努力、しかも自分をあらはせばこれが映画演技の真髄なのである。又写実といふことが映画演技の基本である所以でもある。

（「映画演技の性格」、田中眞澄編『小津安二郎「東京物語」ほか』所収、傍点引用者）

とは言っても単に農婦役を求めて農婦（素人）を連れて来ればいいわけではない、とも少し先の箇所で述べている。映画劇（ドラマ）が現実以上に観客を納得させるためには、映画には映画独自の演技が必要であることを小津は深く理解していた。それはすなわちカメラの持つ「写実的性格」による。このカメラの天性は「舞台劇的の残臭」まで捉える。だとすれば、小津が役者に求めた演技が根本的にただの「フリ」ではないのは明らかだ。しかし、だからこそ、人体の中でも最も多くその者についての情報が露わになる「顔」の正面にカメラが据えられる小津的画面において、この「映画演技」の問題は頂点に達する。

ある役者がカメラを見るのであれば、小津の考えるカメラの「写実的性格」は、ある役者が「カメラを見ている」ということ、決して相手役とは向かい合っていないということを記録するし、役者の演技が「フリ」でしかないことをこの画面は素直に告白する。つまり、これは二重の「フリ」なのだ。「自分でない誰かのフリをしながら」「カメラなど見ていないフリをする」。これは明らかに小津の言う「現実そのものの再構成」のために選び取られた画面だろう。そして、小津によれば、まさにこのとき、役者は現実以上に観客を納得させる演技をしなくてはならない。この時の役者の負担は計り知れない。そんな無理難題を小津はただひたすら役者に要求したのだろうか。いや、あらゆる手立てを尽くしたろう。そうでなくては、小津自身が求めたものが画面に定着することも決してない。

『東京物語』で目にしたもの、それがどうしたら写るかわからずに、何度も繰り返し見直した。しかし、わからない。ここで、小津の方法を腑分けしてみることにする。画面を繰り返し見るのみでは、決して方法を汲み取れない以上、想像を伸ばしてみることにした。全く規模は違えども、映画の制作に携わるものとして、キャスティング、脚本、スケジューリング、撮影現場の段階を想像してみようと思う。ただ、想像が恣意的なものになりすぎないように、幾つかの資料を参照しながら。

2　キャスティングとシナリオ——「いいえ」の人

小津の演技に関する考え方を参照すれば、カメラの写実的性格に耐える方法はひとつだ。「本当にそう見える人」を選ぶしかない。これは必ずしも「本当にそうである人」を選ぶことではない。「そうである」が「そう見える」とは限らないからだ。そこに演技が介在する余地がある。自身を「見られる」対象として開くこと。もちろん、自身を開いた結果も「そうである」ことがなければ、やはり小津の求める「映画演技」は成立しない。ここで『麦秋』（一九五一）撮影当時の小津の原節子評を引いておこう。

僕は過去二十何年か映画を撮ってきたが、原さんのように理解が深くてうまい演技をする女優はめずらしい。芸の幅ということからすれば狭い。しかし原さんは原さんの役柄があってそこで深い演技を示すといった人なのだ。

（『アサヒ芸能新聞』一九五一年九月九日）

自作公開を一カ月後に控えた映画監督の言動をどこまで真剣に捉えるかという問題はあるにせよ、ひとまず額面通りに受け取ってみれば、『麦秋』の撮影を終えた段階で、小津にとって原節子は最良の役者の一人である。ただ、闇雲に役を振ってはならないという認識を持っている。あくまで原節子に合った、いやむしろ彼女を最大限活かすための役柄を与えなくてはならない。

それは例えばどのようにして可能か。原の義兄・熊谷久虎と親しい脚本家の澤村勉が語る『麦秋』執筆時のエピソードによれば以下のようなことがあった（『小津安二郎・人と仕事』）。原自身の結婚観を小津に問われて、原がプライベートでよく口にした「私と結婚してくれる人がいるとしたら、子供がいて奥さんに死なれた人ぐらいね」という言葉を澤村が教えたところ、『麦秋』における原‐紀子の役柄にそのまま反映された。紀子の台詞としてはこう現れる。「ほんとはねお姉さん、あたし、四十にもなってまだ一人でブラブラしているような男の人って、あんまり信用出来ないの。子供ぐらいある人の方がかえって信頼出来ると思うのよ」

『麦秋』同様に野田高梧とのコンビによる『東京物語』の脚本に書き込まれた「紀子」とは、前二作の仕事を経て、二人の「原節子」観が最大限反映される形で、原が演じやすいように書かれたという想像は許されるだろう。では結果として『東京物語』の脚本にはどのような「紀子」像が現れているのか。端的に言えば、紀子は「いいえ」の人として現れる。

紀子が義父母の周吉（笠智衆）・とみ（東山千栄子）を自分のアパートに迎える場面であるシーン番号（以下S#）73の冒頭、台詞だけを抜き出してみる（以下、脚本抜粋は田中眞澄編『小津安二郎「東京物語」ほか』に所収の「監督使用台本」による。ただし、現代仮名遣いに直した）。

とみ「紀さん、もうほんとに構わんで下さいよ」
①紀子「いいえ、なんにもお構い出来ません」
とみ「ほんとに今日はお蔭さんで」
②紀子「いいえ……お父さまお母さま、却ってお疲れになったでしょう?」
周吉「いやァ、思いがけのうあっちィこっちィ見せてもろうて……」
③紀子「いいえ」
とみ「すみませなんだなァ。お勤めゥ休ましてしもうて……」
④紀子「いいえ……」
周吉「忙しいんじゃなかったんか」
⑤紀子「いいえ。よろしいんです。小さい会社ですから、忙しい時は日曜も出ますけど、いま恰度(ちょうど)ひまな時ですから……」

ちなみに③の「いいえ」は小津が撮影時に使った脚本にわざわざ書き足したものと確認できる。実際の映像を見てみればそれはもちろん演技のリズムを出すために挿入されてもいるが、過剰な繰り返しも恐れずに、むしろ積極的に小津が紀子を「いいえ」の人として打ち出していることが知れる。

話は一旦脇道にそれるが、小津‐野田コンビの脚本が描き出す立体性はこの「受けの第一声」によるところが大きい。「でも」「いやあ」「ああ」「まあ」「そう」……。前の台詞を受けて、次にどのようにその人物がリアクションをするかを指示するこうした台詞は、各演者に割り当てられた個別のものとしてではなく、台詞間の流れを作り、まさに「対話」としてのダイアローグを生んでいる。よく指摘される「そうか」「そうよ」などの台詞の反復も「台詞間の流れ」を作るためのバリエーションと言えるだろう。それはドラマを進めるという観点からは冗長にも見えるが、その場に人物間の関係性を確かに立ち上げることができる（結果的にそれは撮影・編集を経て生きた時間へと変わる素地となる）。では「いいえ」とはどのような関係性において現れるのか。

前述のシーンを読んでもわかるが「いいえ」は単なる否定の言葉ではない。あくまで自身に向けられた「気遣い」を無用のものとして示すためにある。ただ、現実的なシチュエーションで想像してもわかるように、こうした「いいえ」を口にすることはあくまで「互いに気遣い合う」関係が前提となる。「いいえ」と口にしたからと言って、本当に気遣って欲しくないのではなくて、気遣ってくれるから「いいえ」と言い続けられる。そして「いいえ」と言われるが故に更に気遣うサイクルが生まれる。だからこの「いいえ」の使用は一定の距離感を前提としているし、紀子ばかりでなく長男の嫁である文子（三宅邦子）も口にする。

ただ、紀子における「いいえ」の多用は単にその場の関係性を「横軸」として示すばかりでなく、紀子自身の性格・人物像まで「縦軸」として示すほどのものだ。それはS#103において紀子のアパートに泊まりに来た義母・とみの再婚の勧めに以下のように答えることで象徴的に示される。

紀子「いいえ、いいんですの。あたし、この方が気楽なんですの」
とみ「でもなア、今はそうでも、だんだん年でもとってくると、やっぱり一人じゃ淋しいけえのう」
紀子「いいんです。わたし年取らないことにきめてますから」
とみ「(感動して涙ぐみ)――ええ人じゃのう、あんたァ……」

「いいえ」を重ねて「ええ人」と評されるに至った紀子。繰り返す「いいえ」「いいんです」の中に控え目さと思いやりを見出すのは何もとみだけではない。シナリオを読む者もこの評言に同意するだろう。ただ、自身が勝ち得たその評価に彼女が居心地を悪くしているであろうことが読者のみにそっと紀子の「多層性」として知らされる。

前述の箇所に先立って、老夫婦が最初に紀子のアパートを訪ねてきた際に紀子が足らない諸々を隣室の主婦に借りに行く描写がある(S#72)。義父母と接するのとはまったく違う紀子の気安さも印象的なのだが(「ありがとう」すら最後に付け加えるように言うに過ぎない)、まずは酒を、そして思い出したように再度やって来て徳利とお猪口を借りることに注目したい。そのすぐ後のシーンで戦地から帰らぬままの(その死が劇中で示唆される)夫・昌二が父・周吉と似て酒飲みであったかどうかを、とみに問われて紀子は「いただきましたわ」と答える。つまり、ここには不整合がある。昌二の出征から時間を経ている以上、酒がないことは理解できる。しかし、徳利とお猪口は捨てる必要がない。ここでわざわざ示された不整合からは紀子が義父母を気遣って昌二が酒飲みであった（父親と似ていた）と「嘘」をついているとも考えられるが、最も自然な考えは彼女が徳利とお猪口をあるときに「捨ててしまった」ということだろう。もちろん真相はわからない。布団は取ってあるのだから、それらは単に割れてしまったのかもしれない。そこには極めて微妙な綾がある。八年帰らぬままの夫はほぼ確実に死んでいるだろう。しかし、生きているかもしれないのだ。それは果たして彼女らにとって希望と呼ぶべき何かだろうか。ともあれ、観客もしくはシナリオ読者としての演者のみが感知し得るこの不整合を織り込むことで、笑顔を絶やさない紀子の（人間としてはごく当たり前の）多層性を小津・野田は示唆しているとは言える。

「いいえ、いいんです」が初めて登場するシーンに目を向けると、それは会社の紀子宛にかかってくる電話応対の場面だ。義父母の東京案内を頼まれた紀子がその場で「いいえ、いいんです」と応じて、上司に「まことに勝手ですけど……」と休暇願いをする。必ずしも気楽に会社を休めるわけではないことが示されるが、電話口に戻った紀子は義姉に再び「いいえ、いいんです」と口にする。ちなみにこのシーンで二度出てくる「いいえ、いいんです」のうち一つめは小津が撮影台本にわざわざ書き加えたものだ。こうした「いいえ、いいんです」の下に隠された紀子の多層性は、映画の終盤まで他の登場人物にとっては明らかではなく、ただ観客のみに知らされる。「いいえ、いいんです」と繰り返す紀子の深層に、誰も触れることのできない紀子がある。

ここではまだあくまで『東京物語』のシナリオに書き込まれた「紀子」についての話だ。これがどの程度「原節子」に寄せられた脚本なのか、判断する術はない。ただ、こうした「いいえ」の人としての紀子の書き込み（ときに書き加え）は、脚本が原へ向けられた詳細な演出指示書であることの証左だろう。それは結局、撮影においてどのように作用したのだろうか。どうしたってそれも想像の域を出ない。ただ出来うる限りの状況証拠を重ねつつ、推測してみたいと思う。

3　スケジュール――「いいえ」から「でも」へ

『監督 小津安二郎』（蓮實重彥）所収の撮影監督・厚田雄春による『東京物語』撮影記録を見ると、ロケハンを経て一九五三年七月二三日にクランクインし、一〇月二二日に人物撮影部分をすべて終えている。問題としたい「尾道平山家」における周吉と紀子の劇中最後の会話（S#164）は一〇月六日に撮られている。三カ月に及ぶ撮影期間の終了二週間前と言えば、ほぼ撮影の最終局面と言ってよいだろう。ここで注目したいのはその直前、一〇月三―五日（四日は公休日）にかけて撮られている紀子と義妹・京子（香川京子）のシーン（S#161・162・163）だ。[1] S#162での二人のやり取りを紐解いてみよう。京子が、兄姉が母の葬儀後すぐに東京に戻ったことを責める。

京子「兄さんも姉さんも、もう少しおってくれてもよかったと思うわ」
紀子「でも、みなさんお忙しいのよ」
京子「でも、ずいぶん勝手よ。云いたいことだけ云うて、サッサと帰ってしもうんですもの」
紀子「そりゃ仕様がないのよ。お仕事があるんだから」

京子「だったらお姉さんでもあるじゃありませんか。自分勝手なんよ」
紀子「でもねえ京子さん――」
京子「ううん、お母さんが亡くなるとすぐお形見ほしいなんて、あたしお母さんの気持考えたら、とても悲しうなったわ。他人同士でももっと温(あたた)いわ。親子ってそんなもんじゃないと思う」
紀子「だけどねえ京子さん、あたしもあなたぐらいの時には、そう思ってたのよ。でも子供って、大きくなるとだんだん親から離れていくもんじゃないかしら? お姉さまぐらいになると、もうお父さまやお母さまとは別の、お姉さまだけの生活ってものがあるのよ。お姉さまだって、決して悪気であんなことなすったんじゃないと思うの。誰だってみんな自分の生活が一番大事になってくるのよ」

映画中、紀子がこれほど長く、自分の考えを誰かに聞かせるのは初めてのことだ。おそらくは「でも」「だけどねえ」といった、新たに与えられた逆接の接続詞が紀子を自身の発露へと導いている。「いいえ」から「でも」の人へと紀子が成るのは、この映画中初めて年長者となる(京子との関係において)ことと呼応している。紀子は京子により長く生きることでのみ見える「世の理」を説いてゆく。ただ、映像を見たときに驚かされるのは、シナリオから読み取れるのとはまったく異なる柔らかさだ。

(1) この撮影記録に肝心のS#162が欠けている。S#163が一〇月三日、五日ともに記載があり、S#162の記載が他に見当たらないため、どこかの段階での誤記であり、このどちらかの日(おそらくは一〇月三日)に撮影していると判断した。

原節子はこの台詞を笑みと共に発する。ただの反論や説教ではなく、明らかに京子の若さへの共感と、自分がそうではなくなっていくことの哀切さを込めつつ、名高いあの場面へと至る。「いやァねえ、世の中って……」と嘆く京子に、紀子は「そう。いやなことばっかり……」と言葉とは全く似つかわしくない笑顔で応じる。先述の義母とのシーンにおいてはシナリオ上に散見された「笑顔で」「笑って」などの紀子へのニュアンスの誘導はこの場面では見られない。それをもって、こうした演技がすべて原節子その人の発露と主張したいのではない。当然、現場での小津の指示もあった可能性も高い。ただ、ここでは明らかにガイドを外して、原の「自発」的演技を期待する小津を見いだすことができる。忘れてはならない。映画演技の真髄とは「自分をあらは」すことなのだから。

撮影スケジュールもそのことを助ける。他の組の撮影もある中で、建て込んだセットをいつまでもスタジオに置いてはおけない。まとめ撮りをせざるを得ない状況で、冒頭シーンも含む「尾道平山家」におけるセット撮影をスケジュール終盤に位置付けるのは、明らかに演技者への配慮だろう。映画撮影において格段珍しいことではないが、ここで小津(組)は、撮影全体を通じて紀子‐原を初めとした役者とキャラクターを縒り合わすべく、スケジュールを組んでいる。「順撮り」に伴って役者に起こる感情的発展を嫌う監督もある。そのとき役者が演出家の意図を超えてキャラクターと癒着する危険もあるからだ。しかし、小津組のスケジュールはその感情的発展を否定しない。感情的に重要と思われる前述の「紀子のアパート」での一連のシーンもすべて撮り終えた上で、この「尾道平山家」を迎えている。そして、「いいえ」だけでなく「でも」を得て、自身を表す端緒をつかんで、紀子‐原節子は周吉‐笠智衆との別れのシーン撮影に臨む。

二人の会話は「いいえ」と「いやァ」の応酬から始まる。周吉「長いこと済まなんだなァ」紀子「いいえ、お役に立ちませんで」「いいや、おってもろうて助かったよ」「いいえ」「お母さんも喜んどったよ。東京であんたのとこへ泊めて貰うて、いろいろ親切にしてもろうて……」「いいえ、なんにもお構い出来ませんで」「いやァ、お母さん云うとったよ。あの晩が一ばん嬉しかったいうて——わたしからもお礼を云うよ。ありがとう」「いいえ」と。

紀子が「いいえ」の人であったように、周吉は「いやァ」の人だ。「いやァ」もまた、ここまで場を和らげるために発されてきた。その点で二人は似ている。先ほど「いいえ」は一定の距離感を前提としていると書いたが、ここで為される「いいえ」「いやァ」という気遣いの応酬は、距離を作るより、本当にわずかずつだが二者を近づけてしまう。際限ない気遣いが、互いの示す柔らかさが、それまでとは違う自分を表す素地となる。紀子は「いいえ」で覆い隠していた自身の秘密を露わにしようとする。「いいえ」が「でも」に変わる瞬間がやってくる。

①紀子「いいえ。あたくし、そんな、おっしゃるほどのいい人間じゃありません。お父さまにまでそんな風に思って頂いてたら、あたくしの方こそ却って心苦しくって……」
②周吉「いやァ、そんなこたァない」
③紀子「いいえ、そうなんです。あたくし猾(ずる)いんです。お父さまやお母さまが思ってらっしゃるほど、そうい

つもいつも昌二さんのことばっかり考えてるわけじゃありません」
④周吉「ええんじゃよ、忘れてくれて」
⑤紀子「でもこのごろ、（目下げて）思い出さない日さえあるんです。忘れてる日が多いんです。あたくし、いつまでもこのままじゃいられないような気もするんです。このままこうして一人でいたら、一体どうなるんだろうなんて、ふッと夜中に考えたりすることがあるんです。一日一日が何事もなく過ぎてゆくのがとても寂しいんです。どこか心の隅で何かを待ってるんです。――猾いんです」
⑥周吉「いやァ、猾うはない」

④の周吉の台詞は元々台本では「いやァ、忘れてくれてええんじゃよ」となっていたが、小津の手で書き換えられて「いやァ」が削除され、周吉が紀子へぶつけるより直接的な（しかし気遣いの）台詞となっている。そのことが紀子の「でも」を引き出すための小津の最後の一矢だろう。ここにおいて紀子の感情の発露を助けることと、原節子の表現を助けることに、ほとんど違いはないはずだ。現れようとしているものは先ほどのような「世の理」を説く理知的な態度とは異なる。彼女はいま自身の、誰にも見せられなかった秘部を晒そうとしている。義母の気遣いに「いいえ」「このままが気楽」と応じた紀子ではもはやない。「でも」「このままじゃいられないような」「寂しい」「何かを待ってる」紀子が顔を出そうとしている。

『東京物語』を見直して幾度めかに⑤の部分が、紀子の正面ショットではなく、周吉の背中を手前に、奥に紀子を配する形のワンショットで撮られていることに気づき、驚いたことがある。このワンショットは二人が紛れもなく向かい合って演じていたことの証拠映像となっている。紀子が自身を晒け出していくその過程、そこにはやはり目の前の周吉‐笠智衆の反応を、演技の助けとして必要とすると小津は考えたのだろうか。カット割りは現在映像で確認できる通りに台本に書き込まれている。ただ、シナリオ上の指示は「目下げて」とあるだけだが、映像上の紀子‐原節子は一旦は指示通りにするもののやがて顔を上げて、笠を見る。笠もその時は原の動きと呼応するように顔を原の方に向ける。二人は見つめ合い、最後の「猾いんです」で原はまた顔を下げる。声にはそれまでにない激しい抑揚が具わるが、それを大げさなものとは感じられない。

原の演技はできあがった。しかし、まだ映画は完成ではない。小津はここでかつての自分が言った通りに映画劇が「現実そのものよりもつと完全な、そしてもつと納得の出来るやうなものであらうとする努力」を自ら実践する。原の正面にカメラを据えるのだ。それがいかに過酷なことであろうと、それをしなくてはならない。果たして、原はカメラに向かって、面を上げる。その瞳には涙が輝いている。

紀子「いいえ、猾いんです。(目に涙)そういうことお母さまには申上げられなかったんです」
周吉「――ええんじゃよ。それで。――やっぱりあんたはええ人じゃよ、正直で……」
紀子「(目下げ)とんでもない」

誰しもがここで「とんでもない」と目を(顔ごと)反らす紀子‐原節子を記憶している。シナリオ上の「目下げ」の指示以上の瞬発力を持って彼女が目を反らすのは、「とんでもない」の一語が、「いいえ」を否定とし得ない彼女が咄嗟に選び取る否定と拒絶の言葉だからであり、結果選ばれたその強い言葉は誰も見たことのなかったその首筋を浮き立てるほどの勢いを彼女に与えた。原がカメラから目を反らすのは、その瞬間、紀子－原が自身の最も柔らかな秘部を晒すことの限界と、映画が映画であることの臨界が同時に訪れるからだ。どれだけ優しい義父も、どんな観客もその先を目にすることは許されてはいない。

ただ、ここに及んで個人的な感慨を、誤解を恐れず述べるならば、私はその紀子－原節子の表情を見たときに「まるで自分のよう」に感じたのだ。他者から見たら笑って肯定し得る程度の「秘密」であることを理解しつつ、それを決して差し出せないこと、そのことが尚更恥ずかしく、しかしそれを勇気をもって差し出そうとして起こるすべての仕種の中に、年齢・性別・生きた時代・あらゆるプロフィールの違いを超えて、私は自分自身のうちに在る最も高貴な一片を見せてもらったような、その存在を教えてもらったような気がするのだ。それは今も私の中の他者としてある。ごく勝手に思うのは、この映像を、この紀子－原節子を見た人には誰でもそれが起こるのではないか、ということだ。「あらゆる人の中の私」をこの瞬間、原節子は垣間見せてくれているのではないか。

小津は最後に、もうひと足掻きしてみせる。目を反らした紀子を前にして、周吉は立ち上がり、亡妻の形見の時計を紀子に渡す。ここで、小津の撮影台本には周吉の一言が書き加えられている。「なあ 貰うてやっておくれ」。映画の中で、この一言は紀子の表情に乗せて響く画面外の音としてある。ここまで示したすべてのやり取りの中で発話者が映らないのはこの瞬間だけだ。この小津にとってはずいぶん例外的な音声を聞き取って、原の表情は震える。そして面を下げ、泣き顔を見られないように顔を両手で完全に覆ってしまう。しかし「貰うてやっておくれ」がもたらす猶予の間だけ観客は、台詞の響きに呼応して瞳の涙が揺れるのを見つめることを許されている。我々は束の間、しかし確かにそれを見る。何度でも見ることができる。

どうすれば映画は、このような瞳を収め得るのか。結局、どこまでもわからない。笠はカメラが自身に向いていないときも、カメラ脇で自身の台詞を原に実際に与えただろうか。そうして原が、この遊戯じみた撮影の中で演じることを励ましたろうか。わからない。それについて述べた資料は見つけられなかった。ただひとつ言えるのは、カメラの脇には常に小津がいたであろう、ということだ。この日のためにあらゆる準備をした小津がいる。小津が見ている。そのことが原をどれだけ励ましたか、計ることはできない。

この日の撮影は、一〇時三〇分に始まり、一八時三〇分には終わったと記録にある。シーンの長さと濃密さに比して、驚くほど早いと言っていい。あらゆる準備の結実した、スムーズな撮影だったのだろう。

*

二〇一五年の九月五日に原節子が逝った。原節子と同じ時代に生きているという事実は、自分がまだ映画の古典期にいるような、そんな夢想を与えてくれた。鎌倉まで出向いて「一目見たい」と一度も思わなかったと言えば嘘になる。ただ、結局それも叶わず原節子はこの世から完全に姿を消した。私は画面を通じてしか彼女を知らない。しかし、この喪失がもたらすある始まりは、もはや「取り違え」がなくなるということだ。

我々が（もう一度）「一目見たい」と真に願ったものは、本当に原節子自身だったのだろうか。それは、あのとき彼女の瞳の奥に垣間見えたものではなかったか。そして、彼女が見せてくれたものがただ彼女の瞳の奥にのみ存するものと、私は考えない。先ほど言った通り、それはあらゆる私の中にある。ただ瞳の奥にばかり見いだすものでもない。それは例えばあの事物にも、人と人のあいだにも、どこにでもある。ただ、それはまったく簡単には現れてくれないことも重々分かっている。もう一度「一目見る」ことを願うならば今あるそれに照準を合わせようと思う。その証拠映像も残っているのだから、きっとできるはずだ。然るべき準備を重ねれば、きっと、誰にでもできる。そう書き付けることは不遜だろうか。わからない。

今はただ、この絶対的な距離において、紀子とも、原節子とも、会田昌江ともつかぬ一人の女性の魂の冥福を、限りない感謝とともに、祈る。

『ユリイカ』二〇一六年二月号、特集「原節子と〈昭和〉の風景」

アンパン
——『麦秋』の杉村春子

これから眺めるのは、あるワンショットに記録された杉村春子の演技である。しかし無論、演技と演出は相互依存的なものだ。一本の映画が監督ただ一人の作品ではないのと同様に、一人の役者の演技は個人の所有物ではない。それでも個々の身体を多様な影響力の結節点と看做すことは有効でもある。取り上げるワンショットは多くの観客が「アンパン」の一語と共に記憶しているであろう小津安二郎監督『麦秋』（一九五一）の一場面を構成するものだ。謙吉（二本柳寛）の母・たみ（杉村春子）が紀子（原節子）に、息子に成り代わってのプロポーズを果たしてしまう。手始めに、このワンショットの脚本時点の表現を一通り確認しておく。

（これに先立つ紀子の結婚の受諾「あたしでよかったら……」に続いて）
たみ（思わず）「ほんと？」（と声が大きくなる）
紀子「ええ」
たみ（乗り出して）「ほんとね？」
紀子「ええ」
たみ「ほんとよ！　ほんとにするわよ！」（と思わず紀子の膝をつかむ）

紀子「ええ」
たみ「ああ嬉しい！　ほんとね？（と涙ぐんで）ああ、よかった、よかった！　……ありがとう……ありがとう……」
紀子「…………」
たみ「ものは言ってみるもんねえ。もし言わなかったら、このまんまだったかも知れなかった……。やっぱりよかったのよ、あたしおしゃべりで……。よかったよかった。あたしもうすっかり安心しちゃった。
　――紀子さん、パン食べない？　アンパン」

テキストで読むと「何と無茶な……」と改めて驚かざるを得ない。観客がこの場面を何より「アンパン」の場面として記憶してしまうのは、それまでの話題（結婚）とまったく無関係なこの語の唐突な現れ、その文脈の断絶がもたらす驚きと可笑しみによる。無論、喜びの頂点に達してのち、だんだんと状況を受け入れた彼女の心の余白に入り込んできた一語がふと溢れた……、そんな場面であることは読んでいておそらく誰もが理解できる。しかし、この非連続性を「ワンショット」の連続性の中で演じるよう一個の身体が要求されるとしたら、それは「無茶」でなくて何か。しかも、ここでたみが至る喜悦の条件は、それが「予想外」の事態であることだ。その驚きが引き起こす生理的な身体反応が、単なる嬉しさを喜悦と呼ぶべき絶頂へと押し上げる。笑顔も泣き顔も、もしかしたら技術的に何度でも再現可能かもしれない。ただ、生理的なレベルで「驚く」ことはもはやできない。たみはこれから何が起こるか知らないが、杉村春子はそれをすっかり知ってしまっているからだ。これは演技にまつわる根本的な問題だが、「驚きを伴う喜悦」ですら意図せず、溢れる「アンパン」の一語への序奏に過ぎないと考えると、演者に課されたタスクはあまりに複合的かつ過大と言える。杉村春子はいったい、どのようにこの「無茶振り」に応えるのか。演技を語ることの困難は限りないが、ここでは特に「重心移動」「目線」「呼吸」そして「手の動き」をそのよすがとしよう。

1　重心移動と目線

人体の重心は基本的に腰-骨盤の位置あたりにあり、これを動かすことは必然的に下半身（脚）を使った動きとなる。ショットの前半で、杉村は腰を浮かせ、膝を擦るようにして原へと接近していく。ただ、このショット内での目立った移動はこれに限られる。ちなみにここでの杉村への脚本上の指示は「乗り出して」であるが、現れている演技は単に身を乗り出す以上の「重心の変化」である。

また、このショットの中で、杉村春子の目線の方向性の種類は二つに大別される。一つめはもちろん、原節子の表情へと向けられたものだ。ちなみに、先述のこのショット唯一の重心移動は、ときに「凝視」のレベルに達するこの視線を手繰り寄せるように為される。文中で、原の演技が杉村にどのような影響を与えていたか／いなかったかを示す機会は少ないが（原はこのショット内で一貫してカメラに背を向けており、その多義性は最大限強められている）、杉村は原の眼差しから動き出しの契機を得ているようにも見受けられる。

目線はまた、二度ほど大きく下に向けられる。一度目、原節子の両手をつかんで「ありがとう、ありがとう」と言いながら大きく前屈みになって両手に額をつけ、そのまま数秒無言となる。この間、杉村春子の表情は視認できないが、たみの「歓喜」の表現としては機能する。顔を上げてもう一度原を見るが、あるときに前掛けの布を両手でつかんで引き上げ、両目に当ててまたも下を向く。ここでも表情や涙はまったく確認できないが「嬉し泣き」の表象としてその行為は働く。表情を隠すことで杉村は二つのことを同時にこなしている。物語上の意味合いをつつがなく表現する一方で、自身のモードを変化させるための時間を確保する。そのことは次に述べる「呼吸」とも関連する。また、最も重要、かつ些細な視線の動きについては後述したい。

2 呼吸

冒頭こそ呼吸は目立ってこないが、「ほんとよ! ほんとにするわよ!」以降ほとんど全ての台詞の前で大きく息を吸っている。考えてみれば、当たり前のことだ。人は呼吸しなければ、そもそも発声できない。発声は声帯のみならず舌の位置・口全体の形状を変えながら、身体全体を「管楽器」とすることで、空気を固有の形で揺らすことだ。言葉を発しているということは、息を吐いているということに他ならない。つまり大きく(強く)声を発する、もしくは長く声を出し続けるなら、それに見合う多量の空気を吸わなくてはならない。ほとんど意識に上らないが、俳優がもし台詞を淀みなく言い切れているのであれば、その人は発声に見合うだけの空気を「前もって」確保することに成功していた、ということだ(たとえば、スピーチに慣れない人などがよく「息継ぎ」に失敗して、妙に後半早口になったりする)。ただ、このワンショットで起きていることは発声のために淀みなく空気が出し入れできている、ということとは異なる。このワンショット内の呼吸の激しさは杉村の声を何度もうわずらせる。呼気も吸気も単に発声するという観点からは、過度なものだからだ。

演技の転換点となるのは「まあ嬉しい！」という杉村の発声の直前に位置するひときわ大きい吸気だろう。ここで、脚本の「ああ」が「まあ」に変わっていることの意義は限りなく大きい。「ああ（a-a）」と「まあ（ma-a）」の違いはたった一つ、後者が発音のために口を閉じる必要のある子音mを含んでいるということだが、口をいったん閉じることで「まあ」は「ああ」よりも息を圧縮して強く吐き出す言葉となる。ひときわ大きく吸った息を、ひときわ激しく吐き出す。このときに杉村は「まあ嬉しい！」の勢いそのままに両の手で、原の両手をつかむ。脚本で「まあ嬉しい！」より前に置かれた「つかむ」という手の動作を、杉村は以後に行うよう再編している。むしろ全身が彼女にぶつかっていきそうなこの勢いのためにも直前の吸気はあるのだろう。

しかし、ここで注目したいのは、この「まあ嬉しい！」の直後、そして「両手づかみ」の直前、杉村がそれまで引き寄せられるように凝視していた原節子の顔からほんの一瞬、視線を原の手許へと下げることだ。この一瞥は、次の瞬間に正確に原節子の両手をつかむためのものであることは間違いない。手をつかもうとしてそれを見ること自体はごく当然とも言えるが、実際のところこの一瞥は「まあ嬉しい！」の勢いをわずかながら阻喪させる。単に相手にすがりつきたいような気持ちの発露なら、つかむのは原の身体のどこでもよいはずだ。実際、脚本のト書きは「膝をつかむ」と指示されている。しかし、杉村は原の手へとわずかに視線を落とす。ほとんど視認できないほど速い、この狩人のような冷徹な一瞥は、真に迫った一連の場面において唯一、杉村の「意図」を露呈させる。

ただ、ここで「まあ嬉しい！」とそれに続く一瞥が示唆するのは、杉村の演技がコントロールされきったものである、ということではない。むしろ逆だ。「まあ嬉しい！」以降の杉村の呼吸は決して安定しない、というよりはおそらく意図的に乱されている。ただそれはひと呼吸ごとに意図的である、という意味ではまったくない。前述したように、ここからはほとんどの台詞の前で大きく息を吸う機会がある。大きく息を吸わなくてはならないのは、その前に息を吐き過ぎているからだ。杉村春子の賭けは、おそらくはこの「まあ」に先立つ過剰な吸気にあった。状況そのものに驚くことが期待できないならば、生理的なレベルで「驚く」ためには自分の身体と予測不可能な他者として出会い直すしかない。その契機となるのがひときわ大きな吸気と、「ma-a」とともに圧縮的に吐き出される呼気である。呼吸は適切なレベルをはみ出し、その回復は数サイクル訪れない。この過剰なひと呼吸に意図があるとすれば、自分の身体を意図しない境地へと追いやることに他ならない。このとき、杉村は自分で演技をしているというよりは、自分の体内に入り込む空気をして自身に演技をさせている。

また、あの一瞥の必然性、すなわち「正確に手をつかむ」ことの必要は続く一連を見ることによってのみ了解される。杉村は続く「ありがとう、ありがとう」の台詞終わりに、身体を前に屈曲させ、原の両手に額をつける。次の台詞は決まっている。「ものは言ってみるもんねえ」だ。ただ、これは先立っての状況確認するような「ほんとね？」や感極まっての「ありがとう」とはもはやモードが違う。テキスト上の「たみ」はもはや混沌から脱し、俯瞰的な反省・反芻モードへと至っている。ならば、杉村の演技のモードもまた変えなくてはならない。ごく短い時間で呼吸を最高潮から落ち着ける必要がある。つかんだ箇所が仮に膝であれば、いかに思い余ってもそこまで屈曲するのは難しい。無理に前屈みになれば度が過ぎて、却って呼吸が妨げられることになるかもしれない。身体反応を通じて生まれる自身の「感情」的領域を守り、それ自体に仕事をさせるためにも、彼女はどうしてもここで原の膝ではなく、両手をつかまなくてはならない。ここに来て、あの膝でにじり寄る重心移動もまた、適切に原の両手を捉えるために距離を詰めていたものと取れる。

3 手

杉村と言えば、手の人である。特に小津映画において、杉村春子の存在を特に印象深くしているのは、他の人物があまりしない舞うようなヒラヒラとした手の動きだろう。そうした手の動きを実際のところ小津が疎んでいたかどうか、ここでは問題にしない。それらの動きは実際に小津の「OK」の集成としての映画の中に残っている。それだけのことだ。ただ、先に指摘した「まあ嬉しい!」と口にするや否や繰り出される「両手」は極めて直線的に動く。実際、このショットでの杉村の手の動きは、舞踊的な回転をほとんど含まず、目立たない。この目立たなさによって、手は一貫して補助的に働く。このショット内の杉村の手の動きを時系列に沿って指摘してみる。

①杉村(たみ)の「ほんと?」という問いに原(紀子)が「ええ」と答えた直後、左手で眼鏡を小箱に置く。
②杉村が腰を浮かせると同時に、進行方向にある小箱を左手で払う。
③移動の際、左手は物を払った姿勢のまま床に添えてあり、右手は腿のあたりに置かれる。
④「まあ嬉しい!」の台詞を発するや否や、原の両手をつかむ。
⑤「ありがとう」の台詞とともに前屈みとなり、手は額が置かれる台となる。

⑥体を起こした後、「ものは言ってみるもんねえ」以降の台詞の一言一言と呼応するように、まさに「シェイクハンド」といったていで、自分の手もろとも原の手を揺する。
⑦「よかったよかった」という台詞とともに、ようやくつかんだ手をほどいて膝の前掛けに置き、つかむ。
⑧「あたしもうすっかり安心しちゃった」と言うや否や前掛けを引き上げ、両目に当てる。ふた呼吸ほどしたところで下ろす。

今回、改めて見直して驚いたのは、「手」が常に、密やかに、次なる行為の準備をし続けていることだ。①で手をフリーにする。それは②の重心移動の際に「露払い」のような役割を果たすためだ。③で目立って動かない手は、④の両手づかみとの間に劇的な緩急を作り出す。そうして、つかんだ両手が⑤で前屈の際に頭の置き所になることも既に述べた。ちなみに⑥での「シェイクハンド」のためにも、つかむ部分は膝ではなく手である必要があったろう。ここでの手の動きは発話と連動して、彼女の昂りを強調し、保持する。最も驚かされたのは⑦の時点で既に、杉村の手が膝上の前掛けをつかんでいることだ。⑧でそれを引き上げるアクションがまったく淀みないのは、その準備が前もって完了しているためだ。手は、華のある両手づかみの場面を除いて、より感情的な「重心移動」「目線」「呼吸（発声）」といったメインタスクを淀みなく連動させるためのサブタスク（段取り）を淡々とこなす、真の名脇役として働く。

前掛けの布を目に当てながら、ようやく確保したこの静謐な時間のなかで杉村は気づくだろう。ここで連続性が絶たれているのはあくまで台詞の文脈であって、もはや彼女自身はからだの状態を必ずしも更新する必要はないことに。もう余計なことはしなくていい。後はテキストが仕事をしてくれる。この脚本上

「――」で示された間を通じて、杉村はあたかも時間を支配する。観客の視線がこの停滞のうちに、未だ確認できない原の表情・リアクションを求めてさまよい始めたそのとき、彼女は手を下げる。目線を上げ、この空隙に言葉を放り込む。

「紀子さん、パン食べない？ アンパン」

かつて「アンパン」の一語がこれほど晴れがましく響いたことはなかった。断言できる。まさにこの瞬間、かく発語されるために「アンパン」という言葉が生まれたかのようでさえある。それは意味を欠いて、ただの裸形の音としてpの破裂音とともに観客を強襲する。爆心地のような意味の更地で、ひと刹那ののちに観客は「アンパン」の一語を、杉村演ずる母親が「全き安心」に達した証として意味づけるだろう。音と意味のズレはここで急激に圧縮され、「アンパン」以降の世界が真新しく出現する。観客がここで笑うとすれば、それはこの革新／破壊に対する精一杯の抵抗として、でしかない。

*

杉村春子は身を以て「意図」と「即興」の二項対立を否定する。意図によって何度も再現可能な演技はときに、意図を排した「即興」的な演技を求める演出家から忌避されることがある。しかし、ここでの杉村の演技は一貫して、たとえある吸気や一瞥、また一連の手の動きが意図によるものであったとして、それは「即興」的な身体反応、ひいては感情を呼び起こし、保持し、カットがかかるその瞬間まで昂進し続けるための補助となることを示している。「意図」と「即興」は矛盾しない。むしろ相補的に働くのであって、演技においてはそのどちらが欠けてもならない。その事実が杉村春子の身体に結晶している。
　もちろん、こうした「意図」による演技の負担を減らすために、できる限り演出側が演者のために環境を準備することも可能だ。実際、小津が原節子に為している演出は杉村に対する「無茶振り」とは異なり、むしろ「全面サポート」のように思える（それはかつて別の文章の中で書いた）。「小津は原節子と杉村春子の演技にだけは何も言わなかった」という伝説があるけれど、仮にそうだとしてその内実はおそらく異なる。それは各々のポテンシャルへと向けられた振舞が、たまたま同形となったに過ぎない。小津が杉村に無茶振るのは、単にそれを彼女ができると信頼しているからという以上に、それこそが彼女の全身から技芸を覚醒させる方策と知っているからだ。おそらく現場でいくつもテイクを重ねてはいないだろう。カメラは、杉村の洗練されきった淀みない動きとともに、若いテイク特有の生々しい出来事自体の震え、言うなればこの比類ない演技者の生そのものを記録している。

『悲劇喜劇』二〇二〇年一月号、特集「杉村春子　芸の怪物」

理想的な映像
――『海とお月さまたち』の漁師さん

あるとき「理想的な映像」を見た。

土本典昭の児童向け記録映画『海とお月さまたち』(一九八〇)では、手の二面性が端的に示される。鋭敏な感覚器であること。同時に、欲求や意志のエージェント(代行者・遂行者)であるということ。受動性と能動性が同時に宿る「手」という器官の本質が、ここでは惚れ惚れするような動きを通じて視覚化されている。

私が特に強く感銘を受けたのは、映画内で「名人」と呼ばれるある漁師さんのありようだ。映画の終盤で彼は鯛釣りに繰り出すのだが、まず獲物がかかるまでの待機の姿勢からして、ただごとではない。漁師さんは船の縁に腰掛けて、海面とほぼ平行にした右手で釣り糸を持つ一方で、いつでも漁船の舵を動かせるように左手は垂直気味に浮かせながら、鯛がかかるのを待っている。右手は力が抜けて見えるけれど、魚がかかっても一定以上には引っ張られないことから、ある程度の力が保持されて、反応の準備が常にされていることが窺える。舵を取り、船を方向転換させる左手の動きは素早い。この「待機」の姿勢は静かだが、動きの予感に満ちている。身体全体に目を移せば、外界――特に海の揺れ――の影響はあったとしても体幹は揺れては見えず、漁師さんは外界の影響力を何らかの方法で中和し、バランスを獲得しているように見える。鯛が一旦かかると釣り糸はまるで手の延長のように、外の世界の様子を知らせる尖兵として機能する。漁師さんは、と言うか彼の身体は常に、釣り糸から得られる刺激を通じて「次の手」＝動きを決定しているように見える。

釣り糸を手繰り寄せる漁師さんの動きに、ヴォイスオーヴァーがかぶさる。「大人の鯛がかかったようです。大人の鯛は力が強いので、糸を力任せに手繰れば、鉄の針も噛み切るかもしれません。糸を時々ゆるめ、鯛を泳がせながら、時間をかけてゆっくり手繰るのです」。ここで言われている通り、釣る力と逃げる力が真反対に働くと釣り糸は切れてしまうのだろう。そのことを熟知する漁師さんは「ヒキ」を感じたとしても、決して力任せに鯛を引っ張ることはしない。引っ張ってはその都度、釣り糸に遊び＝たわみを持たせ直すようにして、徐々に、段々と獲物を引き寄せていく。やがて見事に鯛を釣り上げることになるこの「名人」が糸を手繰り寄せる様子は、実に淀みなくリズミカルだ。右手がどの程度釣り糸を手繰り、左手がどうそれに呼応するか、両手の役割はほぼ決まっているように見える。この漁師さんの手の動きに「中断」「再開」「方向転換」は細かに存在するのだが、そこに「逡巡」の印象は一切ない。それまで補助的な役割と見えた左手が急に、素早く、大きく動くこともある。しかし、それこそまさに遊び＝たわみの調整だろう。鯛が釣り針から受ける刺激を避けようとして動いたら、自ずと船の下まで来るよう、漁師さんは調整を繰り返しているのだ。終始一貫して、鯛釣りはあくまで手の処理能力の範疇といわんばかりに、体自体が引っ張られている様子は見受けられない。全体としては淡々と、一定に近いスピードで釣り糸が手繰られていくばかりだ。スピードの揺らぎはほとんど手が吸収し尽くしてしまっている。或る速度の範囲内へ動きが収斂するように、すべてが調整されて見える。最小限かつ必然の動きのみがある。

「最短ルート」を行く身体とでも言うべきか。直線ではなく、迂回や行きつ戻りつを含んだ動きであるにもかかわらず、それを「最短」の経路と感じるのは、この動きが獲得されるまでに既にいくつもの間違い（漁の失敗）が重ねられ、今となっては予めそれが排除されているからだろう。漁師さんの身体に「生じる」（としか言いようのない）動き、特に手の動きは、海の潮の流れや魚の動きなどの外界からの影響力と、「鯛を釣り上げる」という漁師さんの意志の結節点だ。環境の影響力のなかで自分のリズムとスピードを見失わないこの漁師さんの身体は、自分自身も含み込んだ形でここに新たな「自然」をつくりあげている。彼の身体を捉えることが、そのまま自然そのものを捉えることにもなっている。私がこの映像を理想的なものと感じたのは、ある被写体が、そのままフレームの外の諸力を反映し、その力をもまたショットのうちに導き入れているからだ。あるショットが、フレームの境界を超えた何かまで捉えることは、世界を断片化して記録せざるを得ないカメラの宿命の克服に近い。自分はこの映像を、人から紹介されて以来何度もYouTube上で見ているのだが、見ているとなぜ自分はカメラを使ってドラマなど撮っているのだろうか、という気持ちになってくる。

おそらく今もYouTubeでこの映画は見ることができる。そして、実際に見た者にとっては、残念ながらこの駄文は何の価値もないだろう。漁師さんの動きのえも言われぬ美しさは、まさに「一目瞭然」というやつだからだ。なので、この文章の目的は一人でも多くの読者の検索ボックスに「海とお月さまたち」と入力させるということに尽きる。もしくは、運が良ければ、映画館に足を向かわせることに。そのとき、できれば名人の動きの美しさのみならず、驚いてほしいのだ。人知を超えた「鉾突き漁」を行う夫婦に。そして、フレーム外の諸力まで含みこんだショットの数々を、何とも流麗につないでみせる土本典昭という映画作家に。

本書のための書き下ろし、二〇二三年六月

III

永遠のダンス、引力と斥力の間で
——エリック・ロメール『我が至上の愛 アストレとセラドン』

啞然呆然である。二一世紀に入ってなお、自らの最高傑作を更新し続けるエリック・ロメールではあるが、その最新作にして引退作『我が至上の愛 アストレとセラドン』もまた当然のように彼の最高傑作であった、というその事実に。この多幸感を人に伝えるのにはどんな言葉も足りず、見て頂くほかはない。それでも折角頂いたこの紙幅、ロメールのフィルモグラフィにおけるこの作品の位置づけを考えたい。

今作には、それまでのロメール作品を語る上での要素がほとんどすべて含まれていると言ってもいい。「男と女」「倫理」「貞節」「欲望」「誘惑」「偶然」「目撃」「誤解」「陰謀」「嘘」「台詞」「ナレーション」「字幕」「歌」「緑」……、そして「踊り」である。

エリック・ロメールの映画で「踊り」と言えば、まず思い出されるのが数々のパーティー・シーンだろう。デビュー作『獅子座』の空虚なパーティーに始まり、『美しき結婚』の想い人の来ないパーティー、『海辺のポーリーヌ』でカップルと疎外者を生み出すパーティー、『満月の夜』の夜遊びの場としてのパーティー、『恋の秋』においてマリー・リヴィエールの一抹の寂しさを浮かび上がらせた娘の結婚パーティー……。こうして挙げていくと一目瞭然、ロメール作品におけるパーティーは、その華やかさとは裏腹に必ずしも肯定的な意味を帯びはしない。むしろ、作品の主題となる個人の問題、特に男女間における問題（ディスコミュニケーション、孤独）

を浮き彫りにする場、問題設定の場としてこうしたパーティー会場は存在する。

この不吉な系列に連なる踊りは、今作においては、冒頭の祭りのシーンにおいて見られる。この祭りで主人公セラドンは、あくまで両親の前でだけ恋人関係を装っている相手・アマントと共に踊るが、彼女を拒絶しきれずに唇を奪われてしまう。しかも、それを本命アストレに目撃されてしまったがために、この後セラドンは最悪の事態に見舞われることになる……。

今作に登場する踊りらしい「踊り」はただこの一シーンのみである。しかし以降、『アストレとセラドン』全篇にわたって繰り広げられる「踊り」こそが、まさにロメールの本領発揮と言っていい。その「踊り」とは、離れそうで離れない、男女の距離の伸縮である。

もちろん、正確に言えばそれは「踊り」ではない。しかし、それは見た目にはほとんど「踊り」と同一なのだ。それは、これまでのロメール作品で典型的には以下のように描き出されていた。ある男女がいる。彼らは同一の画面において、肉体的にはほとんど接触して会話している。そこで男か女、どちらかが離れる。彼（女）はフレームアウトして、その方向性を維持したまま次のカットにフレームインする（フレーム下手にアウトしたら次は上手からインして来る）。もしくは離れる者がパンで追われる。何にせよ、彼らは二つの画面へと別れる。ここで驚いたことに、彼らは立ち去るのではない。振り返り、いい加減終わるかと思われている会話を再開するのである。そして、あろうことか時に彼らは再び一つの画面へと帰り、抱擁など演じてみせることまである。この瞬間、登場人物は完全に観客の思惑を先行する。観客は呆気に取られ、何とか事態の把握にかかる。そしてその時、この「立ち去り」「振り返り」「再接近」によって構成された「踊り」は、観客の内に、登場人物の「内面」を後追いで浮かび上がらせるのだ。

これは、映画における「木」や「衣装」と「風」の関係に似ている。映画においては、風が吹くから木や衣装が揺れるのではない。木や衣装が揺れるから、風が吹くのだ。そして、この時風が吹くのも実は、観客の内側である（『アストレとセラドン』でも、およそ信じ難いような「風」が観客の内に吹き荒れるだろう）。同様に映画においては、登場人物に「内面」があるから、振り返ったり、再接近するのではない。「立ち去り」「振り返り」「再接近」することが、観客の内に「内面」や「心理」を描き出すのである。それこそがロメールの「踊り」であり、ヒッチコックのサスペンスのように観客の精神を映画の力へと変えていく、映画の方法なのである。

さて、その「踊り」すなわち「立ち去り」「振り返り」「再接近」の動因となるような人物間の引力と斥力、言わば彼らの「内面」の内訳として浮かび上がって来るものは一体何だろうか。もちろんそれは各文脈で精細に分けられもしようが、代表的なものは「六つの教訓話」を見た人なら容易に想像がつくものだ。それは「欲望」と「倫理」である。ロメールの「踊り」は言わば、白い肌にかき立てられた「欲望」と、それに逆らう手前勝手な個人の「倫理」、その綱引きの可視化として受け取れる。（どちらが引力で、どちらが斥力かはもちろん文脈によるので断定できないが、『アストレとセラドン』においてセラドンの内面を説明するナレーションと、それに即した彼の行動は興味深い示唆を含んでいる。）

今作においては、先述した祭りのシーンに続いて、アストレとセラドンの間での最初の「踊り」が展開される。ここで注意したいのは、激怒しているはずのアストレは最後までセラドンから決定的に離れていこうとはせず、ただセラドンのみが彼女のもとから「立ち去って」しまう（フレームアウトしてしまう）という画面上の事実である。長回しによるこの素晴らしい「踊り」のシーンにはこれから展開される、この映画の基本的構造が集約されている（アストレの誤解は、映画の初期段階で既に解けている。後はセラドン次第なのだ……）。ここにおいて、『アストレとセラドン』はロメールのフィルモグラフィの中でも、最も弧の大きな「踊り」を描き出し、曰く言い難い、図抜けた面白さの中核を為すサスペンスを立ち上げる。彼らが次に、互いの肉体に触れ合うのはいつなのか？　入れ違いに背中を向け合う彼らに、再び抱擁する日は訪れるのか？　そして、彼らはどのようにして一つの画面へと帰っていくのか？

主人公セラドンは、「アストレに会いたい」という切なる「欲望」と「アストレに会ってはならない（それだけが彼女の言葉に従い、愛を為す方法である）」という「倫理」がその内で争うロメール的登場人物の典型である。このまったく相反する「欲望」と「倫理」を一致させるのは生半可なことでなく、ほとんど不可能なことに思える。しかし、ロメールの答えはもちろんラストに用意されているのである。

こうした「欲望」と「倫理」の弁証法によって生まれ、画面に焼き付けられたものこそがおそらく「愛」の方法なのだ。が、この映画の終盤で現れる「愛」の方法は、観客は唖然呆然とさせるだろうし、時に神経症的な笑いまで引き起こすものだ。しかし、それは前もって劇中のある登場人物においてひどく笑われた、「狂気」とまで言われた愛の形であることに留意したい。これは言わば、あらゆる自意識を越えてロメールが初めて「愛」に言及した場面なのだ。

世間で思われているのとは異なり、台詞はどうあれロメール自身は今まで一度も「ラブ・ストーリー」など撮ったことはないし、「愛の存在」の是非を問うたこともない。ロメールが描いてきたのは一貫して、この「欲望」と「倫理」の絶えることなき争いであり、それはひとたび映画になれば、悦びに満ちあふれた「踊り」なのである。だからこそ、こうした「踊り」はたとえ「抱擁」で終わったとしても、それを先述のダンス・パーティーとは異なって、祝福に満ちたものである、などと考えてはならないのだ。それは、延々と繰り返される、決して終わらない男女の距離の伸縮としての「踊り」の一パートに過ぎないからである。それは、まさに今作においてもそうなのだ。しかし……

もはや心理とは別次元へと止揚されたラストの「踊り」において、自らの（長編）フィルモグラフィの終止符を打とうとするロメール。そこに彼の祈りのようなものを見出すのは行き過ぎたファン心理だろう。しかし、単なる「嘘」ではなく、より視覚的な「変装」がロメールの主題となったことは、これがおそらく初めてではないか、とは指摘しておきたい。

さて、こんな素晴らしいラスト・ダンスに対しては、ひょっとしたら拍手で送り出せばいいだけかもしれない。しかし、この素晴らしい「踊り」を見てしまったファンがロメールに真に願うことはただ一つ、お得意の意表を突いた「振り返り」で以て、再び最高傑作を作ってもらうことに他ならないのだ。ロメールよ、まだまだ、踊ってくれないか？

『映画芸術』四二六号、二〇〇九年一月

「結婚」というフィクション
——ジョナサン・デミ『レイチェルの結婚』

ジョナサン・デミの最新作『レイチェルの結婚』に大いに感動した。

この感動が何の感動かと考えるに、ものすごく簡単に言えば、親しい友人の結婚式に出席した時に味わう感動に限りなく近い。そう言えばつい最近、まさに友人の結婚式に出席し、その種の感動を味わったばかりなのだった。年も年で、結婚に関してもよく考える。それはそれとして、「感動」に安易に身を任せるべきではないと何かが囁く。そんなわけで「感動」の理由を、二つの角度から考察するとしよう。

一つは、『レイチェルの結婚』においてはどのようにして、まるで「親しい友人の結婚式に出席した」ような感覚が作り出されているのか、ということ。もう一つは、仮に「親しい友人の結婚式に出席した」ような感覚が作り出されたとして、そもそも「結婚」が感動的でありうるか、ということである。

一つめのような問いが立てられると、人はそれをリアリティの問題と取り違える。しかし、ここで問題になっているのはどちらかと言えばフィクションに対する態度、所詮作り物でしかない劇映画に対する態度なのである（そもそもアメリカにおける結婚式のリアリティを判別する能力を、僕はまったく持っていない）。

『羊たちの沈黙』『フィラデルフィア』の時期に、デミが固執していたある方法がある。それは「人を真正面から撮る」という方法である。おそらくは、「差別的な視線で見つめられる人」という共通の主題を持ったこれらの作品において、観客に「視線」を意識させる為に採用された方法と思うが、まさにその物語へのあからさまな有償性によって何とも下品な印象があったことは否めない。

ちなみに、この「人を真正面から撮る」時、現場では何が起きているかと言うと、語りかけているその役者の目線の中にカメラ（レンズ）を置く。本来そこに居る、と物語上仮定されている対話の相手役はカメラに本来の場所を譲り、多くの場合カメラの脇か後ろで会話を交わす。時にはその場に当の役者はおらず、助監督がその相手を仮に務めたりもする。演技をする側の気持ちが十全にわかるわけでは勿論ないが、この時役者の「演じる」負荷が増すことは想像に難くない。スタッフもまた同様に、どこかしら漂う白々しさに耐えなくてはならない。勿論そうした白々しさは、「フィクションを撮る」その時に不可避的に発生するものなのだが、普段あの手この手でやり過ごしているその白々しさを、一挙に顕在化させるのがこの「人を真正面から撮る」という方法なのである（それを生涯通じてやり続けた映画作家の名をわざわざここで出すことはすまい）。

正直に言えば、自分が監督するなら、この方法は何となく避けたい気持ちになる。それはこの手法自体が何かしら問題を持っているからというわけではなく（用法注意であるが）、その白々しさの顕在化した時間をなるたけ避けたい思いがあるし、そもそもそのような「身も蓋もなさ」を観客に教えてあげるほど、親切な人間ではないのである。その反動としてか、こうした手法がうまく機能しているか否かは措いても、「人を真正面から撮る」監督たちをどこかしら憧憬の眼差しで見てしまう。おそらくフィクションを撮るということは（どれだけ自覚的であっても、と言うか自覚的であればあるほど）何にせよ白々しさに耐える作業なのであり、その白々しさを隠さず、時に観客にまで共有させる態度には大いに感銘を受けてしまうのだ。

映画と観客が共に生きていくのはこのような瞬間なのではないか、と、

さて、随分と紙幅を割いたもののその手法は、今回ほぼ採用されていない。『レイチェルの結婚』において一貫して採用されている方法は、（時に複数の）手持ちカメラで以て役者に、また彼らが属する状況に寄り添うものである。結婚パーティーという性格上、映り込むカメラの存在が参加者やスタッフのものとして正当化されてはいる（その映像がおそらく実際に使われてもいる）ものの、役者がその存在を気にしている描写はほとんどない。カメラは基本的に「透明な」存在として、状況に即した「自然な」「リアルな」演技を引き出すのに貢献している。しかし、ここにおいても事態はそう簡単ではない。

映画の真の主人公たるバックマン家の心理的状況を、観客に正確に伝えるのに大きな役割を果たすのはどこか窃視的な印象の、横顔を捉えるカメラポジションである。これは主にパーティーシーンにおいて為されており、音楽の力を借りつつ大状況を作り、その周縁に登場人物を置くことで可能になった視点と想像される。この時、役者が「演じる」負担も軽減されるし、確かに何がしか現実を垣間見たような印象を観客に与えもする。それは言わば監督自身も口にする「ホームビデオ」的な視点である。しかし、デミはそれで十分としない。より小さな私的な状況、家族が話し合いを持つ幾つかの瞬間においてカメラはイマジナリー・ラインを越えながら堂々と、各々の真正面に回る（この時、彼らはカメラを見ることはしない）。この「真正面からのショット」が窃視的なカメラポジションでは与えきれなかった「親しさ」の感覚を我々に与えるのだが、環状になって話す彼らをそれぞれ真正面から撮る為には、マルチ・カメラによる一テイクでは足りない。複数テイク撮らなければ、カメラが映り込んでしまうではないか。彼らは、この時最も感情的な演技を繰り返さざるを得ないのであり、その現場には「自然」などない。この時、映画は既に単なるホームビデオではない。逆説

的だが、見せかけの「リアルさ」に騙されてはいけない。これは、紛れもなく意志に満ちた「フィクション」なのだ。そして、この時のフィクションは単なる「虚構」や「紛い物」といった意味をはみ出る強固な構築物として在るのである。

さて、問いはもう一つ残っている。そもそも「結婚」とは何がしか感動的なものであるのだろうか。

「結婚」という制度には人並みの疑問を持っているし、持つべきだとも思っている。結婚が、現代の男性・女性の置かれている状況に最適な制度かと言えば、もちろんそうとは言えまい。事実、身の回りにも幾つかの破綻もある。ただ、他の制度と同程度に、結婚制度の中に組み込まれることにメリットを感じる人達は、リスクを覚悟で積極的に参入すればよいのだとは思っている。問題なのはあくまで、その制度に参画することと自体を制度化しようとする意志や、男女関係のゴールとして無自覚に「結婚」を据える態度の方なのだから。

この度は二回『レイチェルの結婚』を見る機会を得たのだが、その二度とも不覚にも大いに感動したシーンがある。映画の後半、花嫁レイチェルと花婿シドニーが招待客の前で行う結婚の「誓い」のシーンだ。結婚する二人の「誓い」は白紙の未来へと向けられるものだが、彼らは互いに「結婚してくれてありがとう」と感謝の辞を述べることで、未来があくまで過去との連なりの中にあることを改めて明らかにする。人は過去を選ぶことはできないのだから、忌むべき過去とは和解し、愛すべき過去から未来へと向かう力を汲み出すことが望ましい。しかし、それは簡単ではない。それはこのバックマン家の人間なら誰しも知っている。彼らのジレンマは誰より愛すべき家族の一員が、何よりも忌むべき過去とつながっていることなのだから。

結婚の誓いが空虚なものであると言い切ってしまうのは少しニヒルに過ぎる気もするが、それが他のすべての言葉と同様に、当の未来によっては簡単に空虚なものに変わってしまうことは知るべきだろう。誰しもが、そうした「誓い」の儚さや危うさを知っている。「誓い」というのは容易に破られるものであるから、しないに越したことはない、という安全な考え方も勿論存在する。そうした考え方からすれば、結婚の「誓い」の言葉は、その場限りの白々しさをいつも含んでいる。アン・ハサウェイ演ずるところのキム曰く「崩壊家族」の成員であるレイチェルが、新たな家族を作るという誓いを衆目の中で立てる時、もちろんそこに夢見がちな、ロマンチックな衝動を見て取ることは可能である（それなしに結婚などとてもできまい）。しかし、それ以上に白々しさを越えていこうとする、結婚というフィクションを成立させるという強い意志をそのシーンには、向かい合う二人の交わす言葉には見出してしまう。『レイチェルの結婚』の「誓い」を目にする感動は、そんな脆弱な人間同士が過去と未来をつなげる為、互いに力を与え合おうとする意志の瞬間に立ち会う、その感動に他ならない。それは、まさに「親しい友人の結婚式に出席した時」と同質の感動なのだ。その時、我々は花嫁レイチェルのすぐ後ろで涙を流す妹・キムへと大いに同調することになる。映画はキムを、最後まで過去から解放はしない。しかし、この映画には「続き」があることをラスト、結婚式の明けた朝が告げている。

結婚はゴールではないし、スタート、もっと言えばリスタートである——。このフィルムは徹底的に白々しさに耐える誠実な態度によって、結婚式のスピーチのようなクリシェに実感を与える力を持った。そのようにフィクションへと向き合う態度を選択し続けるジョナサン・デミにまず賛辞を贈りたい。信ずるに足るフィクションが人の手で作られたという記録、このフィルムが感動的であるのは何よりそれ故ではないか。

『映画芸術』四二七号、二〇〇九年四月

ただショットだけが
——小津安二郎『鏡獅子』

歌舞伎演目の記録映画としてある『鏡獅子』に非-小津的なるものを見出すのはたやすい。例えば俯瞰めのカメラアングルや、大胆なパニングがそれだ。何より、この映画にはあの「無」を現出させる小津独特の視線のやりとりが存在しない。小津映画における視線の「つなぎ違い」はカット間の絶対的な隔たりを隠さず、ショットを一つ一つ単なる存在の記録へと還元していく。

しかし、この身震いするほどの峻烈さは、つなぎ違いのない『鏡獅子』において、舞台芸術の最大の特徴である「持続」の切断として反復される。菊五郎の舞が始まる瞬間に唄い手たちの姿が消える。あるいは、娘が憑かれて獅子に変わる際の、花道における画のジャンプ。獅子を演じる菊五郎への同軸のヨリ。どれも単なる持続の再現ではあり得ない。その都度、ただショットだけがある。

ショットは現実の記録であると同時に、孤独なイメージである。孤独なイメージが孤独なまま、それでも共にある。その点において『鏡獅子』を他の小津映画と隔てるものは何もない。

『BRUTUS』二〇一三年一二月一日号、特集「小津の入り口。」

too late, too early
——ジョン・カサヴェテス『トゥー・レイト・ブルース』

ミュージシャンで歌手のボビー・ダーリンを主演に迎えたこのハリウッド第一作は、当時、興行的にも批評的にも惨敗を喫し、ジョン・カサヴェテスの「呪われたハリウッド時代」を次作『愛の奇跡』とともに代表している。

しかし、いったいどんな無神経がこの映画を失敗作と断じ得るのか。

後のカサヴェテス作品と比して、全編通して流麗な撮影と編集が端正なハリウッド映画的時間を形作っていることにまず驚くが、それだけではない。

ダーリンとヒロインのジェスを演じるステラ・スティーヴンスがキスしようとするそのとき、部屋の奥の暗がりにエヴァレット・チェンバースが浮かび上がる。このショットは、独特の空間構成や「気まずさ」、そして何よりもその両義性において後のカサヴェテスをあらゆる面で予告する。ヒロインは簡単に心変わりするし、彼女を「プリンセス」と崇めるジャズメンのユートピア的な時間は青春期の強烈な喜びを示し、終わっていく。

映画の終末部において、スティーヴンスの唇にメロディが回帰し、バンドの演奏を再び一つにまとめあげるが、ダーリンはただバンドメンバーに罵倒されるばかりで、最後まで演奏の輪に加わることはない。しかし、それは紛れもなく、彼のメロディなのだ。

ここでも何ら妥協なしに両義的な生が語られる。ここに至って“Too Late Blues”という原題が胸を打つ。

遅過ぎた。確かにそうなのかもしれない。しかし、今ここ以外のどこからものごとを始めると言うのか。理解者はいない、もはや愛もない。それでもまだ続いているものがある。簡単には終わってくれない生や愛を生きること、そこでの苦闘を通じてカサヴェテス映画のエモーションは生まれてくる。

出発地として、ハリウッドデビュー作にこのタイトルを付けてみせる青年ジョン・カサヴェテスを天才としてではなく、勇気ある人として僕は讃える。むしろ、あまりに早過ぎた傑作。

『Coyote』五〇号、特集「カサヴェテスへの旅」、二〇一三年一二月

力の前で
——マノエル・ド・オリヴェイラ『家族の灯り』

1

秘密は、孤独と連帯を作り出す。

子どもは成長過程で、自分だけの秘密を作るようになる。それは親との幸福な一体感の終局でもある。誰とも分け合えない秘密を持つことは自他の区別をはっきりと確認することであって、人は「秘密」とともに初めて強烈な孤独を知ることにもなる。だから、もしもこの秘密を分け合える者と出会えたら、それはよりいっそう強烈な体験になる。秘密を持ったその日から初めて「自分は独りではない」と思える時間にもなる。秘密を共有することが人と人を結び合わせることがあるのは誰しも知っているだろう。その秘密を保ち続けることがどれほど難しく、そうした関係がどれほど儚いものであるかも含めて。

ラウル・ブランダンの一九二三年の戯曲『ジェボと影』の映画的翻案である『家族の灯り』は絵に描いたようないわゆる「三幕構成」の劇としてあり、状況設定を担う第一幕はまさに家族の中で、秘密が作り出す孤独と連帯を描き出している。

貧しい会計士ジェボ（マイケル・ロンズデール）は「穴ぐら」のような家に妻のドロテイア（クラウディア・カルディ

ナーレ）と息子の嫁であるソフィア（レオノール・シルヴェイラ）とともに暮らしている。彼らを時に分断し、時に結び合わせる秘密とは家出息子のジョアン（リカルド・トレパ）のことだ。退屈な家に嫌気が差して飛び出したジョアンが盗みを働き、刑務所に入れられるような小悪党となっていることをジェボとソフィアは知っている。しかし、二人はドロテイアにはこの事実をひた隠しにして、彼をせいぜい「行方知れず」の状態に保とうとする。ドロテイアが息子の所業を知れば、受け入れられずに死を選ぶだろうというのが彼ら（特にジェボ）の判断だ。このことは当然ジェボとソフィアを近づけ、二人からドロテイアを遠ざける。だからドロテイアがソフィアに「ジェボとジョアンを引き離した」と悪態をつくのは無理からぬことであって、彼女は完全には言語化し得ぬレベルで、しかし鋭敏にこの義理の父娘の度を越した愛情を攻撃しているのだ。たびたび手と手を重ね合うジェボとソフィアの関係は、小津安二郎『晩春』における笠智衆と原節子の近親相姦的な愛情を想起させずにはおかないが、彼らの関係にはまた別の名が与えられるべきだろう。何であれ、彼らは気づいていない。こうした連帯の裏返しの孤独こそが、まさにジョアンと悪を近づけたことに。彼に「力」と一つになることを夢見させたことに。

2

第二幕に至って驚かされるのは、テキストによって作られた劇構造の強度だ。第一幕で提示された「彼らの惨めな生活」を形作る「同じことの単調な繰り返し」が具体的に示される。それはシャミーソ（ルイス・ミゲル・シントラ）とカンディニア（ジャンヌ・モロー）を迎えた一家のコーヒー・タイムだ。彼らはコーヒーを飲みながら他愛なく芸術や仕事の話をする。およそ言葉の内容としては人を魅了しないこの時間は、当人たちにとってはそれなりに楽しいものとされ、ドロテイアですら屈託のない笑顔を見せる。そして、ひと際大きな笑いが起きたとき、雷鳴とともに、そして窓外を見つめる（とされる）極めて印象的な四人の正面ショットとともに、映画は一段異なる次元へと突入する。

カンディニアは雷と雨の響きから「大洪水」を想起する。外からやって来て、彼らを飲み込む力の奔流が示唆される。ここで不意に、第一幕の結尾において既に帰還を果たしていたジョアンが食卓に現れる。彼は食卓で交わされる会話のあまりの空疎さに苛立ち、演説とも呼ぶべき長台詞を口にし始める。それはジョアンが闇と同化していく過程を語るものであり、彼の孤独＝秘密を語るものだ。「飢え死にはしないと、人影もない路上で決心した。そして苦しみと絶望が押し寄せ、暗闇が俺を包み込んだ。夜の闇の中で俺の横にそびえる巨大な壁。それは深く濃くなる一方の、俺の心の暗部だった」。そして同時に、死んだように生きる家族を告発する。「俺の魂は得体が知れない。不可解だ。考えれば考えるほど……。繰り返しの毎日を過ごすあんたらにはわからんさ。考えるほど、奥深くに存在する影が俺に恐怖を与える。俺が出会った魂はあんたらの人生をきっと許さないだろう」。彼は自分を押し流す力の奔流について語っている。

しかし、ジェボは息子を笑い飛ばし、仕事に戻る。カンディニアが食卓の鞄を叩いて示す。ジェボは自分の預かるその鞄の中身が「七〇万レアル」の大金であると口にする。ここで驚かされるのは「大金」の存在、いやその存在を指摘する「言葉」が、空間を一瞬前までとはまったく違うものに変質させてしまったことだ。カンディニアはその金が夢を実現する力であると定義してしまう。「皆に命令できるわ、「これをしろ、それはするな、今すぐ出て行け！」って」。ジョアンは明らかにその金＝夢に興味を示すが、ドロテイアは彼に自分が見た「夢の話」をすることで、ジョアンの選択が苦痛と絶望にしか通じていないことを我知らず看破してしまう。そして、ソフィアは冷えきった彼の指を暖めることを拒絶する。

ジョアンは、大きく息を吸い込む。夜を、闇を吸い込んで「行こう」と言う。鞄の大金を盗んで去る。第三幕のラスト、妻を絶望から救うために秘密を守ることを最優先としてジェボが採った選択に誰もが首肯する、ということはないだろう。ただ「義務（devoir）」という言葉が終盤に至って、突然何度も繰り返されるのを観客はただ聞くことになる。そして、己の信じる「義務」を果たすために彼が選んだ行動、発した台詞は、観客を思考の淵に誘い込むのに十分なものだ。観客はテキストに導かれるようにして、世界の行き止まりのような場所にたどり着く。

しかし、ここに及んで明らかにしたい。この映画『家族の灯り』の最も興味深い点は、キャストたちがこの『ジェボと影』というテキスト本来の多義性を損じることなく豊かに演じているわけではないということに存している。有名キャストを揃えた演技合戦という風に見えなくもないが、映画に露わに映されているのは「見事な演技」と呼ぶのはためらわれるような、どちらかと言えば滑稽なまでに「演じている」様だ。カメラは必ずしもこのテキストの強度に同調しない。何も強調しない。この映画において観客が見ることになるもの（画面）と、聞くことになるもの（台詞）には乖離がある。観客は極めて洗練された、力強い言葉を聞く。そして、同時にその言葉を伝達する役者たちの振る舞いがあからさまに「演じている」ことが写し取られているのを観ることになる。それは時に観客の信を損なうほどのものであるだろう。

3

『家族の灯り』の画面／持続の二つの大きな特徴は、フィックスによるロング・テイク、そしてカメラに対して体を開いてみせる役者の在りようが、映画全体の視覚的印象を「演劇」のそれに大いに近づけていることだ。この「不動」のカメラの在りようは、先月一〇五歳を迎えたマノエル・ド・オリヴェイラ監督自身の機動力の低下＝不自由さに由来していることは想像に難くない。そのことが役者に、より多くカメラに対する奉仕を要求している。ロンズデールが帰宅する序盤の場面で、シントラがそこから立ち去っていく軌跡を観るだけでも、いかに「構図」中心に彼らが動きを振り付けられているかを看て取ることができる。そのことは画面の「待ちポジ」化も促す。バランスを欠いたフレーミングは、そこに人物が入って来ることによって構図的に完成することを待ち続けているように見える。特に印象的なのは画面上部の空きだ。この上部は誰かが立ち上がるときを待ち続け、それはまさにこの映画のラストの瞬間に美的にも、説話的にも完成する。そう、ここではすべてが予め決められている。彼らが言葉を発すること、立ち上がること、彼らが手を握り合うこと、すべて決まっている。役者たちは彼らの義務を果たすように、予め台本に書かれた言葉を話し、予め決められた動きをしている。何のことはない。それがまさに「演じる」ということだ。あらゆる映画で起きていることだ。そこには何の秘密もない。オリヴェイラはただカメラの本性に従うように「演じる」彼らを記録する。「演じる」ことをそのままに記録する態度は、役者の体をカメラに対して開かせることによって決定的になる。役者たちは互いに見つめ合い、反応し合うことよりもカメラに対して自らを明らかにすることをより優先的に求められ、彼らの視線は多くの場合、会話の相手までたどり着かずに虚空に向けられる（第二幕において役者たちの正面性は、画面外の相手と目を合わせているかのように、正当化されている）。誰もが顔と体をカメラに向ける、キュビスム的な画面だ。このとき役者たちの身体的な関係は解かれ、ただ決められたテキストをやり取りすることだけが彼らの関係をつなぎ止める。ジェボの台詞「こういうときに大切なのは、各人が己の義務を知ることだ」と呼応するように、役者各人が孤独に自己の義務を果たしているかのようだ。

しかし、こうした孤独を、単にオリヴェイラの美学的な要請に強いられたものと考えてはならない。オリヴェイラはただ、カメラの本性に従っているだけだ。カメラは常に撮影現場に現れる局所的な未来である。カメラは未来の無限の視線としてあり、視線は向けられる動機が監視であれ、関心であれ、それ自体ある「力」である。決まりきった状況でカメラを向けられ、義務を果たす役者たちの在りようは、そのまま為す術なく力の奔流の前に置かれた『家族の灯り』の登場人物たちの状況と重ね合わせられる。

このとき、台詞を決められ、動きを義務づけられた役者には何の自由もないのだろうか？　そうではない。役者が「カメラの前で演じる」ときに溢れ出さざるを得ない自由がある。それは「どれだけ動きや表現の裁量を与えられているか」ともまったく無縁の、本来的に具わった自由だ。義務を果たすという不自由の中でのみ生まれ来る自由だ。そのとき、役者は自身に固有の秘密をカメラと分け合おうとしている。決められたテキストに書かれた台詞やト書きを為すからと言って、彼らが安全圏にいるわけではない。役者たちは自身の声や振る舞いを通じて、その都度自身の秘密を明らかにする。「カメラの前で演じる」とはそういうことだ。それはいつも未来の視線へと捧げられている。ジェボ＝ロンズデールのラストの立ち上がりが幾重にも胸に迫って来るとすれば、得体の知れないのた打つようなテキストとともに、「演じること」が未来へのむき出しの信頼として差し出されているからだ。このことは観客との間に新たな連帯を要求している。スクリーンの前の、私たちが未来なのだ。

『映画芸術』四四六号、二〇一四年一月

ある演技の記録
──ユベール・クナップ、アンドレ・S・ラバルト『ジョン・カサヴェテス』

『ジョン・カサヴェテス』（「現代の映画作家」シリーズ、一九六九）は「一九六五年のハリウッド」と「一九六八年のパリ」におけるインタビューを収めた二パートから成る。開巻直後、驚かされるのは、『フェイシズ』のカメラ・オペレーターであるジョージ・シムズとカサヴェテス自身による笑えないコントのような一くさりだ。彼らのやりとりがあたかもカサヴェテス映画そのもののようだからだ。この光景は、まさに『フェイシズ』冒頭において中年男二人が娼婦を笑わせようと奮闘する場面と相似している。一体どうしたらカサヴェテス的「から騒ぎ」を映画に収め得るかと長年悩んでいた人間としては、何とも得心のいく場面であった。何のことはない、あれらのシーンは彼の生活、彼の身体そのものだったのだ。

一転、一九六八年のカサヴェテスを観てまず感じるのは、早すぎる「老い」の印象だ。四十手前にして既に鬢に白いものが混ざり、表情もどこか苦い。ただ、少し眉間に皺を寄せながらも、一旦語り出してしまえば、まるで駆り立てられているように話す。この映画を観る体験を奇妙に感じたのはこのときだ。これらの言葉を既にどこかで聞いたことがあるような気がする。

「この映画が偉大な映画になるとか、ひどい映画になるか平凡な映画になるかってことじゃない。必ずできるっていう信念だよ。何もないところから始めて、自分たちの意思と決断によって、技術のノウハウや機材なしても何かを作り出せるはずだっていう信念なんだ。」

この言葉は『ジョン・カサヴェテスは語る』（レイ・カーニー編、遠山純生・都筑はじめ訳、ビターズ・エンド）という本に収められている。カサヴェテスの発言を、ほぼ彼の一生涯にわたってまとめたインタビュー本であり、端的に言えば私にとってはバイブルだった。映画制作そのものに留まらず「生きること」そのものを励まされるような、そういう言葉が並べられている。今この場でも、改めてすべての人に読むことを勧めたくなるような珠玉のテキストたちだ。私の感じた奇妙さは、個人的な体験の前後関係によって生じたいわば既視感／既読感であり、まるでカサヴェテスが既存のテキストを使ってインタビューに答えているような印象を受けたのだった。私にとってカサヴェテスとは、スクリーンで観る演じ手であると同時に、このテキストを生んだ人だった。その言葉と身体が、ぴたりと重なるのを見たのだ。このことは同時にある確信を私に与えた。

彼はまるで駆り立てられているように話すと言ったが、つまり「言わされている」かのようなのだ。何に言わされているのか。言ってしまおう。彼は、まさにその「テキスト」に言わされている。いや、その「テキスト」を作り出している一層奥深い「何か」がある。その「何か」とはこれから彼に『ハズバンズ』『こわれゆく女』『ラヴ・ストリームス』を撮らせることになる何かだ。その「何か」がここでは、いかにもジョン・カサヴェテスが口にしそうなテキストとなって、これ以上なく、いかにも彼が口にしそうな言い方とともにこの世に現れている。これは我々がよく見知ったものに似てはいないか。そう、「演じること」に似ている。これは最良の演技の現れではないか。

ここで言いたいのは「カサヴェテスがカサヴェテスを演じている」とか「偉大な作家も仮面をかぶった一小市民であった」とかそんなことでは決して、ない。カサヴェテスにとって仮面をかぶることは演技ではあり得ない。

演じることは、この映画で彼が口にする通り、その人自身の真実を表現する方法なのだ。彼はただ、自分自身でそれを実践しているだけだ。彼の生とはまさに「生きること」と「演じること」の一致だったのではないか。それは「自分自身を真率に表現すること」以外の道筋を、自身に許さない旅路だ。なんと苛酷な生だろう。彼を捉えたこの映画は必然的に「生きること」と「演じること」の一致、つまりはジョン・カサヴェテスによる最良の演技のある記録として、我々の「何か」まで突き動かす。この時点で彼の余生は約二十年。演技をあくまで単に演技として撮り続けることを自身に課したマノエル・ド・オリヴェイラの約半分ほどを生きて、彼は去った。

『SPUTNIK—YIDFF Reader 2015』山形国際ドキュメンタリー映画祭、二〇一五年一〇月

〈世界〉を鍛造した男　あらゆる忘却と想起のために
――エドワード・ヤン『牯嶺街少年殺人事件』

1

どうしてこんなにも忘れてしまうのだろう。エドワード・ヤン監督『牯嶺街少年殺人事件』は、私にとって人生で最も重要な映画のひとつだ。ここには〈世界〉そのものが映っている。確かにそう感じる。そして多くの人の感想を見聞きするにつけ、そう感じているのが私一人ではないことも確信する。ただ正直に告白すると、私はこの映画のことを覚えていられない。これまでに知人からレーザーディスク版をDVDにしてもらった映像を何度も見返した、にもかかわらず。もちろん小明（シャオミン）の涙や、自転車を並べて帰る小四（シャオスー）父子の姿、そして最後の「事件」を決して忘れたりしない。できない。しかし、この原稿を書くために見返すとまた、あの人はこんなに最初から映っていたのか、ここにも出てきていたのか、と驚きとともに発見してしまう。姑息なエロガキのブリーフ。少年たちの好奇心を刺激する売り子の小豆氷。「大物」ぶった少年課の刑事。今回の再見で改めて鮮やかに刻まれたのは例えばそんな、物語の傍系ですらない、最周縁部にいるはずの人物たちだ。再見による新たな発見は、この素晴らしいデジタル修復版の細部に至るまでの克明さによる部分も大きい。しかし、今回の再見で改めて気づいたのは、私たちがこの映画のことを「忘れて」しまうのは、実はこの映画のもっと根本的なありように由来している、ということだ。

なぜこの映画のことを忘れてしまうのか。いや、そもそも覚えていられないのだ。なぜか。主因は確認するまでもない。まずは暗い。特に序盤から中盤過ぎまで濃い闇が画面を支配し、果たして何が起きているのか、観客は正確に把握することができない。加えて、登場人物の数が多い。更に、その大人数を包括的に捉えようとするカメラの位置は必然的に遠い。誰が誰か、顔をそもそも認識することができないショットやシーンが映画の大部分を占める。もちろん「明るい」光の中で、「近く」から捉えられる「ごく少数」も存在してはいる。その中心こそが、主人公の少年・張震（チャン・チェン）＝小四であって、彼と直接的に関係を結ぶ家族、仲間、そして小明は顔が認識できるサイズではっきりと捉えられることも多い。だからこそ、小四たちはこの映画を観る上での観客の感情的なよりどころともなる。しかし、この近さと明るさの中で捉えられる幾人かも、決して物語をわかり易くばかりはしてくれない。むしろ彼ら自身がこの社会の不可解さに直面するからだ。それは画面外の音として映画内に現れる。

小四、そして小明も、大人たちのいさかいの声を画面外に聞き、どう受け止めてよいかわからないような表情を浮かべる。小四にとってのシェルターのような押入れの外では父母の会話が響く。しかし、その全容は知れず、関与もできない。音の出元が画面外にあるということは、彼らはそれにさわれない、変えられない、ということだ。大人たちにとってのよからぬ事態は、小四たちの関与を拒んで自動的に進行しているようだ。しかし実際には、大人たちも社会を変えることに無力なのだ。ラジオの音声が、家族には見えない「社会」の流れを象徴する。『牯嶺街少年殺人事件』において画面外の音は、人々を気遣うことのないこの社会＝時代の流れの自動性を表現する。画面と音が手分けをして、複数の世代、重層的な社会を同時並行的に語っている。

しかし、こうした複数的な語りは当然、観客の注意をすり抜けていくだろう。注意は、分散されたそのときには、すでに注意ではあり得ないからだ。

観客の認識・把握を拒むような『牯嶺街少年殺人事件』の語りのラジカルさは、その編集において頂点に達する。その因果関係の独特な布置を確認するために、かつて公開されたこの映画の一八八分版を引き合いに出してみる。五〇分近くが短縮された一八八分版においては、例えば「小虎」「張家の近所の店主」そして「ラジオ」にまつわるくだりなどが軒並み削除されている。ただでさえ因果関係が不明瞭な二三六分を一八八分に短縮することはプロットに壊滅的なダメージをもたらすのでは、と見るまでは予想していたが、あくまで私見では、そうではなかった。ショットの暗さや遠さに由来する不明瞭さがなくなることは決してないが、編集においてはそうしたサブプロット的部分が削除されることで、小四を中心とした因果関係はむしろ短絡的に、つまりは遥かにわかり易くまとめられていた。逆説的には、小虎・店主・ラジオをはじめとしたいくつものラインは、主たる因果の短絡を緩衝＝干渉する「あいだ」として二三六分版の中に存在していることがわかる。一般的な尺を大きく超えた二三六分版における、そうした「あいだ」たちの存在は、それがもたらす因果関係の不明瞭さを作家が明確な意思のもと選びとったことを示している。

『牯嶺街少年殺人事件』は一般的な物語映画のように各シーンの意義を把握させてくれない。我々が映像によって語られた物語を把握できるのは、フレームの中で中心化された各ショットの出来事が、その前の出来事との確かなつながりを提示し続けてくれるからだ。しかしこの二三六分版においては「あいだ」が差し挟まれることで、いくつものシーンが「結果」を欠いて提示されることになる。シーンは何かの「原因」になり損ねたままでいる。そのとき、何が起きるか。観客の眼前で、シーンは文字どおり純粋な「光景」と化す。

抗争のために校舎の階段を駆け上がる少年たちが見える……、バスの窓外にすれ違う何台もの戦車たち……、アメリカ音楽に熱狂する若者たち……、そういえば電気が点いた瞬間に教室を出て行った女の子がいた……。結果を欠いて宙づりにされたいくつもの原因＝光景のありようは、実のところ私たちの生活にありふれている。その体験は例えば車窓の右から左へ流れていく、光景としての〈世界〉に見入ることととてもよく似ている。だから時が経てば、光景たちは観客にそのまま忘れ去られてしまう。「あいだ」、そして「暗さ」も「遠さ」も音も、この映画のすべてが観客に忘却を促していると言ってもいい。

しかし、つながりを欠いて断片として宙吊りにされた「光景」たちは、実は潜在的には原因のままでいる。忘れられたとしても、結果さえ与えられればいつでも、まるで闇に火が灯るように観客によって想起される。つまりこの映画では、ありとあらゆる「光景」たちが時限爆弾のように、因果を描くその瞬間を待っているのだ。いくつかの想起＝小爆発を起こしながら映画は進行する。そして、最後の「事件」において、同時爆発的な想起が観客の身に襲いかかる！ 小四の手に握られた日本式の短刀の由来ひとつを取っても、いくつもの光景（小猫王が天井裏を探している……、マネキンを刺した……、軍人村襲撃の際の小四の手に光っていた……、小猫王は本棚の裏に隠した……、小四はそれを取った……）が奔流のように想起され、観客自身を貫くだろう。私たちは、小明の涙を、小四が小明の前でだけは笑っていたことともまた、確かに思い出す。胸がかきむしられるような思いがする。そして、問いかける。なぜ、こんなことが起きた？

しかし、わからない。私たちはここに至るまであまりに多くのものごとを見落とし、聞き逃したまま、忘れているからだ。私たちが最後の事件において想起することになるのは、実は「忘却」そのものだ。見ていなかった自分、聞いていなかった自分、そのために忘れてしまう自分……、そうした自分自身の矮小で、でき損ないの知覚・記憶そのものに直面する。なぜこのような事件が起きたのか、その全体の理解はどこまでもまだら状で、不完全だ。わからない。しかし不完全でまだら状であるが故に、想起された因果の数々はかえって不可分な「全体」として私たちに迫る。私たちの把握をはるかに超えた全体がずっと、この一つの結果＝事件へと避けがたく向かっていたのだ。

この事件に至って『牯嶺街少年殺人事件』に現れるのは、言葉のもう一つの意味での「因果」＝運命の感覚だ。ちっぽけな私たちを押しつぶす戦車のような、絶対的なたったひとつの「運命」に直面して、私たちは窓枠越しに眺めるのとはまったく違う〈世界〉のもう一つの顔を見出す。この映画の卓越した語りは「光景」と「運命」の同時的呈示を達成する。そんな映画は、やはり私たちが生きるこの〈世界〉のありようと酷似してはいまいか。

いや、たった四時間の光と音の記録メディアが、真に〈世界〉たるためには欠けている要素が一つある。それこそが、見落とし、聞き逃し、忘れる私たちの身体だ。私たちの不完全で矮小な知覚こそが、実はこの映画が〈世界〉としての広がりを持つための条件となっている。それはでき損ないであることの僥倖だ。何度でも忘れてしまう、私たちのでき損ないの身体を、この映画は不可欠な作り手として招き入れている。

2

さて、エドワード・ヤンは「天才」的な語りの技術によって、観客の忘却と想起を徹底的に管理していただろうか？ もちろん、ここには最高度に洗練された語りの技術がある。それは間違いない。その上で、今われわれが見ることのできるこの映画はヤンが天才的な技術を土台として、あくまで偶発的に、何とか指先で摑み取ったものなのではないか、という気がしてならない。

映画の中盤、軍人村217へと「出戻り」した小明と髪の長い女・神経（クレイジー）とが対峙するシーンがある。小明を厄病神として罵倒した上に「哀れっぽい顔をして」となおも責める神経はある瞬間、小明を強く抱きしめる。これを受けて、小明もまたスッと神経の背中に腕を回す。これを初めて見たとき、単純に驚いた。映画全体を通じても、言動とは真反対のこの神経の所作（それに含意される根本的な親しみや慰め）を正当化する要素はほとんど見当たらない。しかし複数回を見てなおも私が驚かされたのは、どちらかといえばごく短いこのシーンにおける演技の充実だった。実感でしかないが、この二人は「ある撮影日に連れてこられて、与えられた脚本通りにただ演じている役者」には見えない。二人とも、この場面でこのように振る舞う正当性を深く理解しているように感じられた。結果生まれている印象は、「この人たちは私たちの知らない時間も、ちゃんと生きている」ということだった。

私自身はこのシーンを見たときに、この映画における厖大な「バックストーリー」の存在をほとんど確信した。単なる裏設定や個々の役者の「役づくり」のようなレベルではなく、映画自体で表現されきっていない、各登場人物の性向や来歴・関係性をはじめとした一貫した作品世界が形成されていると考えた。それ以外に、監督がこのような演出や語りを選択できる正当性や勇気を得る方法はないように思われた。実際、アメリカで先頃発売されたDVDのオーディオ・コメンタリーでイギリスの批評家トニー・レインズが伝えるヤン自身の証言によれば、『牯嶺街少年殺人事件』の準備段階において「百に及ぶキャラクターのすべてに来歴と、物語が終わって以降どうなるのかについて、厖大なバックストーリーが制作された」という。「三百ものテレビエピソードができるぐらいの物語素材を開発・展開した」とも。どこかの段階での誇張はあったとしても、自ずと信じたくなる証言だ。というのは、冒頭に掲げたような作品世界の最も周縁にいると言っていい人物にすら性格と、それを表現する機会が与えられているからで、むしろ作品自体が尋常ならざる量のバックストーリーの存在を証言しているとさえ言いたい（この映画に四人のライターがクレジットされていることも、バックストーリーの厖大な作業量が関連しているのではないか）。

先に述べた通り、観客はこの映画を見返すほどに、確かに映っているにもかかわらず、あまりに多くのものを見落としていたことに気づく。それにしても不思議なのはそうした見落としや忘却、発見や想起を、この映画を見ている観客がほとんど際限なく繰り返せることだ。「巧みな因果関係の布置を享受すること」の範疇を大きく超えた、このような観客の体験はなぜ生じるのか。答えはもはや明らかだ。それは私たちが、この映画を見て〈世界〉を感じてしまう理由として極端にシンプルなものだ。――ヤンが、隅から隅まで〈世界〉を鍛造している。

しかし、自身が鍛造したバックストーリーがヤンに与えたものは、語りの上の必然性や勇気よりも何よりも、「責務」だったのではないか。ヤンは『牯嶺街少年殺人事件』を作るにあたって、演技経験の少ない少年少女たちを相手とした長期のリハーサルを経た上で、撮影に入ったことを明らかにしている。リハ期間は同時に、シナリオ開発やロケハンにも当てられただろう。こうした複雑な語りのシナリオを一気呵成に書き上げてしまうような「天才」脚本家は存在しない、と断言できる。バックストーリーの設定に続いて、現実＝役者・スタッフ・ロケーションによって受ける延々たるフィードバックがあったろう。そのスパイラルを経た徹底的な脚本直しの作業を通じてのみ、数多の登場人物たちのありようはまさに因果＝運命と呼ぶべきものへと編み上げられているはずだ。そのときすでに、ヤンの物語〈世界〉と現実〈世界〉は重なり、分かち難く癒着してさえいる。そうなれば登場人物を語りの駒として、語りの一機能としてのみ扱う（一般的なストーリーテリングの）態度は、即ち現実＝役者の尊厳を傷つけることに直結する。その傷はそのまま映画自体に転写されるはずだ。カメラは現実を記録するのだから。とすればもはや、小虎や店主や小豆氷たちは主要プロットの「あいだ」に差し挟まれる機能的存在ではあり得ない。〈世界〉を鍛造するとは、登場人物の一人ひとりを血の通った人間として遇する、その責務を果たすことだ。そのときメイン／サブの序列は崩壊せざるを得ない。実際、小四側のストーリーラインもまた他のラインの「あいだ」として、観客に絶え間ない忘却と想起を強いるこの映画の一部と成る。あらゆるラインが互いに「あいだ」として機能し合うためには、それ相応の時間が必要になる。本来なら四時間という尺を、少なからぬ資金回収を義務づけられているプロデューサーとしてのヤンが容易に受け入れられたはずもない。それでもそうせざるを得なかったのではないか。それが、この映画が〈世界〉そのものへと近づく唯一の方法だったからだ。

「『牯嶺街少年殺人事件』は、どこを切っても同じ濃度の鮮血が、噴き出してくるような生きた映画だ」と蓮實重彥は言った。だとすれば、そこから噴き出してくるのは、ヤンの生き血だろう。これが不世出の作品として完成することなど誰も知らない段階では、誰の目にも触れず埋没するほかはないバックストーリーの作業や、おそらくはそれに類した入念な諸準備は、多くの関係者にはほとんど狂気のように映ったのではないか。もしかしたら自分自身も含めた、これらあらゆる不信に耐えながら、ヤンは自身の魂を削った。そのことが必要だった。〈世界〉を鍛造するのだ。単に一本の映画をつくるのに必要な作業量で済むはずがない。ヤンの早すぎる死を思うにつけ、この映画制作がまったく彼の体を蝕まなかったわけはない、と確信できる。『牯嶺街少年殺人事件』はエドワード・ヤンの魂の結晶である。言うまでもない。しかし「魂」という言葉が容易に導く精神論によってこの映画を語るべきではない。そのような命懸けの作業を可能にしたのは、あくまで映画制作のあらゆる次元を知悉したヤンの技術であることも決して忘れられてはならない。この制作においては技術こそが魂であり、そして魂こそが技術であった。

この映画に心から惹かれるのは、単に映画好きや、映画製作者のみではないだろう。こんなにも悲劇的な結末であるにもかかわらず、この映画を見たあなたは、湧き出てくる活力を感じているはずだ。この世界には、ただ単に技術だけではたどり着けない領域がある。この映画が証明しているのはそのことだ。それは「命懸け」への誘惑でもある。しかし、当たり前のように無闇矢鱈に「命懸け」などすべきではない。圧倒的なリスク=失敗可能性が、失敗した際の取り返しのつかない「命取り」の事態を約束しているからだ。失敗はできない。誰しもが、まずは技術を磨く必要がある。ただし技術は、失敗の許された環境での試行錯誤を通じてしか研磨されることはない。その上で、技術が十分に備わったと感じる者だけが、「命懸け」に挑むのがよいだろう。

この〈世界〉にはその価値がある。そう、ヤンが囁いている。この映画を見たあなたには、もう聞こえるはずだ。

『牯嶺街少年殺人事件』劇場用パンフレット、ビターズ・エンド、二〇一七年三月
紙数の都合により短縮した箇所をここでは復元してある

もぞもぞする映画(のために)

――ティエリー・フレモー『リュミエール!』

ある時期に、リュミエール兄弟の映画のＤＶＤを手に入れた。漫然と眺めたとき、その映像群は「面白い」とついつい言いたくなるようなものではまったくなかった。つまりは結構退屈だったのだが、それを見ることを、何だかやめられないような気持ちにもなった。私は正体不明の「もぞもぞ」を感じていて、それがやめられない理由だった。決定的な快楽には決して私を誘うことのない映像を見て、私はどこまでも、もぞもぞとさせられた。今ならその理由がわかる。それが「カメラで撮られた」映像だったからだ。当たり前すぎて、意味のわからないことを言っているだろうか。

言い直そう。リュミエール兄弟の映画は、他のあらゆる映像に比べて、はるかにカメラの実在を観客に知覚させる。リュミエール兄弟(やその代理人)がカメラを街路に据えたとき、そのことが露わになるだろう。人物が、馬車が、汽車や船が現れては消えていく。それだ。ラテン語のキネ(動く)を語源に持つシネマトグラフと写真の最も大きな違い＝セールスポイントとは「動いている」ことなのだから、リュミエール兄弟らは当然、「動き」を捉えようとする。しかし、動いているものはフレームから出て行ってしまう。カメラが、動かないからだ。

フレームを出入りする人やものなど動きに満ちた世界に対したとき、リュミエール兄弟のカメラの不動性は、特異なものとして浮かび上がってくる。それは、多くの人が知る通り何ら意図されたものではなく、技術的な限界によるものだ。当時の三脚には回転軸がなく、レンズの前を通り過ぎる人やものに対して、カメラ自体を動かして（パンして）追うことができない。撮影行為を規定する、この物理的な限界をまずは「もぞもぞ」の主因として挙げておこう。しかしその物理的な限界に触発された、最初期の撮影者たちの克服の意志こそがもう一つの原因である。

撮影行為における最大かつ根本的な問題は「未来においてどこで何が起きるか、誰も知らない」ということにほかならない。にもかかわらず諸々の物理的限界が、ほとんど超能力のような予知を要請する。一度に回せるフィルムの尺数にも限界があり、一分にも満たない。そしてカメラは動かせない。しかし、この時空両面における絶対的な限界こそが、撮影者たちから予見の力を引き出す。そのさまがリュミエール映画を見ることの感動でもある。

予見は、経験から与えられる。かつて「何か」が起きた場所に赴くのだ。「何か」がかつて起きた場所は、他の場所に比べて、もう一度同様のことが起きる可能性が高い。ある特定の場所は、ある特定の行為を反復的に産出する。道には人が行き交うし、階段から人は降りてくるし、出口からは人が出てくる。何度でも。だからリュミエールたちは待つ。「何か」がもう一度起こりそうな場所で。昨日それが起きた場所では、今日もそれは起きやすいだろう。ある場所で起きる反復のスパンはさまざまで、とても短いこともある。海に突き出した桟橋からは、子供たちが海に飛び込んでは上がってきて、何度でも海に飛び込む。そのさまを見ることを「至福」と評してもいい。そもそも輪転する機構を含むカメラは、回転や反復と絶妙に相性がよいのだと言ってしまいたくもなる。しかし実は……

人がリュミエール映画を真に体験するのは、こうした予見がまったく機能しなくなる瞬間を目にするときだ。それを端的に示す映像として『リュミエール!』に収められた『消防隊:火事II』(一八九七、撮影アレクサンドル・プロミオ)をここでは挙げておく。

まず、消防隊らしい馬車の一群が画面を通り過ぎ、下手方向へとフレームアウトしていく。それに釣られたように浮かれた表情の群衆も同方向へと動き始める。中には笑いながらカメラを見つめる者もいる。しかし、様子が一変する。何かに怯えたように、群衆が逆の上手方向へと後ずさりを始め、警官たちも彼らに後退するよう指示して見える。群衆は「何か」に威圧されるように立ちすくんで、画面外を眺める。やがて、障害が取り払われたように人々がまた画面下手外へと向かって歩き始めて、映画は終わる。画面外にあった事態が何であったかは観客には最後まで知らされることはない。不気味な、こわばりの感覚だけが残る。しかし、カメラがそちらを向くことはない。いや、向けることができない。この物理的な限界こそが、それを超えて外の世界を「見たい」という激しい欲望を喚起することになる。

ここに克明に記録されているのは、ある「撮り逃し」の感覚である。映画の歴史はこの「撮り逃し」感覚とともに始まる。撮影行為の誕生とともに、初めて「撮り逃し」は生まれる。リュミエール兄弟によって「この映像には映っていない時空」が初めて生まれたのだ。区切られることによって初めて感ぜられた無限の広がり、それこそを世界と呼び直してもいい。そして物理的限界と、その外の世界を求める欲望の相剋において、真正なる撮り逃し体験=「もぞもぞ」は起こる。

この「もぞもぞ」に彼ら自身が突き動かされるように、リュミエールたちはフレームの外の世界へと向かう運動を組織する。世界中へ、カメラと撮影者を派遣する。移動撮影すら彼らが思いついたものだ。カメラ自体を移動させれば、この問題を解決できるのではないかと。しかし、移動撮影においてこそ、フレームの外にあったものが現れるのに応じてそれまで見えていたものは見えなくなる。この前にも、後にも、フレームの外には無限と言っていい広がりがある。そんな世界ではどんな予見も裏切られるだろう。

だから、作り手も観客も、この「もぞもぞ」に長くは耐えられなかった。撮り逃し続けることで、当然訪れる体力の枯渇、欲望の磨耗があったろう。そこで、この状況を極めてアクロバティックに解決した者がいる。あるショットで撮り逃したはずのフレーム外の時空を、別ショットで仮構して、後に続ける。それによって擬似的に「ひとつながりの時空」を観客に与えることが可能になる。ハリウッドの黎明期に起きたD・W・グリフィスによるクロースアップの発明とは、表情の強調である以上に、画面外を見つめる眼差しの発見であった。それを受け止めるもう一つの眼差しが続けば、それは「見つめ合う視線」として観客に解釈される。もちろん、それはフィクションでしかないのだが、観客はむしろこのフィクションを愛した。「撮り逃し」とともに生まれた映画は、その感覚を自己保存のためにほどよく温存しつつ、制度化することに成功したのだ。

その結果として現在我々は、リュミエール兄弟のような絶対的な「撮り逃し」の予感に満ちた映像を、もうほとんど見ることがない。いや、リュミエールの映画はこうして見ることができるのだから、正確には作ることができないのだ。我々がもはや「もぞもぞ」の諸条件から遠ざけられてしまったからだ。物理的な限界もまた、技術の発達とともに順次克服されていった。三脚や移動車の可動性が飛躍的に高まり、撮影者は以前よりはるかに、欲望に従って「見たい」対象へとカメラを向け続けられるようになった。CGと実写を自在に組み合わせる現代ハリウッド映画は、実在し得ない視点すら獲得している。もはや「見ることができない」ものは何もないような気さえする。真正なる「撮り逃し」体験は絶滅しつつある。

リュミエールに、帰ろう。絶頂が遅延され続けることの、発狂せんばかりの快楽がリュミエール兄弟の映画体験にはある。その「もぞもぞ」の甘美さが失われるのであれば、リュミエール兄弟だって、映画を発明した甲斐がなかろう。ただ、それは模倣ではあり得ない。例えば、固定カメラ、五〇秒、一ショットのような条件を再設定して撮影したところで、それは物理的な限界の模倣・再現でしかない。撮り逃しているフリにしかならない。「見えない」のではなく「見せない」だけだ。それはカメラの後ろにいる者の全能感の、観客に対するサディスティックな発露でしかあるまい。求めているのは、絶対的な限界に出会うことで却って感ぜられるマゾヒスティックな快楽の方なのだ。絶対的な限界においてしか、「見たい」という激しい欲望の胚胎する場所はなく、つまりは「もぞもぞ」もない。

リュミエールを見るのは懐古のためではない。未来にわたって永続的な快楽に自身のからだをひくつかせるためだし、その快楽を自分がもう一度作り出すためだ。あの「もぞもぞ」としたざわつきを、現代の観客のうちに引き起こすには、果たしてどのような映像が必要なのか。考えよう。我々が撮ろうと求めて止まぬにもかかわらず、撮り得ず、描き得ないものは何か。あらゆる映像表現が可能な現在における物理的限界を、まずは見極める必要がある。撮れるものと撮れないもの、その際に世界そのものを触知するような体験はある。頼むからここで、「人の心」などとは言わないでほしい。つまらないし、境界面としてはまったく的外れだ。だから例えば「からだ」とつぶやいてみる。そこでまた思い当たる。リュミエールの映画にこそ魅力的なからだが、既にいくつも映っていたことを。嗚呼、またリュミエールか！

『リュミエール！』劇場用パンフレット、東京テアトル／ギャガ、二〇一七年一〇月
二〇二〇年夏改稿

曖昧さの絶対的な勝利
――クリント・イーストウッド『15時17分、パリ行き』

クリント・イーストウッドを他の凡百のハリウッド映画監督と隔ててきたものは、何よりも彼の「曖昧さ」への異常なまでの固執だった(『ペイルライダー』(一九八五)、『バード』(一九八八)、『ミスティック・リバー』(二〇〇三)……)。最新作『15時17分、パリ行き』を見た観客は皆大いに戸惑うだろうが、古参の観客は映画の語りにおける「曖昧さ」の不在にまず驚くのではないか。アメリカ人の青年三人がISISによるテロを阻止した実話を基にしたこの映画は、言うなればかなり単純な欧米の「勝利」の物語である。「この映画にプロパガンダ性はない?」と尋ねるニュースキャスターに主演の一人アンソニー・サドラーは「僕らの身に実際に起きたことを映画化しただけで、プロパガンダにはなり得ない」と素朴に答える。この映画の語りは、まるでこの素朴さを踏襲したかのようだ。

実質的な主人公であるスペンサー・ストーンは軍入隊の動機を「守りたいからだ」と台詞ひとつで表現するが、そのコメントの内実を証し立てる要素(守るべき弱き者や、守れなかった経験)を映画が示すことはない。彼が医療技術や柔術を会得する様子や、三人の関係性の描写など、描写はすべて最後の事件において機能する(起きたこととの必然性を表現する)ように積み重ねられている。その結果、事件以前の主人公たちの描写は「簡潔」と前向きに評して良いのかもわからないぐらい、説明的なものに留まる。同様にアメリカン・ヒーローを描いた『アメリカン・スナイパー』（二〇一四）や『ハドソン川の奇跡』（二〇一六）に比しても、おそらく脚本レベルでは一貫性も多義性もキャラクターには与えられていない。

にもかかわらず、この映画を前にして観客はただ納得することしかできない。こうした脚本上の瑕疵は必ずしも問題にならない。そこに映っているのが当の「本人」だからだ。彼らは描写するまでもなく実在する。納得するしかない。彼らは単にこういう人で、こういうことが本当にあったのだ。多分。彼らは実人生の厚みをそのまま映画に流し込む。もしかしたら、脚本構造の弱さこそがイーストウッドに「本人」をキャスティングするというアイデアを与えたのかもしれない。

イーストウッドは主演三名のみならず、特にテロ事件の周囲の部分に関して、前作『ハドソン川の奇跡』においてもある程度追求した「本物志向」を見せる。同型の車両を選ぶだけでなく、犯人以外の事件当事者たちも本人が、当日の服装のまま出演している。しかし、こうした「本物志向」は、結果的に奇妙な副産物をもたらす。それを「絶対的偽物感」とでも呼ぼうか。本物に限りなく近づくとき逆説的に、今見ているものが「実際のできごとではない」という感覚が強く喚起される。普段フィクションを体験する際には無視していることが意識に上る。イーストウッドは従来通りに、できごとに対するカッティングをかなり細かくし、しかも複数テイクでないと撮れない（もし一度に撮っているならカメラが互いに映り込む）位置にカメラを配するため、いわゆる「リアリティショー」とは異なる、純然たるフィクションとしての映像体験が起こる。「絶対的偽物感」は決して和らげられない。観客はこの「絶対的偽物感」とともに「本人」を見るという奇妙な体験を強いられる。

しかしながら、真に驚くべきレベルがまだ先にある。スペンサーは、アメリカの情報番組で、ある場面のことを以下のように語る。

撮影はとても楽しかったんですが、フラッシュバックが起きた瞬間があります。撃たれたマークが出血していて、僕が介抱する場面のことです。同じ服、同じ電車。電車は走っていて、同じ人がいて、同じだけ血が流れている。あの日と同じ言葉でマークに話しかけました。その時、皆がいるっていうことは頭から飛んでました。監督がカットをかけて初めて、自分がどこにいるか気づきました。顔を上げて、その時に見た監督の表情は、きっと一生忘れられない。振り返ると皆、同じ表情をしていました。まるで、それがフィクションじゃないみたいな。本当に起きているみたいな表情でした。

人の証言をどこまで信じるか、という問題は消えることはないが、このスペンサーの回顧を聞いて、腑に落ちるものがあった。そこに自分が見た映画との齟齬は感じられなかった。あの場面の、あの声のことを確かに言っている、という気がした。それはもちろん他の幾つものテイクと織り合わされているが、自分が見たものの中核にあった「できごと」とは、当のテロ事件そのものではなく、当の撮影現場で生まれた幾つもの関係性の束だろう。それをカメラが写し取っている。

それは演技なのだろうか。演技そのものではあるまい。演技はここでは実は「あのとき」ではなく「今」という時間に分け入るための触媒の役割を果たしている。「今」という時間の中で彼らは未定義な自分自身と成る（結局、それは演技そのものの目的でもあるだろう）。彼らはもちろん、演技の素人ではあるが、当の「本人」であるということにかけては、他の追随を許さないエキスパートである。彼らが自分自身であることができれば、つまりは「本人」であることの「玄人」性をカメラの前で十分に表現できれば、彼らは「本人＝素人」であるにもかかわらず「本人＝エキスパート」にしか見えない、というある種の混濁／錯誤が起こる。それが起これば、観客は深く驚き、ときに当惑する。しかし、どうすればそれが可能になるような環境を用意できるのか？

私が直観的に断言し得ることは、こうした離れ業を可能にする欠くべからざる唯一の要素はfaith（信）である、というその一点のみだ。後は、本誌（『キネマ旬報』）に収録されるという監督や主演三人のインタビューを積極的にすべて真に受けることをお勧めすることぐらいしかできない（演技未経験者に、初めてのハリウッド映画主演を「とても楽しかった」と言わせているのは、イーストウッド監督に他ならない、とは申し添えておく）。

『15時17分、パリ行き』を見る観客は「劇的真実」とでも呼ぶべきものと「絶対的偽物感」をまったく同時に体験する。真実と虚構の二重体制とも言うべき、この映画の本性はラストのシークエンスに最も獰猛に現れる。ある人物の背中を追いかけるカメラの映像に続いて、彼の正面が捉えられる。当時のフランス大統領フランソワ・オランドだ。主演の三名と彼らの手助けをしたイギリス人一名（彼も本人役で出演している）を加えた四人の叙勲式の模様だ。オランド大統領自体の映像は画質が粗く、それがこれまで撮られた「劇的な」映像と異質（おそらくはニュース映像）であることをそのテクスチャーが明示している。にもかかわらず、それは主人公の母親役「女優」と同一空間に所属するものとして、編集される。ここに至って「現実」と「フィクション」は「本人の映像」という事実のみを媒介として、暴力的につなぎ合わされる。ただしイーストウッド作品としても随分と把握しやすい、古典的な滑らかさとともに。

カメラのフラッシュや喝采が、祝福を表現する。が、我々は自分が一体何を見させられているのか、飲み込めずにいる。何を信じればいい。「真実」と「虚構」がこの上なくはっきりと峻別されつつも同居し、我々の認識は否応なく両極の間で揺れる。傑作『ミスティック・リバー』とはまったく別のルートから、それと匹敵する極めてクリアな曖昧さに、またしてもイーストウッドは到達した。曖昧さの絶対的なまでの勝利は、今も続いている。

『キネマ旬報』二〇一八年三月上旬号

身体をまさぐる
――ジャン=リュック・ゴダール『イメージの本』

自作『寝ても覚めても』と共に参加していた昨年(二〇一八年)のカンヌ国際映画祭で、ジャン=リュック・ゴダールの最新作『イメージの本』を初めて見た。本作を世界で初めて見る人たちに加わった興奮も手伝ってか、英語字幕の上映で内容を十分に把握できなかったにもかかわらず、最後まで一切の退屈なしに見終えた。『イメージの本』には過去の約一六〇本に及ぶ映画の断片がコラージュされている(らしい)が、全体を通じて色情報の圧縮や画像自体の歪みによって、徹底的に映像に「汚し」がかけられている。その「汚し」のもたらす認識しづらさによって、かえって古層に眠る映画記憶が丹念にまさぐられ、発見されるや否や加速度的に浮上する。

たとえば登場人物の輪郭のみがようやく認識できる映像だけでも「ジャック・ロジエ!」と瞬時に判別される。その速度への驚きが、自分の身体に対する認識まで更新してしまう。まさか自分が記憶していたとも覚えていなかった映画と出会い直す。

一方で、確かに見たはずなのに、どうしても取り出せない記憶をまさぐり続ける作業もあり、身体はどうにもこうにもモゾモゾとし続ける。また、そのまさぐりの過程で「おそらくは見ていないのだけれど、見たことがあるような気がしてならない」という誤認まで生じる。つまり見ているうちに、認知・想起・思考・妄想が徹底的に混濁し、座っているだけの観客の身体は実のところ大忙し、ということが起こる。

また、自宅の（おそらくはかなりアナログな）編集台で「手作業」で作られたこの作品は、かつてなく直接的にゴダールの身体に触れてしまっているような驚きと戸惑いを観客に与えてくれる。

ラストにおいてゴダールはあからさまに希望を語ってみせるのだが、そのナレーションは彼の咳込みによって途絶する。そこでは彼の語る希望よりも、あらわになった彼の身体の老いがより確かなものとして提示されていた。

実のところ先日、日本語字幕版を見直した際に、一層加わった情報量に耐えかねたのか深い眠りに落ちた。思えば、英語字幕で見ていたあのとき、より直接的にゴダールの声を受け止め、触れ合っていた気がする。映画を見て眠ることにも幸せはあるけれど、これから見る人には解釈を最小限にして、この「本」にじかに触れ、一方で自身の身体をまさぐることこそ、強くお勧めしたい。

『朝日新聞』二〇一九年四月二一日朝刊

どうやって、それを見せてもらうのか
——ペドロ・コスタ『ヴィタリナ』

ロカルノ国際映画祭で最優秀女優賞を受賞したヴィタリナ・ヴァレラは、映画祭公式の受賞後インタビューで、以下のように語っている。「完成した作品を見れば、多くの人にとってそれは容易く感じられるかも知れません。ただ、それは本当に多くの仕事を必要としたのです」と。[1] 一度映画を見れば、ありきたりにも思えるこの発言には真実が含まれていると感じざるを得ない。一監督の見地から言えば、ある人物がその名が冠された映画にふさわしいほど、その人自身をカメラの前で露わにするということは途方もなく大変なことだ。いったいどうやって、それを見せてもらうのか。

則るべきルールはある。暴力的であってはならない。搾取してはならない。それらがある「正義」として選択されるべき態度であるということだけが理由ではない。単純に暴力的かつ搾取的に作品をつくることは、結局は制作行為や出来上がった作品自体を台無しにしてしまう、映画製作の目的とは究極的に乖離した態度だからだ。一方で、それがただのインタビューやドキュメンタリーに留まることがあってはならない。それ

(1) “The heart of Vitalina” (2019/08/17), https://www.youtube.com/watch?v=O5GSLDlLIGo 翻訳は引用者による(英語字幕から)。

では、映画はヴィタリナの過去を「説明」するだけになってしまう。それは映画とヴィタリナのポテンシャルを同時に貶めることだ。

重要なのは、あくまで「現在」のヴィタリナを通じて、その過去の凄絶さを見る者に触知させることだ。その過去を単に彼女の人生を引き裂いた暴力として捉えることなく。語られる事柄が実際に彼女の人生で起こったことである以上、それは彼女を敗残者として定義し、閉じ込めることにつながる。暴力的に映画をつくることを避けるとすれば、それはやはり許容されない態度だ。一方で、現実の彼女への気遣いから、彼女を飾り立てた物語りをすることも一切必要ない。それは結局のところ彼女をかえって貶める。あくまで「ヴィタリナはヴィタリナである」という事実を写し取ること。その事実から、単なる現実的な生においては現れないポテンシャルを最大限に引き出しつつ。

ペドロ・コスタはヴィタリナに「亡夫の喪の作業」をフィクショナルに遂行させる。夫の葬儀を別のしかたで再演することを選択する。これだけ聞けば、これは彼女の癒えざる喪失の回復を企図したセラピーのようでもある。映画を通じて「善いこと」をしているようでもある。問題はその方法が「演じる」ことであることだ。一個人の、しかも苦しみに満ちた記憶を、一種のストーリーテリングの道具立てとすることを選択したとき、コスタは必ず恐怖したはずだ。フィクション、特に「演じる」という行為に触れたことのある人ならば、それがまったく「安全」ではないということを知っている。演じられるフィクションは安全地帯ではない。

フィクショナルな行為であったとしても、行為自体は現実的になされる。ヴィタリナは映画の中で何度も亡夫への想いを口にする。たとえそれが一旦書き起こされた（いま現在の身体の状態とは切り離された、過去にまつわる）テキストであったとしても、発話行為自体が必ず、それを口にするヴィタリナの身体に働きかける。どれだけテキストと身体の間に懸隔があろうとも、テキストが口にされ、その意味するところが演者の記憶と通じ合うとき、その身体はそれらの出会いにふさわしく動揺する。それこそがまさにペドロ・コスタが狙い定めたものでもある。この過去の現在化とも言うべき状態が画面と音響に定着しない限りは、「現在」のヴィタリナを映すことを通じて、ヴィタリナの過去を、言うなればヴィタリナの生の総体を観客に垣間見せることはできない。

亡夫との数十年の結婚生活はほんのわずかな歓びと、永きにわたる苦しみから成る。その過去を改めて現在のものとする、ということはその苦しみを凝縮して自らのうちに呼び戻すこと以外の何であろう。この演出は確実にヴィタリナを破壊する可能性があった。コスタも理解していた。直ちに暴力として働くものではないとしても、コスタはその破壊の可能性と撮影現場で向き合うよう迫られ続けた。注意深く進めたはずだ。自分自身の作家的欲望が暴力的に作動することを確実に避けながら、一方でその欲望を打ち捨てもならない。その時はきっと、コスタはヴィタリナと一緒にいる理由さえもなくしてしまうはずだ。

コスタの方法として、何より明示的に画面として示されているものは、厳格なフレーミングとキアロスクーロ的な照明術だろう。それらがヴィタリナを日常的な生から切り離し、フィクショナルな存在へと一段底上げしていることは否定できない。しかし実のところ、この映画にとって真に創造的な次元を、この画面=平面に招き入れているのは彼女の声にほかならない。ほとんど囁き声と言ってもいいほど小さい。この発声を例えば『ミツバチのささやき』においてアナとイサベルが寝る前に交わしたような親密なる囁きと隔てるのは、声に宿った「芯」とも言うべきものだ。確かにその声は小さいが、彼女の呼吸器官から押し出される息の量は十分に多く、この呼気の量と、結果的な声量の間にはアンバランスが在る。これは発声の際に彼女が「圧縮」をかけているためだ。これによって小さいながらも強い、ヴィタリナ独特の声が生じる。

彼女はこのテキストをこのようにしか発声し得ない。そうでなくては、このテキストは彼女のものではなくなってしまう。口にされたこの言葉をテキストと呼ぶのは、その大本に「シナリオ」を想定しているからではない。ヴィタリナがここで口にする言葉が明らかに亡夫に対して送り続けた「手紙」と同質のものだからだ。「手紙」が自身の代理として宛先まで届くものだとすれば、言葉は彼女そのものと不可分なものでなければならない。身体を欠いたものであるにもかかわらず、何より身体的なものでなければならない「手紙-文字（letter）」の矛盾が、彼女の声にもそのまま宿る。彼女の声量は、それが自分の身体から発せられたという確信を保持できる限界を超えてはならない。言葉を、あたう限り自分のもとに引き留めなくてはならない。しかし一方で、それを自分からこの上なく遠く隔てられた場所まで届けなくてはならない。ヴィタリナはこの矛盾を最大限の繊細さで生きる。コスタのジャッジを支えとしながら。その両立がたまさか上手く行けば、ヴィタリナの声にある「芯」が宿る。テキストを口にすることで生じるいかなる動揺によってもかき消されることのないこの「芯」が、まるでそれを口にすること自体が彼女を支えているような印象をもたらす。このとき彼女の言葉は単なる情報ではなく、彼女の身体から、生から産み出されたものとして密やかに、かつ決然と響く。その人自身の「現れ」としての声。語られる個人史を（少なくとも感情的な）真実として受け止めざるを得ない声だ。その歴史は極私的なものだが、それは狭さや小ささを意味しない。ヴィタリナを映すあらゆる画面もまた、この声を支持体としている。このヴィタリナの声が重ね合わせられたときに、不動の画面を介してより一層、存在の震えとも言うべき振動を我々は感知する。この声を発して、コスタのフレームのなかに位置づけられるとき、ヴィタリナは威厳を帯びてそこに存在する。

少ない経験からでも、断言してみたい。威厳とは「なすべきことをなす」ときに生じる。当の行為は何でもよい。歩くことであれ、語ることであれ、立つことであれ。「なすべきことをなす」と言っても、これは単に他から与えられた命令に唯々諾々と従ってみせることではまったくない。たとえ起点が他者からの命令なり依頼であっても、当の行為の自分自身にとっての意義や重要性を（意識的にであれ無意識的にであれ）深く理解しているのでなければ、行為者が「威厳」を帯びることはない。他者との関係性のなかで、自分のなすべきことを自覚し、その行為をなすとき、その人は一個の生を超えた「威厳」を持つ。私は『ヴィタリナ』に、いつもそれを感じていた。それはやはり途方もないことだと思う。

「どうやって？」という問いは宙に浮いたままだ。コスタ自身は具体的な方法の開示を迫る問いにはほとんど答えない。自分の作業を神秘化するためという可能性ももちろんあるが、最も根本的には決して言語化しようがないという単純な真実があるだろう。ヴィタリナとコスタという二人の人間のあいだに生じた諸々は、おそらくは当事者の二人にしても定義不可能なものだ。それを言語化するときは、二人の関係や映画が人々の理解の鋳型に沿った「説明」に堕することを覚悟しなくてはならない。ただ、この映画はその内外において「説明」を決して必要としてはいない。だとすればマニュアル化を迫るような問いに答える必要はないし、我々もそれを求める愚を避けるのがよいだろう。せめてもの手がかりとして、他のあらゆる制作プロセスにもそのまま当てはまるコスタ自身の言葉を引いておきたい。

実際の仕事が始まる前には、私にはほとんど何も見えていない。（……）私たちは常にとても伝統的なやり方で仕事をしている、と思っている。私は他の自作でも同じように仕事をしてきた。俳優に照明を当てる。身振りや動きに当てる。それを要素ごとに少しずつやる。いつも、よく見知った空間のなかで仕事をしている。それで我々はショットを作っている間に照明を調整できる。最初のテイクと30テイク目とでは随分違う。何日もかけてそれに取り組むことができるし、あるシーンに何週間もかけることができる。大抵の場合、私たちは音を上げたりしない。時間は私たちの敵ではないんだ。[2]答えはない。絶え間ない手作業と交渉の果て以外には。

『ユリイカ』二〇二〇年一〇月号、特集「ペドロ・コスタ」

(2) "Cinema Must Be a Ritual: Pedro Costa Discusses Vitalina Varela", https://mubi.com/notebook/posts/cinema-must-be-a-ritual-pedro-costa-discusses-vitalina-varela 翻訳は引用者による。

かわいい人
――ギヨーム・ブラック『女っ気なし』

二〇一〇年代のあいだ『女っ気なし』（二〇一一）ほど深く自分に刻まれた映画はほとんどない。フランス映画として言えばその十年の最良の成果とまで思われる。勿論その見立ては私の限られた鑑賞体験からに過ぎないけれども、今や確信している。これはどこにでも転がっているような映画ではない。これほどの映画が、そうそうあるわけはない。いったい何がそこまで、と考えれば理由ははっきりしている。そこには、ヴァンサン・マケーニュが確かに映っていた。いや、「出現していた」と言ってみよう。私にとって『女っ気なし』のことを思い浮かべることは、ヴァンサン・マケーニュの姿かたち、その「現れ」を想起することだ。

『女っ気なし』に先立つ短編『遭難者』（二〇〇九）や、続く長編『やさしい人』（二〇一三）にもマケーニュは出演しており、いわばギヨーム・ブラック×ヴァンサン・マケーニュ「三部作」とも呼ぶべきものを構成している（以降、この三作をまとめてこう呼ぶ）。ブラックはマケーニュの魅力を『遭難者』において発見し、『やさしい人』において最大限、展開させたと言える。それでもなお『女っ気なし』（のマケーニュ）はこの共同作業のなかで突出して感じられる。

ギヨーム・ブラック作品におけるヴァンサン・マケーニュのペルソナ自体が、実のところ特異なものだ。彼の出演作品は非常に多く、日本に紹介されている映画は本当に一握りに過ぎない。このため、ギヨーム・ブラックが日本へのマケーニュの最大の紹介者となっているけれど、『灼熱の肌』（フィリップ・ガレル、二〇一一）、『メニルモンタン　2つの秋と3つの冬』（セバスチャン・ベベデール、二〇一三）や『EDEN』（ミア・ハンセン＝ラヴ、二〇一四）、『冬時間のパリ』（オリヴィエ・アサイヤス、二〇一八）に出演しているマケーニュはブラックの三作しか知らない観客からすると驚くほど外向的であり、よく喋る。逆に言えば、ブラック作品におけるマケーニュがいかにそれぞれの仕方で「コミュニケーション下手」かということでもある。どちらが現実のマケーニュに近いか、という詮索は意味のないことだが、日本版DVDのブックレットに収録されているブラックへのインタビューに示唆がある。友人を介してブラックと初めて出会ったマケーニュは、ひっきりなしに喋り続けた。あまりに喋るのでほとんど口論にまでなった。初対面の印象はよいものではなく、その後の数年は連絡を取ることはなかった……。もしかしたら、普段のマケーニュはブラック作品以外の役柄とより近しいのかも知れず、そこでは彼のパーソナリティーが直接的に援用されているのかも知れない。少なくともブラックは自身にとって最も鮮烈なマケーニュ像から、彼を意図的に引き離したとは言える。

『遭難者』で髭を剃り落とし、ひときわ体を太らせて登場したマケーニュ――「シルヴァン」。これが彼の当時のリアルな体型であったのか、役作りによるものかは知る由もないが、おそらくブラックはここで相手役のジュリアン・リュカの引き締まった精悍な身体と対比させることでマケーニュの身体に具わったある特徴を見出し、続編（と言ってよい）『女っ気なし』の「シルヴァン」においてそれを最大限展開してみせた。ちなみに『女っ気なし』と同年に公開の『灼熱の肌』で見られるマケーニュは既に痩せており、『メニルモンタン』や『やさしい人』の彼の身体はジョギングやサイクリングにいそしみ、精悍さを帯び始めている。『遭難者』と『女っ気なし』の「シルヴァン」の身体的特徴を端的に言い表すならば、さしずめ「大きな赤ん坊」ということになるだろう。

まず、マケーニュは顔が大きい。痩せているときに見るとかなりアンバランスな体型であることがわかる。まんまると太ったことで「顔が大きい」という印象は薄まっているかもしれないが、痩せているときに強調されるような彼の手足の（意外な）長さの印象もまた薄れる。全体はずんぐりとして、動作自体も緩慢になる。顔自体に肉が付いて大きくなることで、目鼻口が顔の中心に集まっているように見える。頭蓋の大きさを強調する禿げ上がった額もここでは赤子的な印象をより強める。髭を剃っていることも大きい。このことで頭頂部も含めた髪の毛の薄さは「大人の男性」よりも「幼さ」の徴のように機能する。また、髭を剃ったことで小さな口が現れた。その口に菓子が運ばれるときに幼児性が最大化される。

忘れがたいのは彼の瞳だ。『やさしい人』においてブラックはマケーニュの瞳の輝きを撮る際に、古典ハリウッド映画が女優を捉える際と同様の繊細さを発揮している。ダンススタジオ前で窓越しに想い人を見る彼はこの上なく健気で（雪中、頬の赤みが寒さを伝えてくる）、赤子を通り越して子犬を思わせる。赤子も子犬も「無害さ」の象徴だろう。もちろん彼らも爪を立てたり、牙を剥くことはある。それでもそれは十分に自分を傷つけるに能わないからこそ、我々は絶対的な安心とともに彼らと接することができる。特に赤子は無害であるのみならず、自分では何もできず放っておかれれば死んでしまう小さきものだ。そうした存在を私たちはケアする。彼らを見ることで、私たちは愛する主体として動き出す。しかし『遭難者』『女っ気なし』のシルヴァンの悩みは「愛されない」ことだと言っていい。そして『遭難者』において彼はその原因として自分の外見を挙げる。なぜこれほどまで赤子に似たシルヴァンが愛されないのか。それは彼が「大きな・赤ん坊」だからだ。この「大きさ」が彼にある二重性をもたらす。

「三部作」のどの作品でもマケーニュは同性の登場人物から、危険人物に見えると論評される。『遭難者』

での彼は「悪党」と言われ、『女っ気なし』の彼は「変質者でレイプ魔」と冗談めかして言われ、『やさしい人』では「小児性愛者」呼ばわりされる。こうして彼（もしくは彼のような見た目の者）がどこか「他者に対して暴力的」である可能性がまず提示される。実際に『女っ気なし』において、また『やさしい人』においては著しく、彼の暴力性は発露するのだから評言はどこか的を射ていたことにはなる。赤ん坊の無害さはあくまでその小ささによって保証されているのであって、赤ん坊に自身の欲求のまま物を動かす十分な力があれば、それはもはや無害とは言えない。マケーニュの身体は「暴力性」への傾斜を秘めている。そのことは例えば『やさしい人』において、彼が自室のタンスを倒す場面で露わになる（それが実際の他者への暴力行為より強い印象を残すのは、実際に「破壊」が視覚的に達成されているからだろう）。ただ、どの映画でも他者への不可逆的な破壊は生じない。最終的にマケーニュは外界に対する働きかけを中断してしまう。外界に対して力を行使しないのだから、暴力もまた封じ込められたことになる。こうした結論によって彼の最も根本的な特性として浮かび上がるのが「内向性」だ。暴力性はもちろん基本的には自身の外の対象に向かって発揮されるものだが、ブラック作品以外の「よく喋る」外向的なマケーニュたちは行為としての暴力には及ばない。口汚い言葉を吐いたとしても彼は言語によって感情を腑分けし、表現できるからだ。一方、ブラック作品のマケーニュは言語では分節化し得なかった感情を行為として、身体的暴力として表出させるしかない。「暴力性」もまたより本質的な「内向性」から派生する特徴として感じられるよう、全体が構成されている。三部作を仮に、両性質を極とするスペクトラムに位置づけるとすれば『遭難者』は最もニュートラルに「どちらでもあり得る」不確定性自体を提示しており、『女っ気なし』は後述するようにシルヴァンの内向性を極限まで展開し、犯罪行為にまで及ぶ『やさしい人』は最も暴力的なマケーニュを描いていると言える。

『女っ気なし』ではシルヴァンの内向性は、明確に彼自身のコミュニケーション能力の不足に由来するものとして描かれている。彼は「察し」がよくない。為すべき行動を文脈から判断することができない。海辺でナンパされているパトリシアとジュリエットの母娘がナンパから逃れようと「彼氏のフリをして」と言外に求めても、彼はそれを理解できない。三人で楽しむ人物当てのジェスチャーゲームにおいても、正解にたどり着くのは母娘の方である（彼は性的なヒントに対しても鈍い反応を示す）。この察しの悪さがそのまま、異性との関係において「いつ踏み込むべきか」という判断を誤らせ続ける。母パトリシアと二人きりになったとき、彼はパトリシアの手を握るが、一度離されたら二度と摑もうとはしない。それは紳士的な態度とも言えるが、母を籠絡するジルと彼を隔てるのはこの部分だとも言える。またこうして重ねた誤謬が、シルヴァンをより臆病にさせるという悪循環があったことも想像に難くない。何であれこの内向的なありようは、彼に「未成熟」な印象を付与する。「大きな赤ん坊」はここでは最悪の表現であり得る。三十歳を優に過ぎた男が幼児性を保持しているということは、果たされるべき成熟が果たされていない状態であり「キモい」ことでもある。しかし『女っ気なし』において、内向性はマリーという太った（シルヴァンと身体的特徴を同じくする）女性によって「控えめ」と好意的に表現されるものでもある。このことが、三部作の他の二作から『女っ気なし』を隔てる契機となる。成熟した大人として振る舞えないのみならず、暴力に発展する可能性も孕んだ彼の内向性こそを「美質」と看做す人物が現れるからだ。しかも、それはマリーひとりではない。

『女っ気なし』の終盤、娘ジュリエットがシルヴァンの部屋を訪ねる。シルヴァンは彼女に苺を振る舞う。生クリームを大量にかけて彼女に差し出す（彼の体型の説明にもなっている）。それを彼女は笑顔で見る。シルヴァンはそこに更にシリアルをかける。ジュリエットは驚くが「でも美味しそう」と微笑む。シルヴァンは苺をシリアルごと、音を立てて食べる（音が響くのは口がちゃんと閉じていないからで、これも幼児性の現れと言える）。しかし、ジュリエットはその音を「面白い音」とポジティヴに評する。この一連は、シルヴァン-マケーニュとジュリエット-ルソーのクロースアップ気味の切り返しで撮られている。このシークエンスは、切り返しという技法のつまらなさを克服して余りある。それまでの描写を土台にしつつ、ジュリエットのリアクションが新たなシルヴァン像を切り開いてゆく、極めて生成的な場面だからだ。先立つシーンでシルヴァンは暴力的な人物としても描写されており、ジュリエットの来訪の意図もこの時点では判然としない。確かなものは何もないなかで、シルヴァンの振る舞いへのジュリエットの親しみを基盤とした「場」が徐々に、徐々に形成されてゆく。彼の体型や未成熟、ともすれば「キモさ」に転じかねないすべてを好意とともに受け止めることのできる可能性をジュリエットの表情が教えてくれる。心のどこかで感知しつつもここに至るまで明確に描ききれなかったシルヴァン像が、ジュリエットの眼差しを通じて観客の前に立ち現れてくる。そう。彼は、かわいい。「かわいい」ヴァンサン・マケーニュ-シルヴァンが、ついに出現する。

ここで「出現」というのは、演技を超えた存在の現れを指す。ほとんどドキュメンタリーとして、そうとしか思われない人物を目にすること。ずっと見えていたのに見えなかった何かが現れるような感覚だ。それは、単に俳優がハマり役を得たということとは違う。マケーニュの実像とシルヴァンが異なるとすれば、それは俳優の身体のポテンシャルを引き出す言動・振る舞い・関係性を与えた演出の見事な成果とも言えるかも知れないが、それもまだ適当ではない。この出現は、究極的には演出家にも俳優にも帰することのできない、原因不明の虚実の融解なのだ。少なくともこの「かわいさ」の出現は幾重もの層から成る、とは言える。それはシルヴァンとジュリエットの間に生じたものであると同時に、ジュリエットの眼差しを借りた観客とマケーニュの間に生じるものでもある。しかし、俳優ヴァンサン・マケーニュがシルヴァンという役柄と出会ったことで生まれ、観客より先にカメラ（ギヨーム・ブラック）がマケーニュ－シルヴァンに見出した「かわいさ」でもある。それは見られる対象の「性質」であると同時に、見る者との関係においてのみ生じる「関係」でもある。現場において、この全ては順次にではなく一挙に起こったろう。「層」とは言ったけれども、実のところそれはほとんど不可分な「場」としていちどきに生じた。

『女っ気なし』の最終部、一夜を共にした夜明け。ジュリエットは服を着て、壁側を向いたシルヴァンの裸の肩に口づけ、部屋を出ていく。シルヴァンも目を覚ましている。彼女の出ていく気配を聞き取る。彼は彼女の寝ていた側に寝返りを打ち、彼女の使ったであろう枕に顔を寄せる。彼女の匂いを嗅ぎ取ろうとする。彼女はまだそこにいるのに。追わないのは、メールアドレスを渡しているからだろうか。それとも前日のセックスが上手く行かなかったのだろうか。我々には何もわからない。去り行く者の気配を少しでも嗅ぎ取ろうとするほどの強い希求にもかかわらず、自分に明らかに好意を寄せている女性にさえ決して領域侵犯的に振る舞えないシルヴァンという男を、ただ見るしかない。もはや劇中の誰も彼を見ていない。登場人物の誰の目線も代理しない俯瞰ショットが、上半身裸で毛むくじゃらのマケーニュの「大きな・赤ん坊」という多重性をこれまでで最もあられもなく表現する。彼自身が彼を閉じ込めている。彼は確かに無害だろう。しかし彼に手を差し伸べる者はない。誰も解消しようのない深い孤独が生（なま）のまま提示される。誰もここでのシルヴァンの「かわいさ」、いや「いじらしさ」を知らない。観客は自分の瞳が伸びていくようにさえ感じるだろう。だが、決して辿り着くことはない。彼は改めて定義不能な尽きせぬ謎として出現する。このことが、彼を極めて魅惑的な存在にもする。これほどに誰かの存在を生々しく捉えたショットはやはりこの十年なかったのではないか、という気がする。

ここまで書き連ねても究極的には、なぜ『女っ気なし』だけが『遭難者』とも『やさしい人』とも、他の多くの映画とも違う境地にまでたどり着いているのか、判然とはしない。全てのピースがこれしかない、という形でハマるような瞬間はどれだけ才能ある監督と魅力的な俳優の出会いがあったとしても、必ずしも繰り返されない。ただそれは、シルヴァンとジュリエットの間に起こったことのアナロジーとして説明できる。それぞれ定義不能で不確かな存在であるところの個が、何らかのきっかけで、不確かなままに、どこまでも確かめ合うようにしてお互いを発見することがある。それまでの親しさと関係なしに極めて素早く、この上なく深まり、それ故に再現不可能で、別れていくしかないような束の間の通じ合いが誰の生にも存在する。一度起これば、それは奇跡のように感じられもするだろう。だからきっと、なぜそれが起きたかもわからないし、再現性もない。しかしそれは起きた。映画というメディアの恐ろしさは、その一瞬の通じ合いにもし居合わせることができたら（もしくはカメラ自体がその通じ合いを体験したら）、その偶然もしくは奇跡を永遠化してしまうことがある、ということだ。そして、それが映っている映画とそうでない映画をはっきりと分けてしまう。

最後に付言するならば、この「かわいさ」が生じるうえで最も重要な基盤は、ヴァンサン・マケーニュが「かわいくない（かもしれない）」ということだ。この「かわいさ」がこの瞬間・この関係においてしか出現しないものであり、そういうものを目撃しているという生々しさは「かわいさ」以外のマケーニュの性質と、それをともに保持して映画に持ち込もうと努めたギヨーム・ブラックの感受性から生じている。不確かなものと向き合うこと。ときにはその不確かさをできる限り高めること。何も起こらないかも知れないけれど、この生は生きられるに値すると感じられるような出来事は、その態度からしか生じない。その態度に価値があるか否か迷う人がもしいるならば、『女っ気なし』のヴァンサン・マケーニュを見てほしい。

『FILO』一九号、特集「二一世紀の俳優」、二〇二一年三／四月

愛の映画
――レオス・カラックス『ポンヌフの恋人』

1

レオスの映画の主要なテーマは、愛への恐れであり、愛することの困難さだ。愛が作りだす恐怖はあまりに大きいので、それを手なずけることはできないんだ。その恐怖が現われた瞬間から、物語はその恐怖を消そうと速度を増す。だから物語が愛を語るとき、そこには大きな恐怖があるんだ。
（鈴木布美子『レオス・カラックス――映画の二十一世紀へ向けて』筑摩書房、一九九二年、六二頁より）

撮影監督ジャン＝イヴ・エスコフィエのこの発言以上に、レオス・カラックスの映画――特にエスコフィエが撮影を担当した「アレックス三部作」――を端的に言い表すことは不可能に思える。愛と、それを失う恐怖が『ポンヌフの恋人』（一九九一）の物語上の主題としてあるのは明らかだとしても、それを具体的な「速度」つまりは運動へとアクロバティックに関連づけてみせるのは誰よりも彼自身が撮影者として、加速していくスピードを身に迫る危険とともに体感したからに他ならない。だが、なぜ愛と恐怖は同時に生まれ、それは最終的に速度を有した運動へと転じるのか。

恋愛とある種の恐怖が同時に生じることは誰でも知っている。それは『ポンヌフの恋人』に描かれてもいる事態だ。愛を知らない浮浪者・アレックス（ドニ・ラヴァン）が失明危機にある画家・ミシェル（ジュリエット・ビノシュ）と出会い、恋をする。やがて二人は恋愛関係に至るが、アレックスは彼女が失明から回復すれば自分を捨てることを恐れて、その回復の可能性を隠してしまう……、といった具合に。ただし、最も端的にその恐怖を言い表すのは前作『汚れた血』（一九八六）のアレックスだ。「もし君とすれ違ってしまったら、世界全体とすれ違うことになる」。この台詞は大仰だけれど、恋する当人にとっては真実だ。恋愛における悦びはその対象と「すれ違う」＝摑むことも触れることも叶わずに失ってしまう可能性を基盤として生じる。すれ違う可能性が無限にあったにもかかわらず、今こうして一緒にいる、という「奇跡」を感じることが恋愛における悦びの根幹にある。恋愛は喪失に対する無限の恐怖とともに成立すると言っていい。ただ、この恋愛と恐怖の一般的関係をカラックスが十代に送ったシネフィル生活が、運動へと関連づける。

十三歳から二十歳ぐらいまでのあいだ、僕はほとんど他人と話すことを拒絶して生きてきた。そのころ、僕が夢中になれたのは映画、それもサイレント映画だけだ。そして、映画を発見するのと同じように、女性への目覚めがあった。映画への愛と女性への愛は、僕のなかでほぼ同時に形成され、持続してきた。このふたつを切り離すことは不可能だと思うね。

（前掲書、一八五頁より）

カラックスにとっての愛は、二つの対象＝映画と女性をまったく同時に持ちながら形成されたものであり、それ故に不可分なものだとまで彼は言う。彼が夢中になったのは何よりも「サイレント映画」であった。サイレント映画を愛するということは、視覚のみを頼りに映画と自身を結びつけようとすることであり、画面上で生起する運動を眼差しでもって捉え、愛撫しようと試みることだ。しかし当然、「瞳による画面上の運動の愛撫」には根本的な不可能性がある。映画が「いま・ここ」とは別の時空で既に起きた事柄の記録、その集積であるのが理由だが、それだけではない。観客は映画内の出来事を自己に取り込むことから、幾重にも隔てられている。カメラという機械の光学的記録能力は、関心に基づいた人間の外界知覚を遥かに凌駕する情報量をワンショットのうちに記録する。カメラが捉えるものをそのまま見ることは叶わない。つまり、映画を見ることと見逃すことは常に同時に生じる。人の瞳は画面上の運動を完全には捉えられない、にもかかわらずそこには記憶や認識が生じる。人が「映画を愛する」と口にするとき、多くの場合それは「記憶違い」や「認識違い」、もしくはそれに基づく感情へと向けられた自己愛でしかない。この自己愛と逃げ去る他者への愛の縺れは決して切り離し得ない。ただ実際のところ、映画におけるこの絶対的なまでの他者性は新たな快楽の源泉でもあるのだ。見返すたびに見落としていた細部を発見して認識が更新されるとき、それまでの自分の不明を撃たれながら、同時に自身が刷新されたような感覚を味わう。こうして自己の欠落を暴露されながら共にあることしか「映画を愛する」術はないとも言える。共にあるためには逃げ去るものを追わなくてはならない。

　カラックスは、サイレント映画を発見したときに「自分のために作られたと思ったほど」それを愛したと言う（前掲書、三四頁）。このある種の誇大妄想は、自己愛的な恋愛におけるロマンティシズムとも通ずる。女性への愛と、映画を愛することはまさに「自己愛的傾向」と「自己への取り込みの不可能性」において重なり合うことは言うまでもない。ただカラックスの場合、映画を見ることから撮ることへと歩を進めることで、その重なり合いは完全に一致を見ることになる。彼が少なくとも『ポーラX』（一九九九）までは自身の私生活のパートナーを撮り続けたことは説明無用に有名な話だけれど、これはカラックスにとってはどうしようもなく自然なことなのだ。二つの愛は、カメラを被写体へと向けることで一つとなる。ただ、それは単にカメラを通じてパートナーを愛でることとはまったく違う。カラックスにとってこの愛の一致は「逃げ去るものを追う」ことによって成就するからだ。そのために、カラックスは映画内に自分の「分身」としてアレックス＝ドニ・ラヴァンを、愛と恐怖に憑かれた存在として招き入れるだろう。ラヴァンは単にアクターと言うよりは、エージェントに近い。彼自身も動くが何よりも、カラックスに成り代わって映画内に動きを直接的に誘発する存在でもある。カラックスは自分のパートナーとエージェントを通じて、「愛」と「恐怖」を「運動」そのものへと昇華していく。その試みが最もよく結実するのが、『ポンヌフの恋人』に他ならない。

2

「革命二〇〇年」の祝祭を予告するトリコロールのスモークを引きずった編隊飛行に続き、メトロ構内の動く歩道に乗ったミシェルと、彼女から目を離せなくなり尾行をしているアレックスを映画は示す。尾行である以上、当然二人は距離を置いて同方向に動いている。しかし、ある時この方向性が乱れる。チェロの音が響くとミシェルは振り返る。アレックスは咄嗟に身を伏せる。ミシェルは動く歩道の手すりを越えて（！）逆方向に乗り換え、音の方へ走り出す。アレックスもまたそれを追って方向転換し、動く歩道を逆進する。邪魔とばかりに人をかき分ける。

特筆すべきは、ここで疾走を始めたミシェルを追うカメラの横移動だ。この速度に合わせてカメラを載せた台車を動かすことは、直線とは言え、下手すれば滑車がレールから脱線しかねない危険行為でもある(撮影現場のスチールを見ると実際に移動撮影のためにレールを引いている)。ここでは相当に重い35ミリフィルムカメラと三脚、そしてカメラマン及びピントマンの体重自体が脱線を防ぐ要素ともなるだろう。しかし、その重みもまたリスクなのだ。仮に台車を急ブレーキで止めれば、カメラと撮影スタッフは投げ出されることになる。カメラと人を十分に台車へと固定した上でなお、減速用のレール尺が必要になる。しかも、これほどのスピードで人が走る以上それなりの距離が踏破されてしまう。それを追う移動撮影用のレールは相当に長く敷かれなければならない。こうしたすべては究極的には物量の問題であり、金をかければ準備できることだ。ただ、どれだけ繊細に事故予防の作業を行ったとしても、この撮影に伴うリスクは決してゼロにはできなかったはずだ。にもかかわらずカラックスはこの場面で明らかにビノシュに、カメラへの配慮なしの疾走を課している。身体能力がそもそも異常に高いラヴァンに対しては、片足にギプスをはめ、逆方向の動く歩道に乗せ、通行人に進行を妨害させることで、何とかカメラが追いつける存在にしている。とは言えこの条件下において、カラックスはラヴァンの肉体にもあくまで「全力」を課す。このチャレンジによって得られるものはもちろん「全力で走る人(肉体)」が捉えられた画面だ。ただ、それは必ずしも明確に捉えられているのではない。むしろ全力で走る人の身体とそれを追うカメラの関係から生まれるのは、その身体を撮り逃しかねない緊張感を孕んだ画面であり、そのことは続く場面においてより顕著だ。

初恋の人・ジュリアンを射殺したという恐怖に駆られ(後で夢と分かる)、ミシェル=ビノシュは革命二〇〇年祭のパレードのさなかを走る。カメラは兵士や戦車の行進に視界を塞がれながらも、やはり全力で走る彼女を追う。実際のパレードを背景に使ったこの撮影では、レールを敷くことも、撮影車両を用意することもはばかられたのだろうか。結果として車椅子に乗せられたというカメラの激しいブレは、この疾走を「追う」ことの困難をより明確に画面化している。それがどれほど現場における危険や困難を経て得られた画面であるか、当然ほとんどの観客は想像しない。にもかかわらず、観客はその異様さを触知せざるを得ないだろう。『ポンヌフの恋人』における逃げる被写体と追うカメラの張り詰めた糸のような関係性から、観客はカラックスの「カメラが被写体を撮りおおせること」への執念を感じずにはおれない。いや、そんなことは当たり前で、カメラが被写体を収めずして映画は映画にならないと思うかも知れない。当たり前ではない。少なくともカラックスにとって、それは十分に自らの信ずる映画の条件を満たすものではない。

映画を見ることが常に見逃すことと同時に生ずるように、映画撮影は常に「撮り逃し」と共に生じる。そのことはリュミエール兄弟による初期映画にはあられもなく映ってもいる。もし単にカメラを現実に対して据えるだけでは、被写体である人はカメラの前を立ち去るか、通り過ぎるのみだ。被写体はカメラと何の関わりも持たない他なる運動体なのだから当然だろう。ただ、もしここで映画製作のために被写体と特殊な約束（契約）を交わせば、彼らにカメラの前に留まってもらうことはできる。役者という被写体と契約を交わすことで劇映画の撮影は成立することになる。このときにこの約束事は一見、「撮り逃し」の可能性をなくすことに成功しているように見える。しかし、ここでなお撮り逃がされているものがある。それは他者性それ自体である。契約によって被写体をカメラ前に留まらせることは、他者性を単に隠蔽してしまう。そんな形でカメラ前にいてもらうことは、少なくともレオス・カラックスにとっては無意味なことだ。もう一度、他者が他者であることを明らかにしてもらう必要がある。目の前から、逃げ去ってもらわなくてはならない。

この撮影において求められているのはあくまで、他者性をまったく隠さずに逃げ去る誰かが、それでも自分＝カメラと共にいてくれる、というほとんど「奇跡」に近い事態の記録だからだ。これは勿論、失うことの恐怖を前提として愛の歓喜が成立する事態とあまりに近い。「こんなものを見たことがない」というカラックス映画を見る際に生じる感興は、画面に含まれる顕在化しなかった無数の「撮り逃し」の痕跡から得られるものだ。画面に張り詰めた「撮り逃し」の可能性が、「こんなものが映っているのは異常なことなのだ」ということを私たちに直観させる。

ただ、この強迫的な「逃げ去るもの」への執着が、撮影現場を危機に陥れていくことは言うまでもない。本気で逃げ去る者は、当然その速度に比例した距離を踏破する。カメラがそれを追うならば、この逃亡と追跡は映画撮影に必要な空間を肥大化させていく。その空間はプロダクションが用意しなくてはならないものでもある。現実空間の何処かを借地契約する必要があり、時間に応じて賃料が発生する。本気で逃げ去る者を捉える試みは、必ず失敗を繰り返す。時間がかかれば賃料はかさんでいく。予算は無限ではないのだから、破綻は目に見えている。それでもカラックスはやめないだろう。恐怖を感じなかったはずもない。生半可な野心など叩き潰されて然るべき、身の破滅に面した恐怖だ。ただ、この恐怖は「それでは自分の愛する映画を撮り損ねる」という彼の身体に根ざしたより根源的な恐怖によってのみ克服される。その結果として我々は「ポンヌフ」の巨大セットで繰り広げられる、製作中止という究極的な「撮り逃し」の兆しをそこかしこに含んだ画面を、運動を見ることになる。

3

ミシェルとアレックスが飲み干したであろう酒瓶や、煙草の吸殻が俯瞰の横移動撮影で提示されていく。その先に、すっかり酔っ払った二人が地べたに崩れ落ちて、ほとんどヒステリックなまでの笑い声を上げる。酒瓶や煙草に比した彼らの身体は現実離れした縮尺で、小さく、せいぜいネズミ大のサイズで示される。この荒唐無稽なショットは幾つかの機能を果たす。過剰に酔った二人が薬物中毒的な幻覚に引き込まれたようにも思えるし、世界全体がこれまでになく拡張している印象も与える。ただ何よりも、強い幻覚性を持ったこのショットがここに配されることで、のちに起こる事態は相対的に「現実的」に見えやすくなる。以降の場面はそれを現実として考えたときには不思議なことも多いのだが、観客はそれを違和感なく受け入れるだろう。そういう点でカラックスは単に誇大妄想的というより、実にクレバーに自身の欲望を着々と叶えるある種の周到さを備えている（そうでなくては映画製作という複雑怪奇なプロセスを遂行することはやはりできないだろう）。とは言え、続く場面で観客の批判能力が無効化されてしまうのは、何よりも「実際に起きていることの凄絶さ」による。

幻覚的ショットの最終部、閃光と爆発音を受けて彼らは起き上がる。背後の夜空に花火が打ち上がる。アレックスは「爆竹と花火だ！」と快哉を叫ぶとともに、松葉杖をセーヌへと放り投げる。ミシェルはアレックスに銃を渡してまず七発撃たせ、その後に自分が七回発砲する。この発砲は、拳銃を操る二人の身体と花火の爆発を段階的に同化させていく。準備は整った。遂に始まるのがポンヌフ橋における狂乱のダンス・シーンだ。「祝祭的」という言葉がこれほどに当てはまる場面も他にない。身体そのものの祝祭化がここでは生きられる。祝祭化とは自他の境界の融解のことだ。それは花火の爆発音と閃光に刺激された身体の運動を通じて達成される。腕を振り回し、雄叫びを上げる二人の狂気じみたダンスは、過剰どころかむしろ画面全体との調和を果たすことになる。ポンヌフの巨大セットはまさにこのために作られたと言ってもいいようなダンスフロアと化す。ここまで直線的な運動を繰り返してきた二人の身体はここで「行ったり来たり」の回帰運動をするようになる。二人が頭部を互いの肩にもたせかけ、互いの身体を回転させる。ダンスとはまさに限定空間で最大限の運動を可能にするような回帰・回転運動のことだ。二人の身体は踊ることを通じて、同一画面内に映る「爆発」そのものと共振する。ここではモーションがそのままエモーションと化す。それを映画と呼ばずに何と呼ぶのか。音響は次元の隔たりを超えて二人のエモーションを直訳する。爆発音だけでなく物語内の現実には存在しないサウンドトラックが、二人の高揚と観客を直接的に結びつける。複数の楽曲がDJプレイのようにつながれ、重ね合わせられ、映画は複数のリズムを同時に生きる彼女らを言祝ぐ。

見直した際、この場面のショット構成が実にシンプルであることに驚かされた（初見時には、とにかく画面と音響に圧倒されるほかなく、分析的に見るどころではなかった）。俯瞰気味のヒキ、二人それぞれへのヨリ、二人の身体を同時に捉えることも可能な中間的なサイズ。これらはすべて同方向から、常に画面奥に花火を捉えつつ、踊る二人の動きに合わせて移動撮影を続ける（編集のネリー・ケティエはこれらのサイズのうち、その場で起きる運動-感情が最もよく捉えられているショットを次から次へと継起させている）。予算超過を重ねた製作の後半で撮られたというこの撮影では、そう何度もテイクを重ねることはできなかったはずだ。いちどきに花火を打ち上げ、それを最低回数で撮り切る必要がある。そのために四〜五台のカメラを用意したとエスコフィエも述懐する。エスコフィエは画面奥に行くにつれて小さくなるポンヌフ橋のセットに合わせて、花火を低い位置で爆発させるために真上ではなく斜めに打ち上げさせた。そうでなくては今あるように、同一画面内で花火が捉えられることもなかった。煙が視界を塞ぐことがないように照明の光が花火のほうに行かないようにしたと彼は回想している。実地のテストも本番の失敗も多くは許されないなかで、どれほどの思考実験を経ただろうか。この場面を成立させた撮影者、そして現場スタッフのリーダーでもあったジャン＝イヴ・エスコフィエの存在の大きさはどれだけ強調したとしても、し過ぎるということはないだろう。編集・音響などのポスト・プロダクション的な操作も印象に寄与しているのは間違いない。けれども、この二人の身体と花火の爆発の同調から成る「祝祭的できごと」は、あくまで具体的に身体と花火を同一画面に捉えた記録映像の力がなくては——それはカメラ位置と被写体の運動のアレンジメントからのみ得られる——観客に感知されることは決してなかった。

シンプルと呼んだカメラ位置及びその複数台の配置は、被写体の運動を限定せず、彼らの感情を一切損なうことなく捉えるためのものだ。結果として、爆発を模して自分の内にあるものを残らず発散させるような彼らの感情表現は、単なる喜びという以上にエクスタティックで、どこか自己破壊的ですらある。全感情が発露するとき、彼らの人生の傷もまた噴出するのだ。ポンヌフのセットが完成したのが、撮影の後半に至ってのことと考えると、度重なる撮影中断を経た俳優自身の痛みもまたここで昇華されているように感じる。物語と現実の最高度の一致がここにはある。だが、二人にとっての革命の祭りはまだ終わらない。

川沿い。アレックスが守衛を頭突きで気絶させたかと思うと、盗み出したモーター・ボートをアレックスが操縦し、ミシェルを水上スキーに連れ出している（リアリティという点では非常に危ういが、そんなことはもう気にならなくなっている！）。滝状に水がこぼれる橋のアーチをくぐり抜けるボートとミシェル。水を浴びながら「スピードはどうだ！」と尋ねるアレックスに、ミシェルは「聞こえない。でもあんた素敵よ！」と返す。二人の幸福は遂に絶頂を迎えようとしている。物語上は二人の「愛の始まり」はまだ到来していないのに。いや、だからこそ。

直線的に進むボートと異なり、スキー板に乗ったミシェルは水上を右に左に振られる。ミシェルは船尾から垂れた綱を握り、それだけが生身のミシェルをボートのスピードへと一致させている。ここまであくまで生身の肉体における速度とリスクを描き出していた本作で初めて、モーター・ボートという機械が生身の限界を超えたスピードの世界へと二人の身体を連れ出していく。

ここで生きられるリスクもまた、スピードに応じて最大限高まる。花火が火を吹く壁面に彼女が近づくたび、そこに叩きつけられるのではないかと見ている我々は恐怖を覚える。これが吹き替えでなくビノシュ本人なのは、映像から明らかだ。この生身の限界を超えた速度とリスクは、『汚れた血』冒頭のラヴァンとジュリー・デルピーのバイクシーンも想起させるが、この水上スキーによる運動が更に魅惑的に感じられるならば、これが異なる運動体が分かれたままに繰り広げる、同一速度の運動だからだ。他者が、他者のまま共にある。その歓喜は単に演じる二人だけのものではない。ボートの内外から彼女らを捉えるカメラもまた、同じスピードの世界の中にいる。だから観客は彼女らの歓喜を感じることができる。ほんの一瞬、誰かが誰かから「逃げ去る」ことが無効化されたかのような、複数の運動体による速度の一致が生きられる。いやむしろ、被写体とカメラが共謀して世界そのものからの逃走に成功したかのような集団的エクスタシーがここにはある。ただ、その時間は永遠ではない。やがてビノシュは転び、水面に打ち付けられる。それを見たラヴァンもボートから飛び降りる。二人の身体は、投げられた小石のように水面を跳ねる。墜落のこの瞬間は、それがどれだけ危険でも撮られなければならなかっただろう。スピードと幸福の絶頂でシーンを終わらせてしまえば、彼らが生身の肉体にそぐわないスピードのなかで生きていたこと、そのリスクが観客にまざまざと実感されることはなくなってしまうのだから。それでは、彼らが為したことの価値が真に観客に伝わることはない。

4

物語上の順番は前後するが、アレックス＝ラヴァンの「火吹き」の場面にここで言及しておきたい。鮮烈さにおいて、本作をこの場面とともに記憶をしている観客も多いはずだ。先述の尾行の場面に先立って、アレックスは口に含んだ液体燃料を噴き出すとともに着火させる「火吹き」を披露する。ラヴァンは準備期間に十分な訓練を通じて、この大道芸を体得した。訓練の成果は我々が映画で見る通りのものだ。彼の身体は『汚れた血』のときよりも随分と筋肉がついて逞しい。大事故のリスクを孕んだこのパフォーマンスを通じてドニ・ラヴァンは単に「俳優が役を演じている」という次元をはみ出す。いや、「役を演じる」ということはこれほどのものであり得るのだ、と再定義されるというのが正確だろうか。それはこの場面から始まり水上スキーまでの数十分でずっと起き続けていることだ、そのことがこの時間を映画史上、唯一無二のものにしている。

この「火吹き」のスペクタクルは単に観客の瞳に焼き付くのみではない。ミシェルも躍動するアレックスの身体を見つめていた。ミシェルは露出した片方の瞳を濡らし、初めて柔らかい微笑を浮かべる。しかしその直後、眼痛に襲われてミシェルはアレックスを見続けられなくなってしまう。鮮烈な光景は、その鮮烈さの理由である「明るさ」を通じてミシェルの瞳にダメージを与える。だが、その光景はミシェルの意識下に固着したようでもある。

祝祭の翌朝、橋にうずくまるミシェルのもとにハンスがやってきて出ていくように言う。ミシェルは聞き入れず、充血した目を指して「絵を描こうとすると右目がカタツムリみたいに飛び出すの」と告げる。このとき、火を吹くアレックスの後ろ姿がインサートされる。画面はまたミシェルの表情に戻る。このインサートは、何かミシェルのフラッシュバックとして了解できなくもない。「飛び出す」ことと「噴き出す」ことのアナロジーによって、この編集の断絶感は、多少は和らげられているかもしれない。しかしどう考えても、この「火吹き」の光景はまったく前後との脈絡を欠いている。これはミシェルの意識的な想起とも受け取れない(この時点のミシェルには、もっと深い関わりを持った思い出が幾らでもあるだろう)。このつなぎは何の説明にもなっていない。にもかかわらず、見る者には深い納得が生じる。不思議には思わない。このつなぎが単にミシェルの内面の表現ではなく、この映画全体のありようを示すつなぎになっているからだ。編集者がこの映画の言語化されていない原理を身体的に摑むことでしか、このようなつなぎを選択することはできない。おそらく最初から想定されたインサートではあるまい。しかし、発見されたこのつなぎに『ポンヌフの恋人』のすべてがある、とまで言いたくなる。確かに見たこと。なのに忘れてしまうこと。見逃したこと。それなのに覚えていること。まだ愛は始まっていないのに、その人を見つめたこと。人称と非人称、意識と無意識の間の領域を現出せしめるこのインサートは、本作を再見するなかで鮮やかに自分のうちに残った。このようなつなぎを、自作をつくるうちに発見できたら映画をやめてもいいかもしれないという気さえした。このつなぎをインスパイアしたショットの「質」は、ラヴァンの肉体から実際に火が吹き出されている、その記録映像からしか得られなかったということもまた、肝に銘じたい。

ラヴァンの「火吹き」アクロバットのみならず、ダンスも水上スキーも俳優二人の十分な訓練を経たうえで撮影が為されたという。『ポンヌフの恋人』の製作においては、まず撮られるべき場面が想定され、それに対する周到な準備があった。にもかかわらず、カメラが収めているのが「出来事そのものの生起」と呼ぶべき事態であることに、我々は真に驚かなくてはならない。それは多額の予算やそれが可能にする準備以上に、身体や映画製作自体を破壊しかねないようなリスクを請け負う者たちがなければ決して得られなかったものだ。それはカラックスの恐怖に触発された集団的狂気の賜物か、それとも愛と信頼の果実であるのか。わからない。そのどちらでもあるというのが本当だろう。どちらにせよ、カラックス、ラヴァン、ビノシュ、そしてエスコフィエらが同じ速度の運動体となるのでなければ、決して存在しない映画を私たちは見ている。それは肉体的にも、社会的にもその生命を賭けた結果だ。そのことで我々は「こんなものを見たことがない」映画を目にする。彼らがそれを為したのは誰のためでもあるまい。それでも感謝の念は湧いてくるし、それだけでは足らない気持ちにもなる。観客としてまだ多くを見逃しているからだ。だから何度でも、瞳をこの映画に差し出すしかない。

フィルムアート社編集部編『レオス・カラックス——映画を彷徨うひと』フィルムアート社、二〇二二年三月

The Art of Preparation
——三宅唱『ケイコ 目を澄ませて』

先日、フィルムアート社のウェブマガジン「かみのたね」に掲載するための三宅唱監督インタビューを、映画研究者の三浦哲哉さんと共にしてきた。これは本当に楽しかった。二人と共に月イチでやってきた演出勉強会の延長であるわけだけど、過去イチ、勉強させてもらった。優れた映画作家の「創作の秘密」を直に聞き出す（そして「そんなことやってんすか！」と驚く）、この喜びは黒沢清監督のゼミに参加していた頃のことを思い出させてくれた。

『ケイコ 目を澄ませて』が、三宅唱の新たな達成であることに異論を挟む人はいないだろう。それでも、多くの評者はこの映画について詳細な言葉を編むことに苦労するのではないかとも想像する。それはこの映画が到達した簡潔さ故に、だ。極めてシンプルに、ここしかないという場所に置かれた視点（ショット）が、ここしかないというタイミングで切り替わる。そのことが連鎖していく。聞こえてくる音響は視点の限定性を忘れさせたり、却って強調したりするが、何一つ雑然とはしていない。映像と音響の相補関係は驚くべきものだ（この点で、もちろん書くべきことはあるだろう。細馬さんの論考を期待している！）。勿論、これらの要素はこれまでの三宅映画にもあった。しかし、単なる映像と音響の操作からは得られないような「生の実感」がこの映画からは立ち昇っている。

32〜50ミリのレンズ（標準め、ときに広角寄り）を基調としたほぼフィックスのフレーム内に、人がいる。被写体が実に的確に捉えられているのはいつものことだけれど、彼女らはときにフレームからはみ出し、また回帰したりする。この映画でカメラ位置と被写体の運動はある調和に達している。望遠レンズの使用による役者の顔及び運動のフォローが特に印象的だった三宅唱のフィクション映画において、これは決定的な転換だ。このように「人と人（環境）の間の相互反応」を捉えるようなフレームにおいては、それが「起きていない」場合もまた正確に記録されてしまう。「相互反応」が撮影現場において生じていなければ、それを捏造することはできず、観客まで届くことも決してない。なので、このようなフレームやショット構成を選択するならば、そこで確かに「相互反応」を起こすのでなければ目も当てられないものになる。ただ、言うは易く行うは難し。というのは、ここで言う人・被写体とはだいたいが役者であって、役者は演技をしており、演技というのは基本的に「自分の身体を使って、自分でないフリをする」という無理難題だからだ。意識のレベルでは当然「自分でないフリ」をすることは容易い。しかし身体は無意識によってもまた動かされるし、その割合のほうがずっと大きい。「写される体」＝被写体は常に全身で、自分は自分でしかないことを告白し、それによって意識が遂行する「自分でないフリ」を滑稽なものにしてしまう。にもかかわらず、役者の多くはそれを自分の仕事と信じて（ある種の誠実さから）「自分でないフリ」に汲々とするため、「相互反応」どころではないのが実際だ。

だから、岸井ゆきのが「ケイコ」でしかなかったときに、深く驚いた。それは彼女がプロボクサーに見えるとか、ネイティヴな手話者として見える、ということではない（自分はその判断基準は持っていない）。自分はただ「ケイコ」という個別の生が、岸井ゆきのの身体を通じて具現化しているのを見た。

そのことが特に強く感じられたのは終盤、試合に臨む前の彼女が河川敷で柔軟運動をする際の表情だ。彼女は（フレームには写っていないがおそらく）伸脚運動をしている。この表情は、役者をカメラ前に呼んで「ケイコはここで柔軟運動してます。じゃあカメラ回します」と撮影現場で伝える演出／段取りからは決して得られない。彼女は自分がここにいる意味合いを完全に理解して、静かに、着実に自分の身体と交信している。これから起こることを楽しみにすると同時に、それが簡単なものではないこともまた理解して、適度な緊張感をたたえている。緊張感が過剰にならないのは、この伸脚運動が未来に対して確かな意味を持つ「準備」であることを彼女自身が深く、身体的に理解しているためだ。だから、彼女はただ伸脚運動をして、そこにいる（それは「役になりきる」とか「役を生きる」とはまったく別のことだ）。当初この表情及び身体的理解は、おそらく「順撮り」の成果だろうと推察した。撮影期間の最終局面の、彼女が集中的に役に浸った末の表情を切り取っているのだろうと考えた。しかし、違った。この表情は、撮影開始から「二日目」に撮られたものを使ったのだと聞かされて驚き、動揺した（そして、実撮影日数が三週間にも満たないことを知って、困惑もした）。ただ、それに先立って岸井が三カ月のボクシング指導を監督と共に受けていた、と聞いて得心したのだった。これはただの二日目ではない。三カ月という時間があった。着実にボクサーとしての身体をつくってきた。それは当然と言えば当然の準備だ。しかし、この表情はむしろ「自分はここにいていい」と、「自分はここにいるべき人間である」と、言語化するまでもなく感じていることから生まれている。その感覚は「自分でないフリ」をしようとする努力から最も遠いものだ。そして「ここ」とは撮影現場であり、カメラの前でもある。諸々のセッティングが終わってからフレーム内に招き入れられることの多い役者が「いてもいい」と感じることは本来、極めて難しい。特にクランクインから二日という期間では、まだスタッフの全員には慣れていないだろう。だが、三宅唱がカメラ脇にいる。共に時間を過ごした者のみが持つ、身体的な理解とつながりが彼女の表情を生む環境・土壌となっている。

実のところ、この境地に到ってようやく、役者は「相互反応」を起こすための準備を整えたと言ってよい。しかし、日本の映画制作特有の問題として、制作者たちには十分な準備期間は与えられない。おそらくは俳優サイドの理解と協力もあって、岸井がボクシングのトレーニングをする時間は取れたとしても、「周囲」との相互反応というのならば、他の俳優はどうするのか。またそれはどのようなロケーションを選ぶのか、美術を配置するかという問題も関わってくる。限られた期間で限られたリソースをどう配置するのか。また有効な配置が可能になるよう、スタッフが動き出す環境をどう整えるのか。今回インタビューをしながら深く感じ入ったのは、むしろこの問題に対する三宅のアプローチだ。それを語るには紙幅がまったく十分ではないが、彼が準備期間の初期にスタッフに見せたという「参考映像集」を見せてもらって、ぶっ飛んだ。先行作品の映像と音響を解体して再構成したその映像は、彼が自主映画『スパイの舌』で既に示していたゴダール的感性を改めて思い起こさせた。これを見せれば監督のディレクション（作品の向かう先）がより明確に共有され、何より「自分たちは本当にワクワクするようなものをつくろうとしている」とスタッフたちは感じることができたろう。彼が日本映画の制作環境を単に、唯々諾々と受け容れて撮影に臨んだとしたら、今我々が目にしているような「相互反応」が画面に生じることも決してなかった。実際、この映画の白眉はケイコ−岸井ゆきのが周囲と起こす「相互反応」にこそある。なかでも三カ月の準備期間にもトレーナーを務めた、松浦慎一郎とのそれは特筆すべきものだ。

日本映画が撮影所の崩壊とともに失ったものは、まさにこうした「準備の技術」だろう。だから、我々は予算の多寡にかかわらず極めて「貧しい」画面を見続けることにもなっている。この「技術」こそが三宅唱が取り戻そうとしているもの、いやそれはそもそも与えられなかったのだから、新たに創り出そうとしているものにほかならない。いくら強調しても足らないのは『ケイコ』の極めて簡潔なフレーミングとショット構成が機能するのは、あくまで先立つ「準備」あってのこと、という事実だ。このことでプロフェッショナルたちが個別に重ねた時間は、支流が本流に集まるようにして互いに呼応し合い、個人を超えた「時間」を作り出す。それは冒頭で「生の実感」と呼んだものでもある。

もう一つ、インタビューをしていて驚かされたのは、周到な準備なくしては撮り得まいと思ったものが、撮影現場で起きた偶然であったことも多い、ということだった。しかしそれが単なる幸運かと言えば、違う。ある偶然が生じた際にそれをやり過ごすことなく好ましいものとして迎え入れること自体、彼がこれまで重ねてきた「準備」によって可能になっている。生活への観察や、何が嫌で、何を愛してきたのか。三宅唱が重ねてきた生のすべてが、結果的に偶然を摑み取り、それを僥倖へと変えるための準備になっている。岸井ゆきのの「目」に結晶していたのはこのことだ。生きることはそれ自体、ワクワクするような準備である。楽観すぎるだろうか。だが、そう信じさせてくれるような映画を自分は見た。これから何度でも見るだろう。それは自分にとっても、未来に向けた一つの準備となる。

『ユリイカ』二〇二二年一二月号、特集「三宅唱」

希望は反復する
――『エドワード・ヤンの恋愛時代』

『エドワード・ヤンの恋愛時代』をデジタル・リマスター版で見返して自分が驚いたのは、何よりもそこに満ちた「悲痛さ」だった。資本が科学技術のイノベーションを要請し続けるこの社会では、それが達成されて人々を結ぶ情報の通路が拡充されると、その通路を満たすように情報流通量もまた加速度的に増える。やがて情報の量と速度が個人の処理能力を凌駕するのは自明だ。人はこの社会の中で自身の能力を遥かに超えたタスクを課され、方々に引き裂かれ、声にならない声を上げる。これが、今から三十年近く前に『エドワード・ヤンの恋愛時代』で、既に明瞭に描かれていることだ。そう、本作は現代の我々からしてもまったく他人事ではない、どころか、まだゴツい携帯電話ぐらいしか高度な情報機器がない時代に既に、いま我々の心身に起きている事態を先取りしてしまった映画なのだ。加速度的な経済発展に浮かれる社会における、生身のからだの疲弊と消尽こそを不可避の問題と看破しつつ、それをギリギリでも「恋愛コメディ」と見えるような枠組みへと落とし込んだエドワード・ヤンの洞察と手腕に、遅まきながら深く驚いたのだった。

現在ようやく、私がその側面を感知できるようになったのは、我々の生活自体が『恋愛時代』の登場人物たちが陥っている負のサイクルと本格的に似るようになったからに過ぎない。それは端的には「聞けない」ということだ。複数のタスクに引き裂かれ、一人の人物と十分に向き合うわけにはいかない。タスクを遂行するためには、聞いてばかりはいられない。「聞く」ことは変わることを伴うからだ。より多く変わるのは私ではなく、他の誰かでなくてはならない。この「私」の態度は当然、他の「私」たちから「聞かれない」という事態へと反転しもする。誰もが忙しく、ここにはない「他のタスク」に心を支配され、自分のことを聞いてくれない。そんなときにもし人に「聞かせたい」と思ったら、声のボリュームを上げざるを得ない。だからと言って、それに人々が耳を傾けるかと言えば、事態はまったく逆だったりする。

『恋愛時代』はヤンの全フィルモグラフィを通じても、最も台詞の多い映画だ。夜のタクシーの中での主人公カップル、チチとミンの喧嘩場面に顕著だが、互いに聞いていないということが、彼女らの言葉数を増やし、声を荒らげさせる。「聞かれる」という目標を決して果たし得ない空虚な声の行き交い。こうした主題を看取して、ようやくこの映画が「顔」と「声」をともに捉えた映画であることに大いに得心が行った。正確には、前作からの変化と、変わらぬものの存在が腑に落ちたのだった。

一九九〇年代半ば、待望の新作として『エドワード・ヤンの恋愛時代』を見た観客たちは深く驚いたろう。動揺したかもしれない。ひとまずは「重厚な歴史青春群像劇」とでも言えそうな傑作『牯嶺街少年殺人事件』から三年を隔てて発表された『恋愛時代』は一見したところ「軽佻浮薄な都市的恋愛模様」といった印象で、テーマは様変わりして見える。それだけでなく、後述するように形式の面でも相当に異なっており、両作の間には「亀裂」とも言いたくなるようなギャップがある。ただ一方で二作の間に確かな「つながり」を与える細い線がある。役者たちだ。

『恋愛時代』のメインキャストたちの大多数は『牯嶺街少年殺人事件』から連続して参加している。例えば主人公と言えるチチは『牯嶺街』においては「医師の婚約者」であったし（終盤に一瞬だけ、顔が視認できる）、その親友モーリーは「軍人村217」のボスの恋人・神経（クレイジー）だ。チチの恋人であるミンは卡五（カーウー）、彼女らと同級生のバーディは名前こそ呼ばれないが「光頭」とクレジットされており、二人とも「軍人村のチンピラ」だ。モーリーの恋人・アキンは「小公園のボスの弟」アルテヤオとして歌声を響かせていたし、ミンの同僚たるリーレンもまた「小公園」一味の強面・馬車として登場していた。アキンの参謀・ラリーは主人公・小四（シャオスー）の通う学校の隣の撮影所で映画を撮る映画監督。モーリーの姉は前述の医師の実家である医院で働く看護師だったようだ（彼女の顔はほとんど確認できない）。そして、その夫たる小説家は「国語の先生」を演じていた（彼はさらに別の大きな役割も担っているのだが、それは後に譲る）。いちいち他の名前を挙げることはもうしないが、『恋愛時代』のキャストの多くが前作から継続してエドワード・ヤン作品に参加をしている。

クレジットに目を通せばあからさまなこの連続性を、「細い線」と表したのには理由がある。ある監督の作品に特定の俳優たちが続けて出演するということ自体は、格別驚くには値しない。しかし、もし『牯嶺街』を確かに見ていた観客であれば驚かざるを得ないはずだ（と言うか、私は驚いた）。実際のところ、その「つながり」はほとんど把握され得ない。と言うのは、ここで名を挙げた彼女らの「顔」と「声」の大体は『牯嶺街少年殺人事件』では認識できないからだ。ある時は遠くから、ある時は暗く示される彼女らの顔は、映像上ほぼ視認できない。そのことは当然、ある「声」がどこから発されているかという見当を失わせる。彼女らは主人公の少年少女たちの周囲を「年長者」として蠢き、少年少女にもっぱら一方的に影響を与えるような、正体不明の影たちであった。その存在を「希薄」と呼ぶことは必ずしも正確ではないが、彼女らはむしろ確かな「気配」として『牯嶺街少年殺人事件』という映画を満たしていた。そして、エドワード・ヤンの演出の白眉は、その影・気配の集合体としての社会こそが、最終的に少年をある凶行に至らしめた当のもの、と観客に実感させたことにある。

『牯嶺街少年殺人事件』において類まれな完成度で悲劇的運命を語り終えたエドワード・ヤンが、『恋愛時代』において試みたこととは、視認できるような明るさと近さのもと役者たちを捉えることによって、彼女らに「顔」を与え返すことだった。厖大な量の台詞を発話する『恋愛時代』の役者たちをその距離で捉えることはすなわち、「声」を彼女らの身体に帰属し直させることでもある。もちろんここでヤンと若い俳優たちの共同作業の深化という映画外のプロセスに目を向けることも可能だろう。しかし、私にとってこの事態の最も興味深い点は、彼女らに与えられた声＝台詞の大体が、興味深いとはとても言えない紋切り型であるということだ。彼女らのやっていることは無内容な伝言ゲームに近く、当然のように誤解や言い間違い（失言）が誘発される。かつて見たときには、その情報量に圧倒されたものだが、今見ると彼女らはほとんど重要なことを喋っていない。というか、ほとんど言いたいことを言えていないのだ。この映画自体の言葉を借りれば、彼女らは「フリ」をしている。いや、せざるを得ない。誰しもがその怒声の奥に「聞かれたい」という切実な願いを潜ませながら、それを顕わにできない。それがこの街では誰の関心も得られない話題であることを彼女らが理解しているからだ。「顔」と「声」を与え返されたからといって、彼女らは（ある程度「顔」と「声」が一致して示されていた）『牯嶺街』主人公の少年少女ほどの魅力と謎を湛えているとはとても言えない。もちろん決して魅力的でない登場人物を操りながら、観客の「笑い」を引き出していくことは可能なわけだが、エドワード・ヤンが選ぶのはそのような演出・語りではあり得ない。「顔」と「声」の一致だけでは十分ではない。本質的に重要なのは、「フリ」と「本当」を統合し、彼女らがその人間性と魅力を回復する、そのプロセスを描くことだ。この「統合」を映画に導き入れる上で決定的な働きをするのが、モーリーの姉の夫である「小説家」だ。彼は別居中の妻と、暗い自室で意見をぶつけ合う。

小説家「僕さえ改心すれば万事解決するとでも？　君は君の番組をやり、僕は僕の本を書く。とっくに道は違っていたじゃないか」
姉「あなたの影響で始めた番組よ。忘れた？　この世は光と希望に満ちてると思えた。それを社会に伝えたかった。あなたを信じたから番組が成功したの」
小説家「それだけ心の虚しい人が多くいて、慰めと治療を必要としている。だから僕らの別居にも興味を持つんだ。そういう人々の心の弱さに寄り添うべきで、いくら幸せを演出しても治療にはならない。病を悪化させるだけだ。昔僕が書いた小説は、麻薬だ。アヘンなんだ。責任を取らなきゃ」
姉「何ですって？　病的な作品で大衆を治療できるの？　番組は人を励ますけど、あなたの本は？　死や犯罪で脅えさせる。哀れみの仮面でね」

小説家は三流ロマンス小説を書くのに嫌気が差し、妻がやっている「光」「希望」「幸せ」を演出するような「フリ」をやめて、よりストイックに作品に取り組むようになった。しかし、結果として彼が書いた小説は読者を「死や犯罪で脅えさせる」ものだった。彼女はその小説は破滅に通じていると夫に告げることで、彼を絶望させ、その生きる意志を消尽させてしまう。果たして彼は間違えたのだろうか。妻の彼の小説への言及（「殺人、事故死、自殺、病死もある。友を裏切り、他人の妻を奪い、邪推する……」）は明らかに『牯嶺街や前々作の『恐怖分子』を想起させる（ここに制作当時のエドワード・ヤンの精神が、いくぶん誇張された形であっても反映されていると見るのは穿ち過ぎだろうか）。そして先ほど「細い線」のみでつながれていると言った二作に、明確なラインを引くのが実はこの小説家なのだ。『牯嶺街少年殺人事件』終盤では、小四がヒロイン・小明（シャオミン）にこう語りかけていた。

小四「小明、僕は全部知ってる。でも平気だよ。僕だけが君を救うことができる。僕は君の希望だよ」

一方、『恋愛時代』においては「小説家」が迷える主人公・チチと、より闇の濃くなった自室で以下のようにやり取りする。

小説家「君こそ僕が生きる理由。君は僕に新しい希望をくれた。過去はもう死に絶え、君が新しい命を吹き込んでくれたんだ。僕を受け入れて」
チチ「そんなの無理だわ。自分の気持ちもわからないのに、他人は理解できないと今日あなたは言ってた」
小説家「世界中の人が君を誤解しても、僕だけが君を理解できる」
チチ「そんなことあなたができるはずも……」
小説家「だけど君だけが、僕が生きる唯一の望みなんだ。君と生きる幸せを思って、僕は死ぬのをやめた」

ここでは「希望」という言葉が反復される。小四と小説家の言葉遣いはかなり似ていながら、同時に異なってもいる。彼らはともに自分のことを「想い人」たる女性を理解し得る唯一の存在と規定している。但し、小四は自分が小明を救う「希望」であると見做し、小説家はチチが自身を救う「希望」であると見做す、という点でベクトルは正反対だ。何であれ両者に本質的に共通するのは、自身の考えを自明のものとして他者に押しつける傲慢さであり、その言動は当然、相手の反発を呼ぶ。しかし、『牯嶺街』でその後に起きたことは紛れもない悲劇だが、以降『恋愛時代』に導き入れられる事態はそれと真反対の楽天性を帯びる。一縷の望みを託したチチに逃げられ、追いかけ、タクシーに自ら衝突する「交通事故」を起こした小説家は次のように言う。

小説家「生きてることは素晴らしい。〝色を好む〟とは人生の喜びを知ることなんだ。それを忘れていた。人生を楽しまないのは、もったいない。つまり目に見える全てのものには知らなかった一面がある。毎日、新しい発見があれば人生は愉快だ。ささいな交通事故も。花や草木、そして生きとし生けるもの、全てが幸福に生きる希望なんだ」

希望が、彼の人生に回帰してくる。ある一面が、他の一面と矛盾する時、人はどちらかが「本当」で、他方を「フリ」と考えて優劣をつけてしまうが、そうではない。どの角度から見える側面もそれぞれ「真実」としてある。つまり「至る所に真理がある」。となると、生きることは日々「真理の発見」をもたらす、希望と喜びに満ちたものになる。

この小説家に訪れた天啓（「目に見える全てのものには知らなかった一面がある」）は、エドワード・ヤンのその後のフィルモグラフィまで見ている我々に、彼のもう一つの不世出の傑作『ヤンヤン夏の想い出』を即座に想起させる。主人公家族の末子でどこか「悟った」印象のある少年・ヤンヤンは、「自分では見えない一面」を教えるために人の背中の写真を撮っては、その人にプレゼントしていた。そう、この「小説家」は、エドワード・ヤンの二大傑作の主人公が示す世界への態度、そのギャップを埋めるように生きる存在なのだ。ここまで触れずにいたが、この「小説家」を演じた閻鴻亜（ヤン・ホンヤー）（現在は鴻鴻（ホンホン）の名で映画監督・詩人として活動している）は『牯嶺街少年殺人事件』と『恋愛時代』の両方に脚本家としてクレジットされており、この時期のエドワード・ヤンの制作に最も深く関わったコラボレーターと言える。ただ、ここでこの小説家がヤンのメッセージの代弁者である、などと主張したいわけではない。観客とより長く共に在るよう残されるのは、この閃きに聞き入りつつも、動けなくなるチチのほうだからだ。果たして、そこまでシンプルなものだろうか、とチチは疑念を持つだろう。映画は、彼が去っていく方向を指し示す道路標識の矢印を映すことで、「進め」と言わんばかりにこの小説家を肯定して見える。それでもチチは即座には覚醒しない。彼がたどり着いた「真理」に、あからさまに影響されながらも、小説家と同じ方向には向かえない。何か引っかかっている。観客もまた彼女と同様の疑念を抱くだろう。もちろん、そう思えたらいい。その「希望」を実践できたらどれだけ素晴らしいだろう。しかし、「本当」と「フリ」の区別をなし崩しにしてしまうことなど、社会が許さないではないか……。

チチはこの後、親友のモーリーを探して、夜をさまようことになるだろう（映画では描かれないが、そう判断できる）。早朝のまだ暗いオフィスの一室でモーリーと再会したチチは、モーリーに「独りにしてくれない？」と言い放たれて背を向ける。しかし、続けて背中に投げつけられた「用もないのに来ないで。目障りだから」という罵声を浴びて、事もあろうにチチは笑顔を浮かべて振り返る。「モーリー、会いたくて。あなたもよね?」と告げる。答えないモーリーにチチは「強がってもダメよ」と投げかける。やがてモーリーは笑いだす。ここで、チチにはモーリーの「強がり」が見て取れた。いや、既に去ろうとしている自分に投げかけられた声のなかに、むしろ自分を呼び止める響きを聞き取ったのだ。ここにはまだ「本当」と「フリ」を分ける二分法が存在しており、「本当」のほうにより大きな価値が与えられている、とも言える。しかし、チチは少なくともかつてそうしたようにモーリーの怒声を一面的には受け取らなかった。そこに寄り添われるべき何かが潜んでいることを、彼女はこの一夜のうちに理解した。ある一側面だけで物事を解釈しない、という点では、彼女は小説家の影響を確かに自分のものにしたと言える。

こうした統合、もしくは回復はいかに果たされるのか。一度、闇に身を浸すことによって、だ。そのとき「声」が発されるとしたら、「顔」に紐付けられていたそれは浮遊し、漂うことになる。それはいわば「声」が「顔」の支配から独立して振る舞うことだ。ただ、このとき生まれるのはたった独りの「私」の声ではない。むしろ「私たち」の声と言うべきものがそこには生まれる。チチとモーリーは前述の場面の続きで、顔が視認できないようなほの暗さの中、身を寄せ合う。「この仕事、嫌いだったの」というモーリーに「分かってたわ」と応じるチチ。「でもほかに何をする?」とまだ迷うモーリーに「嫌いなことが分かってよかったのよ」とチチは告げる。これはモーリーに向けた言葉であるが、チチが初めて言語化した自身の思想でもある。互いに聞き合うことで二人は変わる。誰かに「聞かれる」ことによって出会う未知の自分自身が、そこにはいた。自分自身のもう一つの「本当」だ。中心的登場人物たちは映画のラストに至って、それぞれ「フリ」をやめることでまず自身と、そして周囲と和解を果たす。彼らのほとんどがそれまで務めていた仕事から離れることは偶然ではない。都市的な速度からの離脱なくしては、自分本来の速度を見出すことはできないからだ。もちろん彼らもいずれ社会に、「フリ」に回帰するだろう。そうでなくては生きていかれない。それでも、そこに希望があるのは、闇に浸された時間で出会った未知の自分自身が、これからの自分を支えるだろうという予感があるからだ。『恋愛時代』の最終場面で、チチが別れた恋人ミンのもとに帰還するのは未練によってではない。独立しているから、ともにいられるのだ。彼女は夜を越えて「私は私のままで大丈夫」という「自信」を手に入れた。その態度をそのまま「自分自身を大切にしてあげたら?」とミンに手渡そうとする。ここからは希望が、何度も反復される。間違いと絶望を通過することでしか得られなかった希望だ。

『牯嶺街少年殺人事件』と『恋愛時代』のギャップは以下のように説明され得るものかもしれない。エドワード・ヤンは『牯嶺街』がその圧倒的な完成度にもかかわらず、彼にとって十分な批評的・興行的反応を勝ち得なかったことで、自身の作家生命維持のためにもよりライトで観客の歓心を買いやすいものを作ろうとした、と。ヤンもそう見えることに自覚的だ(演出家バーディは彼自身の戯画でもある)。しかし、私はむしろこう言いたい。エドワード・ヤンは両作通じてまったく異なる描き方で、まったく同じものをつかみとろうとしたのだ、と。その、本来は名状しがたい「まったく同じもの」をここでは仮に「希望」と呼ぼう。

『牯嶺街少年殺人事件』で、自転車を押しながら歩く小四の父は、隣の息子にこう語りかけていた。「信念を信じる勇気がないなら生きる意味がない。お前はラッキーだ。これをバネにしろ。傷つくのではなく、励みにすればいい。自分の未来を信じろ。努力が未来を決める」。父から子へのあからさまなほどの希望のメッセージだ(実の親子が演じている)。しかし、そこに込められたものは、映画後半において無惨に踏み潰される。ただ、なぜかわからないが、我々はその希望がどこかで生き延びている、と感じることができる。それはもしかしたら、我々が、エドワード・ヤンのその後の映画を見ているからかも知れない。彼の映画では常に、明らかに反復的構造が重視され、その力学で物語が語られる。けれど、その構築性を内側から突き破るような何かが、彼の映画には備わっていると私はずっと感じてきた。真に反復されているものはその「何か」なのだ。その正体は未だ十分につかめていない。それでも、彼自身がこれほどに繰り返し「希望」という言葉を使い続けるならば一旦、素直にそれを受け取ってみようと思い始めている。思えば『牯嶺街』の当の場面も、彼のデビュー短編『指望』(「期待」の意味だ)の自転車を押す少年少女と遥かに響き合うのだった。

エドワード・ヤンは希望を、何度でも反復する。そのとき、そこでしか成し得ない仕方で。その反復は映画館の暗闇に彼の映画が輝くたび、続く。

『エドワード・ヤンの恋愛時代』劇場用パンフレット、ビターズ・エンド、二〇二三年八月

ためらいの技術
——小森はるか監督特集に寄せて

　小森はるかの作品では基本的に撮影は小森自身が務めているが、彼女が優れた撮影者であることは観客にとっては一目瞭然だろう。この撮影者の運動への鋭敏な感性は人物の「身振り」を撮るときに煌めく。例えば『空に聞く』冒頭で地域ラジオのパーソナリティー・阿部がフェーダーやケーブルを操る手つきを捉えたり、『息の跡』の主人公である「たね屋」佐藤の仕事の様子を捉えるカメラワークにおいて最もよくそれが見いだせる。私がもう一つ驚いたのは佐藤が地域の歴史を語ってみせる際に、彼の指先と指された先の川を共に捉えるべく回り込むフットワークだ。彼女は「いったい何を一つのフレームで捉えるべきか」「どこからどこまでをモンタージュなしのワンショットで示さなくてはならないか」、その勘所を体得している。なぜこうも見事に一つの仕草を的確に捉え得るのかと言えば、彼女が映画内で語られない時間も彼らと共にいて、その仕事を見ているからだろう。だから「予見」ができる。どこにカメラを構えればよいかがわかる。この優れた「予見の力」は、最良のドキュメンタリストたち、例えばフレデリック・ワイズマンなどに必ず見いだせるものだ。

　ただ、彼女の諸作が今まさに紹介されようとしているヨーロッパの観客にとって、その内容は必ずしも十分「わかりやすい」ものではないだろう。それはヨーロッパでは「フクシマ・ディザスター」と呼ばれてしまう「東日本大震災」の記憶の有無によるところが大きい。これらの映画が震災後の東北地方にカメラを向けていることは明らかだが、大津波による被害（二万人近い人命が失われ、東日本の海岸線数百キロにわたって破壊された）の生々しい映像は映されることはなく、だだっ広い町の風景からは全体として「工事中」ということが知れるぐらいだ。映画内の会話の内容からそこにはかつて町が、暮らしがあって、それが津波によって破壊され、ほとんど更地と化したことは確かに示唆される。しかし、それがどれほどのものであったか、つまり彼らが「何を失ったのか」は映画を見るだけでは、明瞭にうかがい知ることができない。そのことは映画の不備と見做されるのだろうか。観客はもっと「わかりたい」と思うだろうか。そういう観客が、映画を見た後にこの映画の周辺の文脈を調べてみることは大いに奨励したい。しかし、実のところその「わからなさ」に立ち会うことは、これらの作品経験の核心なのだ。

『息の跡』のなかで「被災者同士の比較はできない」、つまりは「被災者」という言葉ではまったく括ることの叶わない「一人ひとり」が存在することを示すために、佐藤は自分の被災直後の記憶をカメラの後ろにいる小森に向かって語る。津波の後、自分の家を見に行くと何一つ残っていなかった（後でコップ一つだけを見つけた）。近所に、自分の家とは違って「柱」だけ流されず残った家を見つけた佐藤は「あの家は柱があってよかったなあ。羨ましい」と思った。しかし、もちろん柱が残ったとしても家が流されたのは同じで、その隣人も途轍もなく辛く悲しいことはわかっている。でも、その「柱」だけでも残ったことを羨ましいと思うその気持ちは「被災者でないとわからない」と佐藤は言って、小森に語りかける。

「ピンと来るか？……来ねえのか」

「いや、来ないっていうか」

とごく僅かに苛立ちを感じさせる硬い声で、小森はこの映画内で初めて佐藤に反発する。「来ないっていうか」の先に続く言葉はない。彼女は言葉を続けることをためらう。ここで「ピンと来る＝わかる」と答えてしまえば、もちろんそれは誇張となる。彼女が震災後、その土地で過ごしてきた時間はそう答えることを禁じる。自分には決して触れることの叶わない、被災者一人ひとりの深みが存在することを彼女は理解し、受け入れている。しかし、だ。ほんの少しもわからないならば、今ここに、この距離で私がいるはずもないではないか、と彼女の声の質が語っている。この一瞬聞き取れた声の響きは、彼女がずっと留まっていた場所が何であったかを我々に教える。「わかる」と「わからない」のあわい。

佐藤は自身の被災後の体験や心情を整理するため、英語や中国語で手記を書いている。これは母国語＝日本語の描写力を捨てないとあまりにも生々しくて書くことができないと判断したからで、読者を英語話者や中国語話者に求めてはいる。つまり佐藤が誰かに受け取られること＝「わかられる」ことを求めているのは間違いない。一方で、彼の中に「誰にもわかってたまるか」と言わんばかりに自身の体験の固有性に執着する気持ちがあることも観客は理解する。佐藤が求めているのは言ってみれば「わかられながら、同時にわかられないこと」だ。何とも曖昧で、奇妙ではあるが、実は誰しもが覚えがあるのではないだろうか。ただ「被災者」においてはこの曖昧さと奇妙さは極限まで高まる。小森が佐藤をはじめ被写体の語りを引き出し続けられたのは、まさにこの「わかりながら、わからない」位置に留まったからにほかならない。他者を「わかる」ことを徹底的に自らに禁じるのでない限り、そこに留まることはできない。彼女はそんな苦しい位置にいる。だがその位置だけが他者と共にい続けること、つまりは彼女がこれらの人々を撮り続けることを可能にした（運動を的確に捉える「予見」の能力は、彼女が被写体たちと共にい続けたことで獲得された、ということは忘れられてはならない）。『二重のまち／交代地のうたを編む』に出演し、被災者の体験を「わかり得ない」ことに煩悶する若者たちの姿は言ってみれば、小森とその共同作業者・瀬尾夏美のスタンスの写し絵と言える。「わからずにいる」ことが「わかる」ことのたった一つの条件としてある。

小森はるかのドキュメンタリストとしての達成は、この微妙な領域の徹底的な探求に存している。撮りすぎないこと、聞きすぎないこと。しかし、その人の輪郭を確かに感じられるように、可能な限り、本当に少しずつ距離を詰めること。NOと言われたら撮らないことなど当たり前だ。とは言え、時にはNOと口にすることさえもその人にとって新たな、大きな負担となる。震災後とはそんな状況なのだ。だとすれば、前もって無数の「NO」の可能性を予見しながら、少しずつ進むしかない。その人の「見せてくれるもの」「聞かせてくれるもの」だけで映画を作るしかない。人によっては「踏み込みの足らなさ」と見做しかねない「ためらい」はむしろ彼女が求めることを正確に達成するための技術なのだ。小森はるかの映画の「わからなさ」は彼女が撮影から編集まで通じて一貫して探し求め、作品に定着させたものと言える。結果として観客は、彼女の映画を見ることでしか見られないものを見るだろう。それを何と呼べばいいのか。「関係性」？「人間」？「威厳」？少なくとも、そこに映るのが単なる「被災者」でないことは確かだ。答えがわからないならば、何度も見るほかはない。ただその「わからなさ」のなかには常に、不思議な喜びがある。

「Vivre après la catastrophe : Documentaires de Haruka Komori
（災厄のあとを生きる──小森はるか監督特集）」パンフレット、パリ日本文化会館、二〇二四年三月

IV

手紙についての手紙

お元気でしょうか。私は元気にしています。変わらずやっています。何を書いたらよいかわからないのはいつものことで、まずは「手紙」について書くことから始めます。そうすれば自ずと書くべきこともわかるでしょう。

手紙を書くということも最近はすっかり少なくなりましたが、子どもの頃は人並み以上に手紙を書く子どもではありました。小中学生の頃、いわゆる「転勤族」として引越しと転校を繰り返していたせいで、メールも携帯電話も普及していない当時、もしも離れた友だちとつながりを保ちたいと思ったら今やほとんど死語となった「文通」というものをしなければなりませんでした。ただ、結局それも自分の意志の弱さからか、そう長く続いたことはありません。率直に言えば、文通をしていたときというのはそのときいる土地に馴染めないときで、文通が終わるときというのは、新たな土地とうまく関係を作れたときでした。つまり、恥ずかしながら、ある種の逃げ場として手紙を書いているわけです。重ねて恥ずかしながら「ここにいる自分は本当の自分ではなく、この手紙に書き付けられているものこそが本当の自分なのだ」とでも言うように、あくまで自分の感じる/信じる「本当の自分」みたいなものをそこには書き付けて郵送します。ですから、それは泣き言や弱音では有り得ません。「僕は元気です。変わらずやっています」ということを書き付けるわけです。そして、その「元気」で「変わらずやっている」自分というものが、遠く離れた友達のもとで生きるのであれば、今のこの自分も「元気」で「変わらずやる」こととどこか通じているのかも知れない、そんな気持ちがあったように思います。

そうした「本当の自分」というのは、言うなれば、自分の中でも最良と思われる、そんな自分です。自分の中の「最良の自分を差し出す」こと。手紙を書き付けるという行為には、それが受け取り手にとって押しつけであれ何であれ、そういうところが間違いなくあります。確かにあると感じることができて、自分の中でも一番価値を感じてさえいる部分なのに、どこにも行き場のないその「最良の自分」の避難所として、ある種の手紙は書き付けられるところはあるのではないでしょうか。そして、そうした手紙が書き付けられるのは大概「夜」それも「深夜」という時間帯であることは言うまでもありません。そして、朝になって、結局出されなかった手紙もそれは数多くあるのです。

ただ、そうした朝の検閲を通り抜けて、何とか受け手の許にたどり着いたその手紙は、実際のところ、単に受け手を困惑させるものであるでしょう。手紙に忍ばされた、生活の中には容易には現れない「最良の自分」は、それまでごく自然に生活を営んでいた受け手を、日常生活とは別の次元に予告なしに引きずり込もうとするところがあるからです。受け手の状況によっては、そんなことは甚だ迷惑なことでもあります。それでも、立場が反転して突然、友人から胸の内を明かされるようにして届けられた「最良の彼/彼女」を受け取ったときにはやはり、モードをそれに合わせるためにどれだけ苦労をするとしても、いつか必ず最良の自分で以てそれに応えたいという気持ちにもなります。返信が、もらった手紙の価値を決定づけてしまう、そんなところがあるからです。返信次第では、その「最良の彼/彼女」を貶めかねない以上、返信はやはりでき得る限り「最良の自分」を以てする必要があるでしょう。そんなわけで、どこかあらゆる手紙への返信としてあるこの手紙に書き付けられるものも、おそらくはそんな自分なのではないかという気がします。

個人的に、こうした手紙を受け取ることに少し似て感じられる経験があります。それは映画を見ることです。大学から、ようやく東京に居着くのですが、入ったサークルの先輩たちの影響で、見る映画のジャンルがそれまでとはがらっと変わりました。具体的に言えば、ハリウッド映画（またはその縮小再生産としての各国映画）だけでなくヌーヴェルヴァーグ、ニュージャーマンシネマ、アメリカン・インディペンデントの映画、世界中のクラシックを見るように徐々に変わっていきました。誤解を恐れずにごく単純に言えば、「面白い」映画だけでなく、「退屈な」映画も見るようになったわけです。ただ正直に告白すると、そうした映画を映画館で見るたびに寝ていました。そうした事態があまりに続くので、映画の感想を言い合うことを避けたり、自分には映画を見るセンスがまるでないのではないかと不安になったものです。それでも、寝てしまいはしても、寝てしまうような映画の中に、「寝てしまう」というそのことも含めて特殊な経験をしていることを、そこはかとなく感じてもいました。それは誰かと分け合うことがとても難しい、映画との間に起こる極めて個人的な体験であったようにも思います。

不思議なものですが、寝て醒めたとき、目の前で投影され続けている画面からは、極めて特殊な「充実」の感覚を受け取ることがありました。その感覚を得たときには、何とも言えず「ああ、いい映画を見ているなあ」と幸福を感じたりもしました（そのことを先輩たちの前ではなかなか口にはできなかったのですが）。今なら、自分が寝てしまう理由もわかるし、それを受け入れられもします。そうした映画は「情報」からはできてはいなかった、ということです。「面白い」ハリウッド映画は「情報」を因果関係の連鎖として呈示します。その緊密な連鎖は本来なら時間に含まれているはずの「退屈」を排除してしまうほどのものです。それ自体まったく否定されるべきではないこの独自の洗練にハリウッド映画が至ったのは、ビッグバジェットで映画を作り続けるサイクルを保つため、「生きもの」としての人間の生理に忠実であらざるを得なかった、その結果でしょう。我々はそうした部分を退化させているとはいえ、基本的には生きものであり、動物ですから、眼前の世界から情報を汲み取って、それを自らの生に役立てようとします（かつては、目の前の動植物を「食料」と看做して狩猟・採集するところから始まっていたであろうその習慣は、今もスーパーやコンビニでの商品の取捨選択として残ってもいます）。そうした「面白い」映画がどれだけ私を楽しませてくれたか、ということはまた別の話で、違う手紙が必要になるでしょう。

一方、「退屈な」映画とは、言わばこうした情報化、情報の抽出を世界に対してより少なく行う映画と言ってよいと思います。それは言うなれば、「生きもの」の時間から離れた映画です。そうした映画を前にして、まぶたを閉じざるを得ないのも、これはほとんど当然なのだという気が今となってはします。我々「生きもの」は、眼前の世界から情報を汲み出せないとき、そこからは顔を背け、新たな対象を探すことに慣れているからです。しかし映画館という環境は、その場に留まり、スクリーンを見つめ続けることを、目を反らしたり、出て行くことよりずっと容易なこととして我々に用意し、与えます。立ち去ることも、目を反らすこともできないまま「退屈」を前にした我々は、そのとき情報入力の為されないコンピュータのように「スリープ」状態に入ることがあります。これが、映画を見るときの私にかつて、そして今も起きることなのですが、言い訳ではなくて、それは極めて「生きもの」として自然なことだとさえ今は思います。そして、ここで何とかお話ししたいのは、この「スリープ」を経て、何らかのきっかけで目を覚ましたとき起こる、それまでとは違う身体の在りようです。

多くの場合、そうしたスリープを経た身体は、もう眠気に襲われることはありません。もちろん既に物語の脈絡は失ってしまっているし、それは決して取り返すことができないのだけれど、だからと言って映画を見て、退屈を感じると言うよりも、先ほども述べたような「充実」を画面から受け取ることの方がずっと多いように思います。時にそれが、沈黙であり、不動の画面であっても、そうした画面から受け取るものはやはりある種の「充実」であったように思います。「スリープ」という儀式を経て、身体が裏っ返るような、まるで映画専用の身体に書き換えられたような感覚があります。それはほとんど映画への供物のような身体であり、そこには「生きものの時間の終わり」があると言っても決して大げさではないと思います。そうした「生きものの時間」とは離れた持続が、映画が終わるまでの残りほんのわずかのことであっても（いや、だからこそ）、そこにはあります。映画を見ることに慣れれば、こうした身体に「スリープ」を経ずにたどり着くこともありますが、やはり「スリープ」を経ることで、それまでの生活との連続性が明確に絶たれた身体が生まれることは確かに思えます。そして、そのようにして映画に捧げられた、映画への供物のような身体は、手紙に書き付けられる「最良の自分」というものとどこかとても近しいものであると、私は感じています。映画館の暗闇と、そうした手紙を書き付けることになる「深夜」という時間は何だかとても似ているように思われます。そういえば、映画の公開日のことを「封切り」と呼んだりすることを唐突に思い出したりもします。

私は現在幸運なことに、大学で始めた「映画を作る」ことを卒業以降もずっと続けることができています。映画制作の際、私は映画を手紙のように、返信のように感じることがあります。映画を見ることから受け取ったものや、「最良の彼／彼女／あなた」の書き付けられた手紙に対する返信であることを、ほとんど義務のように感じています。ただ集団作業であるそれには、手紙のように直接に「自分」が書き付けられることはもはやありませんし、そうであってはならないとも思います。それでも、それが「最良の何か」を含むものであって欲しいとは常々思っています。それらはおそらく、いつもこの世界の沈黙と不動のうちに隠れています。それは現れるかもしれないし、現れないかもしれないものです。その不確かさの前に立ち止まるためのほとんど確信めいた予感をくれるのは、今まで受け取った手紙たちです。生活の中にほとんど現れることのない「最良の何か」の存在を、そうした手紙はいつも教えてくれます。それがあるから、開かない唇と、動かない指先を前にして、予感と期待に満ちた時間を過ごすことができます。私は「生きもの」としてはおよそ賢いかどうかわからない、そうした時間の使い方をできる今を、とても大切なものと感じもします。

言葉にできることは精々ここまでです。果たしてわかり易い話ができたでしょうか？ わかる／わからない以前の、バカバカしい話だったでしょうか？ それでも、いずれまた続きをお便りしたいと思っていますし、気が向いたときには、ぜひ返信頂きたいとも思っています。

それでは、くれぐれもお元気でお過ごしください。失礼致します。

「蘭の会」ウェブサイト（orchidclub.net）、二〇一二年六月

彼方への手紙

——瀬田なつき『嘘つきみーくんと壊れたまーちゃん』公開に寄せて

瀬田様

どうも濱口です。改めて、『嘘つきみーくんと壊れたまーちゃん』の公開、おめでとうございます。何やかやと会いますから、こんな形で手紙を書くっていうのは、所詮は「企画」の色合いから逃れることはできません。原稿の依頼を頂いてからも少し考えるところはありました。

昔、タモリはビートたけしのフライデー事件に関して「友だちにものを言うのに、他人を介するなんておかしいだろ」とコメントを避けたようです。その聡明さに倣って、おそらく断った方がよかったんでしょうけども、単に「友だち」と言うのとも、「仲間」と言うのとも、「同志」と言うのとも正確には違う気がしますし、「同期」は間違いないですが、それで済ますのは少し寂しい気がします。周りが「ライバル」なんて言ってくれたら、僕としては少し嬉しいような気もしますが、やはり少し違う気がします。

案外、これは日頃は言えないようなことをお伝えする機会なんではないかと思い、手紙を書こうかと思った次第です。それも、ただ今の瀬田さんに手紙を書くのも芸がないので、瀬田さんだけはこの辺りでページを閉じて頂いて、いずれ十年後か二十年後にふと思い出して開いていただくぐらいの方が、若さ故のことと（三十過ぎて若いも何もありますまいが）照れ臭さが懐かしみにも変わるのではないかということで、これは

「彼方への手紙」なんであります。

　では……

お元気でしょうか？　今はいつですか？　最近はいかがお過ごしですか？

　唐突ですが、僕は瀬田さんの映画が好きです。それは初めて『とどまるかなくなるか』を見たときから今に至るまで変わりません。それは静かな驚きであった気がします。衝撃を受けるとか、感動するとかとまた違う「この映画が好きだ」という思いであった気がします。何が好きかと言えば、それはそこにどうしようもなく存在した「かなしみ」です。それはでも、よくあるようなセンチメンタルな「悲しみ」とも、自己憐憫のような「哀しみ」とも違うものである気がしました。それは諦念ですらなく、本当にただそこに在る「かなしみ」に僕は反応せざるを得なかったような気がします。それは『港の話』はじめ、東京藝大時代に撮ったすべての作品に含まれていたように思います。

　僕はそれまで、こんなに自然なかなしみを見たことがなかったような気さえします。ただ、本当の驚きの理由は、そんな「かなしみ」の上に作られた映画が、とても「ダンサブル」なものだった、というほとんど受け入れがたい不自然さの方でした。『港の話』や『とどまるかなくなるか』では、物語から逸脱した身振りの数々が、ほとんど野蛮なダンスにも感じられました。そしてそのことが、瀬田さんの映画と、凡百の感傷的な映画を遥かに隔てていた。

　そして、『彼方からの手紙』では、それが実際にダンスとして現れたわけです。これは実にダイナミックな変化であって、「かなしみ」より「ダンス」が前景化した瞬間だった。この、ついに現れたダンス（でもやはり少し壊れている）は、カメラマン佐々木のやっちゃんと、音楽の木下さんとの出会いによって具現化したものなんだと思っています。まあ正直言ってそれ以来ずっと、何だか羨ましいなあ、と思いながら皆さんの関係を見ているような気がします。

そして僕が決定的に衝撃と、感動と、（率直に言えば何よりも）くやしさを覚えたのは『あとのまつり』でした。率直に言うと、僕が同年代の自主映画を見て「くやしさと、それ以上の興奮で（しかしまたそれがくやしくもあり）眠れない」ような思いを味わったのは『あとのまつり』、後は加藤直輝の『FRAGMENTS』だけです。

ここで少し話は変わりますが、我々が黒沢清監督のもとで学んだことというのは数限りないものがありますが、その最も根本的なものは、「映画は記録である」ということではなかったかと思います。そういう観点からいくと、僕は何度か瀬田さんの現場に参加させてもらいましたが、スタッフとしてはまったく間違っているのは理解しつつ「果たして、これは、大丈夫なんだろうか」と、率直に言って何度も思ったのです。それはやっぱり「映画とは記録」だからです。

しかし、出来上がったものを見ると、いつも本当に驚くわけです。ここで僕は黒沢さんのもうひとつの教え、というか映画監督であるための問い――「あるショットを一体どこから始めて、どこで終わればいいのか」――を思い起こさずにはおれないのです。

瀬田さんの出す答えは、模範的であり、かつ驚くほどシンプルだと思います。それは「最良の瞬間の始めと終わりでカットする」、そしてそれを並べ直す、ということです。

このことは、記録映像を乱用して、イメージを捏造することとはまったく違います。瀬田さんの映画におけるカットの中のできごとや人々は、まさに「カット」によってその存在を、その本当の輝きを示すことがあるからです。ひょっとしたら、その輝きを記録してしまうこと、それがあまりに一瞬のことであることを目撃してしまうことが、瀬田さんの映画の「かなしみ」の正体なのかも知れないと、思い至りました。それは、カメラの記録性から逃れることでも、逆らうことでもなく、その記録の本当の価値を引き出すことなのだと僕は考えています。そして、「記録」の本当の価値を示すということは、この世界の本当の価値を示すということでもあると思うのです。

こんなにシンプルなのに、誰もこのように映画を作ることができないのは、誰しもが物語とか因果律とか「現実」的な重力の制限から逃れられず（時には単なる自己愛から）、「最良ではない始まりと終わり」を選択してしまうからです。この重力から軽々と逃れてしまう方法を知っているのは僕の知る限り、ゴダールとスコリモフスキ、そして瀬田さんだけだと思っています。正確には、「瀬田さんだけ」ではないのかも知れない。数々の仲間との出会いと、信頼が、瀬田さんの映画にそれまでにはなかった揚力を与え続けているのかも知れない。

現時点での最新作『みーまー』の詳しい感想は、直接お伝えしたので、ここでまた言うのもおかしな話ですが、何とも奇妙な映画であると思いました。しかし、現時点で完全に、良いという言葉も悪いという言葉も奪い去られてしまったことに当惑しつつ、そのことが何よりも素晴らしいと思っています。そして、その事態は僕に「相米慎二」という固有名詞を（単に田畑智子さんが魅力的だからという理由ではなく）想い起こさせるところがあります。あの作品への言葉はそろそろ見つかっているかどうか、それは自分に尋ねたい気がします。

最後に、どんどん古くなる思い出話をひとつ。二〇〇九年の新年早々『あとのまつり』に手伝いで参加したときの(おにぎり買ってきたぐらいでしたが)、赤い風船を空に飛ばすカットのことです。その日は、それなりに風もある寒い日だった覚えがあります。カメラの少し後ろで手をこすりつつ、「こんな中で風船飛ばしたら、どこに飛んで行くかわからんなあ。カメラはちゃんと捉えられるんかね」と思っていたら、放たれた風船は本当にただまっすぐ、画面中心の奥へ奥へと飛んで行った。佐々木さんはほとんどカメラを動かさなかった気がします。正直「こんなことが、こんなにあっさり起こっていいのか」と震撼しました。こうしたことを偶然とももちろん呼べますが、何となく端から見ていて「奇跡」とつぶやきたくもなったのです。そして、少し思い出を美化するならば、それはやはり瀬田さんの力だけではなく、瀬田さんをごく自然に信頼するチームの力が、それを招き寄せた気がしています。

さて、『みーまー』から何年経ったでしょうか?今も信頼する仲間達は一緒にいますか?それは今も増え続けていますか?その皆が、瀬田さんに力を与え、瀬田さんも彼らに力を与えて、いったい何度、奇跡を起こしたでしょうか?今も観客を驚かせ続けているのでしょうか?愚問ですね。失礼しました。

ひとつ言えるのは、僕は最近、溝口が小津の映画を作ったのだ、ということにほとんど確信に近い思いを抱いているのですけれども……、瀬田さんもまた、瀬田さんの映画を作るだけでなく、これから先、ほかの人の映画まで作るところがあるのではないでしょうか。と言うか、もうこれまでに随分作ったのではないでしょうか。対応関係はまったく保留しますが、そうしたことが僕の身にまで及ぶであろうことは、ほぼ間違いないことだと思います。そして、その逆のことが少しでも起きていたら、それに勝る喜びもない気がします。

何だかずいぶん大げさな言葉を沢山使ってしまいましたが、それはおそらく瀬田さんの映画が、大げさな、というよりは何だか得体の知れない大きなものとつながっているためです。瀬田さんはあんなに小さいのにね。
それではまた。近々お茶でもしましょう。

濱口竜介

『嘘つきみーくんと壊れたまーちゃんと瀬田なつき（季刊ノーバディ別冊）』、二〇一一年一月

共に生きること
――梅本洋一さんの言葉

僕と梅本さんの間の具体的な思い出は、実は決して多いとは言えない。もちろんお話をさせていただく機会も数多くあったけれども、それ以上に僕は梅本さんの言葉を講義であれ、本であれ、かなり一方的に摂取する機会の方が多くて、そうした「言葉」のすべてが僕にとっての梅本さんだったりする。もちろんその言葉にあのバリトン的声質と愉快そうな笑顔が伴えばより一層魅力的なことは言うまでもないのだけど、そうしたことを抜きでも、梅本さんの言葉はこちらの奥深いところまでまっすぐと落ちて行く質量を持っていた。

梅本さんが講義の中で、「日本映画の登場人物はしゃべらなさ過ぎる。ひとりの大人が自分を語る言葉をほとんど持っていないのは、問題なのではないか」と仰ったことはよく覚えていて、それは後に『PASSION』を作る上で道標となった言葉でもある。質量を持った言葉は、たやすく人を変えてしまう。一般的には望ましいかどうかもわからない場所に人を引き連れて行く。

だから、そうした梅本さんの言葉が直接的に僕に向けられた「濱口竜介への手紙」(『nobody』二八号所収)は、とてもありがたくて、嬉しくて、何度も読み返したのだけれども、その言葉が次は自分をどこに連れて行こうとしているのか、少し恐ろしくも感じたのだった。「共に生きる時間が足りない」。誰かから、そんな言葉を言われることが果たして他にあるだろうか。特に役者との関わりについての言葉で、実感は持ちづらかったけれども、それが厳しい叱咤であり、やわらかい挑発であることはわかった。それから早いもので五年が経とうとしている。今になって慄然とする。僕はその言葉に引き連れられて今の場所にいる。

五年前の「手紙」の中で、僕がただただ無邪気に喜べたのは、『PASSION』の存在を梅本さんに伝えたのが黒沢清さんだったという事実で、それが総武線の電車の中で行われたという描写は僕の胸を震わせた。ふたりは隣り合って座っていたろうか、会話は梅本さんが黒沢さんの口に耳を寄せるような形で行われただろうか。梅本さんは、何の映画か、誰のことかわからず、聞き返したりしたろうか。もし本当にそんな時間があったのだとすれば、それはひとつの言葉が、映画を作らせ、その映画がごくつつましくこの世界を変えたのだと、口にしたくなる。それが例えば「共に生きること」のひとつの形なのだとしたら、それは決して終わらない。どこまでも続いて行く。梅本さんに訪れた区切りは「共に生きる」ことを、切実に僕に要求し直している。僕はそれに応えたい。と言うか、選択肢もなく、応えざるを得ない。梅本さんの言葉が、そういう言葉だからだ。

『nobody』三九号、特集「梅本洋一の仕事と時代」、二〇一三年七月

あの街、この街
——柴崎友香、相米慎二

二〇一八年七月、台北。冷房の按配がどうも上手くないホテルのテレビとPCをつないで、毛布にくるまりながら相米慎二『翔んだカップル』を見ていた。新作『寝ても覚めても』のアジアプレミアで台北映画祭に参加していた。映画祭では長編二本目までの監督が参加する若手部門コンペティションの審査員も務めていた。そんな中でも早朝から相米慎二を見返していたのは、帰国後にレクチャーで取り扱うからだった。海外に来てほとんど街に出られない腹立ちまぎれに自分の中で勝手に相米慎二をコンペに参加させてみた。相米の圧勝だと思った。こんなに相米慎二のことを考える夏は七年ぶりだった。

二〇一一年の夏、仙台にいた。東日本大震災後の沿岸部、その記録映像を撮りながら頭の片隅と言うには大きすぎる部分で相米慎二のことを考えていた。相米没後十年を記念した論集への寄稿依頼を受けていた。ドキュメンタリーの共同監督やカメラマン、同様に来仙していた複数のアーティストたちが雑魚寝する滞在スペースの一角で、このときも早朝から原稿を書いていた。相米映画を見たことのある人は誰でも、それを言葉に置き換えることの不毛さを理解するだろう。辛い作業だった。だが、望んだ仕事でもあった。その時の自分に必要なことでもあった。

現在は横浜に暮らしている。なぜここにいるのか、不思議な気持ちになることがある。

二〇一二年の夏は、渋谷にいたのだった。独り住いしていた池袋のアパートはすでに引き払っていたし、記録映画の撮影はまだ東北で進んでいたが、オーディトリウム渋谷という劇場が組んでくれた初の自作特集上映のために短期で東京に戻っていた。以前から知り合いのライターが、その時にまとめて自作を見てくれた。「柴崎友香」という小説家の名前を、熱烈なニュアンスを込めて教えてくれた。何か共通する部分を感じてくれたようだった。

秋になって、柴崎友香の小説をいくつか買った。東北での撮影の合間に『その街の今は』『寝ても覚めても』『週末カミング』などを読んだ。それらは私にとって決してスイスイ読める小説ではなかった。にもかかわらず、妙に体に馴染む文章ではあった。その文章は、カメラのファインダーを覗いて眺めるものごととすごく似ていた。それでも、自作と似ているかと言えば似ていないと思った。どちらかと言えば、そこには自分が撮ろうとして撮れない何かが書かれていた。

短編集『週末カミング』の最初に収められた「蛙王子とハリウッド」という短編がある。神戸を舞台にしたごく短い朝〜午後の、何にも発展しなかった男女の話。神戸には一度だけ自作の上映で招いてもらったことがあったけど、滞在時間も短くて、小説内で描かれている地形は十分に像を結ばなかった。それでも、そこに流れる時間は確かに東京にあったし、多分仙台にもあった。違いはただ、彼らが関西弁で会話をしているということだけだった。でも、その関西弁は自分の先入観とは違う何かだった。吉本のお笑い的なコテコテ感とも、溝口健二の映画に宿る「うた」のような調子とも違った。そこに描かれていたのは関西弁を使った「生活」というものだった。自分たちと変わらない生活があの街でもこの街でもあるのだと、はっきり受け取れた。それでも関西弁のある生活は今まで知っていたそれよりも、やわらかさとうねりを含んでいるように読めた。東北でのドキュメンタリーの撮影は終わりが見え始めていた。次の行動を考える時期に来ていた。東京に帰るのか、どうするのか。関西に行こうと思った。漠然とはしていたけれど、非常に確かな直感だった。

二〇一三年の四月末に、数人の仲間とともに神戸に移住した。それに先立って演技経験不問で人を募ったワークショップから映画を作る、そのプロジェクトの協力者を関西で探した。その際に手を上げてくれた人たちが神戸にいたのだ。ワークショップの開催地となった「KIITO（キイト）」（デザイン・クリエイティブセンター神戸）は三宮駅から海に向かってまっすぐ伸びるフラワーロードを南に二〇分進んだところにあった。あの小説の中にあった「三宮の高架下」と「海が望める坂道」が縦横に走る、神戸の街での映画制作が始まった。その映画は二年後に『ハッピーアワー』というタイトルで完成することになる。

二〇一四年、その『ハッピーアワー』撮影中、東京のプロデューサーがエキストラ出演するためにわざわざ神戸まで来てくれた。メール一本で用事の済むご時世に、仙台にも神戸にも会いに来てくれた唯一のプロデューサーだった。今の撮影が終わったら、一緒に映画を作ろうということになった。そのプロデューサーに自分から『寝ても覚めても』の映画化を提案した。何冊か読んだ柴崎友香の中で、自分が読みながら「これは映画になる」と直感した小説だった。そこに自分が撮りたくても撮れないような時間感覚が描きこまれているのは相変わらずだったけれども、それが「同じ顔をした二人の男に恋する一人の女」という大時代的な設定と同居していることが面白かった。自分が描けそうなことと、描きたいことが両方その小説の中にあった。映画化の話はスルスルと進んでいったが途中で中断を余儀なくされた。今度はアメリカに行くことになったからだ。

文化庁の海外研修制度のおかげで、二〇一六年の四月から一年間、マサチューセッツ州サマヴィルで暮らした。

そこでできた時間を使って、『寝ても覚めても』の脚本をリライトさせてもらうことにした。自分が現場で演出するにあたって、その当時の脚本は少し手に余るように思えたため、自分ともっと馴染ませる必要を感じていた。アメリカでぼちぼちと、少しずつリライト作業をしていたら、柴崎さんからメールが届いた。今、アイオワに滞在しているのだと。「遠いですが同じアメリカにいるのが不思議な感じがしてメールをしてみました。」とあった。嬉しく思った。「今、脚本を書き直しています。」とメールを返した。特に返事はなかったが、それでよかった。

今は横浜に住んでいる。『寝ても覚めても』の制作にあたって、都心近郊に暮らす必要があった。でも、少しだけ東京と距離を取りたかった。それで大学院時代に馴染みもあった横浜を選んだ。そうした地の利もあってか今夏、横浜国大の連続講座に講師として呼んでいただいた。日本映画を主に取り扱うその講座の最終回、相米慎二の映画を取り上げることになった。それが台北で相米映画を何本も見る羽目になった理由だ。レクチャーの準備をしながら、そう言えば『夏の庭』も神戸だった、とふと思い出した。ネットで調べていたら、脚本の田中陽造がトークショーで「何であの映画つまんないの」と相米自身に聞いたエピソードを語っていたとの記事があった。相米は答えたそうだ。「あの夏は暑くなかった。だから子どもたちが成長しなかったんです」。農業みたいだな、と思った。少し気になって調べてみた。一九九三年は全国的に記録的な冷夏だった。米が不作で、輸入したタイ米を食べていた年だ。母親が文句を言っていた。よく覚えている。気になってもう少し調べてみた。一九八四年は記録的酷暑だった。その記憶は自分にはない。ただ、台風が一つも来なかったその夏に相米慎二は『台風クラブ』を撮ったことはわかった。相米慎二がなぜそんな思想に至ったか、妙に腑に落ちたような気がした。

二〇一七年の夏、『寝ても覚めても』を撮った。雨が兎に角たくさん降った。奇跡的に何とかそれをかわしながら、もしくは助けられながら撮った。ヒロインの唐田えりかの表情を見ていたらほんの少しだけ、薬師丸ひろ子を眺めていた相米慎二の気持ちがわかるような気がした。

二〇一八年の九月一日から、映画『寝ても覚めても』は日本のあちこちの街で劇場公開される。

『群像』二〇一八年九月号

［追記］本文中の「知り合いのライター」とは小林英治さんのことだ。過日、彼の訃報を知った。彼がいなければ『寝ても覚めても』という映画が生まれることは決してなかった。この場を借りて改めて、心より感謝したい。（二〇二四年四月）

三宅唱監督への10の公開質問
——『きみの鳥はうたえる』をめぐって

三宅くん（すいませんいつものノリでこう呼ばせてください）、『きみの鳥はうたえる』公開おめでとう。紙幅をいただいたこの機会に『きみの鳥はうたえる』レビューを書きたいと思ったのだが、見直したり、考えているうちに、僕の狭い思考や想像力の中に作品を押し込めてしまうことが申し訳ない気持ちになった。悩んだ結果、昔も使った手で悪いのだが、質問をいくつかさせてもらうことにした。いずれ直接会った時に聞くのでもいい。どこかで応答をしてくれたら最高だ。質問の意味のわからないところは無視してもらって構わない。複数の問いにまとめて答えてしまうのでもいいし、全く別のことに発展していくのでも嬉しい。本当に時間のある時に答えてくれたら。では、始めます。

1　冒頭から一〇分以上、夜のシーンが続く。これはデジタル・カラーの日本映画がついに「黒」を画面に定着させた記念碑的時間だと思う。この映画を撮るにあたって、かつてたむらまさきさんが『映画の授業』（青土社）に収録された「at the edge of chaos」の中で、

映画が映写されてるスクリーン面は光（写る画）と闇との繰り返し。その1コマの画の残像は次の闇に

なってる間に消えかかっていくけど同時に人はそこから発想を得て何かをイメージする。少しだけ動きの進んだ画がまた写る。映画を劇場で、映写スクリーン上で観てるというのは、そんな刹那々の発見をずーっと繰り返していく「24コマ環境」。さらにショット⇅ショットの〃あいだ〃にも自ら働きかけ繋いでいく(修辞的残像)。だからたとい無意識にだとしても人は自発的に移入して創作をしていることになるわけだ。もうひとつ、音声の関わり(修辞的残響)も大きいのだけど。だから、映画もこの観る側と作品との間に共有関係が成り立っている劇場文化。観客の思考参加。一方ビデオやTVでは、闇といえるほどの間も場もこの方式にはないので何かをイメージする暇もなく(?)一方的に受動(信)していることになる「実時間環境」。といってはみたけれど、ならば映画をビデオやTVで、さらにデジタルプロジェクター上映で見るというのは…どう受けとめたら…!?

と書いたことは意識していただろうか? 僕にはこの「黒」は現代のデジタルビデオの映画がフィルム体験の「闇」を(とても自然な形で)取り戻すための実践に思える。この「黒」を手に入れるために撮影のシノミー(四宮秀俊)や照明の秋山さんとどんな話をしたのだろうか? 静雄が〈僕〉をキャンプに誘う場面の照明が、二人を宇宙の星のようにしていて本当に素晴らしかった。やはり、今回「夜の人々」を撮るという気概があったのだろうか?

2　夜の映画として最高に素晴らしいと思うのはセックス(を暗示する)シーンがいずれも、昼に配置されていることだ。このことが艶やかな夜の映画である『きみの鳥はうたえる』を、ジメジメとかネチネチという印象からはるかに遠ざけている。セックス描写に関して気をつけたことはあるだろうか？　あくまで助監督時代の経験しかないが、ベッドシーンとなると撮影現場が妙に緊張する感じってあるじゃない。あれって嫌ではない？

3　この映画を見た人は誰しも「時間」というものに思いを馳せると思う。その「時間」の正体を知りたい。一人の監督として非常に驚いた時間描写がある。それは「無人のショット」の不在だ。記憶が正しければ、函館の街全景ショットが冒頭と終盤に一つずつ、エンドクレジットの中にいくつか。そして静雄の母にまつわるショットで二つほど「不在」のショットがあるのみで（それらはあくまで「不在」を強調するという点で少なくとも人の気配を映す）、映画内にほとんどいわゆる「実景」「ブツ（物）」による句読点的なショットがない。正確にはそう見える画面も存在するが、すべて有人のショットと同一ショット内だ。『きみの鳥はうたえる』のひたすら人から人へとつながれていく画面の連鎖を見て、そしてそれが十分に風通しの良い時間を構成していて、何重にも驚かされた。「あらゆるショットに人を含めること」はそもそも想定していたのだろうか。また、このような「人から人」への編集感覚はどのようにして得られたものなのだろうか？　起きていることは要するに「人」と「モノ」の性質が三宅くんの映画の中では限りなく近づく、ということだと思うのだけど、それに関して何か思い当たることはあるだろうか？

4　風通しということとも関連するけれど、幾つか印象的な場面でいわゆるイマジナリー・ラインをまたぐ編集が頻発する。たとえば冒頭に〈僕〉と店長が店前で会う場面。また、〈僕〉が佐知子をキャンプに送り出す朝の場面。複数テイク撮らなければできない編集だ。複数の時間を折り重ねるようにつなぎ合わせることで、「時間の裂け目」のようなものが生じていて、ここが風の吹き抜ける場所になっている。もう一つそれを感じるのは移動撮影の時で、例えば駅前のキスや、公園でのキスのつなぎ（「ああ、こいつら現場では二回キスしてんだなあ」と思う。何となくアガる）、最も素晴らしい静雄と佐知子の歩道橋の場面などでいわゆる「（前からの）ひっぱり」と「（後ろからの）おっかけ」のショットが切り返される。このときやはりイーストウッドは意識しただろうか？　シノミーとカメラ位置についてはどのような話をしただろうか？　あと手持ちってもう、何の抵抗もないですか？

5　シナリオを読みました。そのことによって、編集上のいくつかの発明も明らかになった気がする。例えば静雄が佐知子に「エスキモーみたいな格好」と言うくだりはシナリオ上は〈僕〉のいない時の会話だが、映画上は二人がスッと親密になっていく様子を感知し驚く〈僕〉という描写になっている。初見時は必ずしも印象が強くなかったが、このつなぎは「二人見てればわかるよ」という後々の発言を聞いた後で見返すと、非常に印象に残る。

〈僕〉と佐知子が書店でメッセージのやり取りをして目線を交わす場面。脚本上は会話のテキストもすべて示しているが、それは最初以外は映されず、二人が距離を超えて視線で通じ合っていくという印象だけが重なる。そこから直に最初のキスにつないでしまう。そのつなぎが本当に見事だった。飛躍があるにもかかわらず深く納得させられる。手元のスマホ画面を写したら、絶対にこの感じは出なかっただろう。こうしたつなぎの可能性は撮影時にすでに見えていたものだろうか？

こうした編集上の発明は空間の中の断片として「顔」を切り取る撮影によって可能になっている。この映画を「顔」の映画とする、という意図は非常に明白なものに思えるのだが、シノミーとレンズの選択について事前、もしくは撮影中に交わしたやりとりはどんなものがあるだろう?

6　シナリオと原作を読んで気になったこと。冒頭、佐知子が〈僕〉のところに戻ってくる場面、原作では地の文で「心が通じたわ」となっている。シナリオ及び映画では「心が通じたね」と息を切らして駆け込んでくる。このときの石橋静河の笑顔はとてもかわいい。が、この「わ」と「ね」で全然、人物像が違うと思うのだけれど、これは「ね」で果たしていいのだろうか?「わ」には自分の気持ちを強く表現(宣言)するニュアンスが宿るが、「ね」は相手の同意までを既に見越したある種の傲慢さを示唆する。それは確かに、この幸せな恋愛がその始まりからすでに終わり始めているという暗示にもなると思うのだけれど、それは意図的なものと受け止めていいのだろうか?「わ」を現代で使う違和感は十分に理解できるとして、「心が通じた(っ)」ではいけなかったのだろうか?

7　前のことに関連して言うならば、書かれたテキストをベースにした演技と、即興をベースにした演技が明らかに存在しているように見える。この映画を特別なものにしている「楽しさ」は後者のシーン、特に「遊ぶ」シーンから得られており、それ以外で手に入れられなかったものであるということを十分に理解しつつ問いたいのは、このようにテキストと即興を演技のベースとして行き来することに怖さはなかったろうか、ということだ(僕はとても怖い)。演技において質的な差がやはり生じる、ということ。このテキストと即興をベースにした演技の距離の問題を一身に担って見えるのはやはり石橋静河で、テキストに書き込まれた「世慣れた」女性という印象と、即興らしきシーンで見られるある種男性陣（特に柄本佑）に保護されているような関係性が齟齬を起こしているようにも感じられる。こうしたことに三宅くんが自覚的でなかったはずはない、とも思う。この「演技」の質の段差の問題に対して、三宅くんが現場で心がけていたことについて教えて欲しい。そしてあらゆる問題を超えて、そのように撮ることを選んだ理由も。

8　原作との大きな違いは「殺さない」という意志が貫かれていることだと思う。だからと言ってその改変が原作の否定とは思わない。原作の潜在的な力を示した、素晴らしい映画化と思う。この原作を取り扱うとき、気にかけたことは何だろう？　小説を映画にするというのはどういうことなんだろう？

9　ラストの石橋静河の表情が素晴らしい。彼女の視線の先（カメラの横）ではやはり柄本佑が演じていたのだろうか？　果たしてどちらを先に撮った？　それはお互い1テイクだったたろうか？

ただ最初の質問に関しては聞くまでもないこと、という気もする。視線の先に彼がいなくてはあの、さざなみのように変化する表情が生まれるはずがない。僕はてっきりこれは撮影の最終盤に撮ることによって起きた「現場（柄本佑）への感謝と別れ」の表情なのだと読み取っていた。生まれている複雑さはフィクションとドキュメンタリーの境界を超えることで発生しているのだろう、と思った。ただ、シナリオで細かに心情が描写されており、これは恐れ入った。圧倒的にフィクションだった。見直してみれば実際、本当に見れば見るほど定義不可能な複雑な表情をしている。ジャン・グレミヨンと同じぐらい多義的で素晴らしい「ある女の顔」

だった。最後の編集点にも感じ入った。表情からあらゆるサインが消えた一瞬に、映画は終わる。そのことによって、未定義な「今にも何か起こりそうな感じ」はそのまま観客に受け渡されたような気がする。観客の中でともに生きていく力にさえなるだろう。そしてこの「今にも何か起こりそうな感じ」は三宅くんの次作への限りない期待にもなる。

10　と思っていたら、もう次作ができていた。山口でYCAMの杉原さんとこないだ会ったとき、笑いながら『ワイルドツアー』は傑作ですよー、と言っていて、「嫌なこと聞いたわー」と思いながら帰ってきたのだった。何であれ、コンスタントに撮り続けていることが本当に素晴らしい。次も進んでいるのだろうか。企画の詳細を言うわけにはいかないだろうが、一点。次の現場、どんな現場にしたい？

『ユリイカ』二〇一八年九月号、特集「濱口竜介」
同誌二〇一八年一一月号に三宅唱「濱口竜介監督への10の返事」が掲載

遭遇と動揺
——あるいは、蓮實重彥の「聞く視線」

どのように書き始めるのがよいのかわからない。今から話題となるそのひとのことをどう呼んだらよいのかがまずわからないからだ。「先生」と呼ぶことはできそうにない。それは敬意の欠如ではなく、事態はまったく逆なのだが、単純に私がそう呼びかける資格をまったく欠いているように思われるためだ。その理由は次節のエピソードに集約される。無駄な自分語りでもあるその節は、読み飛ばしていただいてもいっこうに構わない。

1　「遭遇」の失敗もしくは以前

私が一年浪人して大学に入学したその前年から、蓮實重彥——とりあえずそう呼ぶしかない——は東京大学総長を務めていた。まったく恥ずかしい話なのだけれども、私は入学式の当日までその名も知らず、しかも彼の式辞を聞きながらすっかり眠りこけてしまった。おそらくこれは知性の欠如を示すものであっても、必ずしも私の不真面目を示すための挿話ではない。今『知性のために』(！)というタイトルのつけられた本に所収の式辞原稿を読み直せば、それはまさに通り一遍であることを徹底的に避けた、誠実な歓迎の言葉であったことがわかる。ただ、総長式辞をせいぜい「校長先生の訓話」の延長程度に捉え、やり過ごす準備しかしていなかった私は、五〇分弱に及んで間断なく繰り出される言葉に対して反応不全におちいり、そのまま眠りに落ちた。起きてもいっこうに式辞の終わる気配はなく、眠りに落ちることを繰り返した。それは私同様に理解が追いつかず「寝落ち」する入学生が続出する「事件」へと発展し、その晩の少し笑えるニュースにもなった。私は「入学式で眠りこける東大生」の映像に映っているのが自分でないこと、そして寝てしまったのが自分だけではないことにも密かに安堵したのを記憶している。このときはまだ気づいていないが、私は初手で蓮實重彥と出会い損ねたのだ。そして確かに「遭遇した」と言えるまでには長いまわり道がある。

蓮實重彥が大学総長である以上に、高名な文芸批評家であるという事実は、周囲から徐々に知らされていくことになる。予備校から一緒だった同学年の友人が「そんなことも知らずによく入ってきたな」という感じで「入門編」として『表層批評宣言』と『反=日本語論』を貸してくれた。返すさいに「よくわからなかった」と伝えたときの彼の落胆もまたよく覚えている。読みこなしている者も多数いたので、それが十代終わりの青年に難解だったなどと言う気はない。ただ、大学に入って知的環境が激変したことだけは理解した。それはまず恐怖であったが、潜在的には喜びでもあったように思う。

蓮實重彥がもしかしたら高名な文芸批評家である以上に、蠱惑的な映画批評家であるという事実はしばらく実感し得ずにいた。私が大学に入学したときに蓮實重彥が総長であったという事実は、私が自分の映画観を形成する上で決定的な時期の大部分が彼の批評活動の休止期間にあたるということを意味する。いわばその「陥没地帯」で、ある種の抑圧を代行してくれたのは、大学の映画サークルの先輩たちだった。

高校までそれなりに映画好きを自認していた私は（自分の周りにわざわざ一人で映画館に行くような人間が認められなかったというだけだが）、彼らの口にする、もしくは共有の映画感想ノートに書きつける作家や作品のタイトルをことごとく知らず、「それも見てないの？」という無言の圧力を感じて、雑誌『ぴあ』をめくって映画館に通うようになる。このときも独特の煽動的な文言の入ったチラシを手にした記憶はほとんどない。

先輩たちが（言外に）勧める映画を観に行き、少なからぬ映画を前にして、私はよく眠りに落ち、そして恥じた。自分は映画を見る上で決定的にセンスを欠いているのではないかと疑いつつ映画を見続けられたのは、目の醒めて見るそれらが自分を拒絶しているようには感じなかったからだ。特にヴィム・ヴェンダース、ビクトル・エリセの映画は、映画を見ることの快楽を説話の上でも、画面の上でもごく直接に提示して、映画を見続けることを励ましてくれたように思う。彼らが「七三年の世代」と呼ばれたのを知ったのがいつかは記憶にない。ただ映画を見て、映画を撮ることを繰り返す大学生活の中で、蓮實重彥はごくゆっくりと、着実に私の生活の中にその文章を浸透させていった、ということに尽きる。しかし、それはまだ「遭遇」とは言えない。そして、遅いといえばあまりに遅いそれは、小津安二郎生誕一〇〇周年にあたる二〇〇三年に起こる。

2　遭遇——『監督 小津安二郎』

二〇〇三年、大学は一年留年して卒業し、私は助監督として商業映画の現場で夏を過ごすのだが、その仕事ぶりは惨憺たるもので、夏の現場が終わっても先輩助監督たちに次なる現場に連れて行ってもらえるということもなく、フリーターとしてのその年の秋冬を過ごす。ただ、そのことは却って僥倖となった。その秋冬に京橋のフィルムセンターで小津安二郎の生誕一〇〇年を記念して行われた、現存する全作の回顧上映に通いつめる時間を私は手にしたのだ。そこで何より私にとって決定的であったのは、小津作品を蓮實重彦『監督 小津安二郎』と往復するように見続けたことだった。

　大学時代に『監督 小津安二郎』をもちろん読んでいないわけもなく、ジョン・カサヴェテスについて書いた学士論文になぜか勢い余った引用すらしているのだが、書籍の序章に記されている通り「小津を見たいという欲望に煽られ、そのまま映画館に向って走りだす」ことのできる時期に、瞳をスクリーンと往還させながら新たに増補改訂された『監督 小津安二郎』を読むことが、私の人生をそっくり変えてしまうような体験を組織した。それは、既に見てもいたし読んでもいたそれらがまさに「生なましく」形を変えてゆく体験だった。

　小津映画において〈器の中の食べ物が映らないこと〉〈二階へと続く家屋の階段が映らないこと〉〈人と人が居並ぶことが、説話論的持続＝物語にとって決定的な事態を招き寄せること〉を指摘してゆく『監督 小津安二郎』が蓮實重彦の他の著作と同様に、観客の「見落とし」こそを指摘し続ける著作であることはよく知られているし、だからこそこの本を読むことは小津作品の相貌をまったく変えてしまう。しかし、既に『監督 小津安二郎』を一通り読んでもいた私に起きたのは、スクリーンで見た小津作品こそが『監督 小津安二郎』の「読み落とし」を指摘し、その本の相貌をまったく変えてしまう、というほとんど合わせ鏡のような体験だった。それは小津作品の補遺ではまったくなく、不可欠な片割れであることを知った。小津はただ

『監督 小津安二郎』が書かれることのみを期待してそのフィルモグラフィを作り続けたのではないかという妄想じみた想いが湧いてきた。そうでなくて一体誰があのような孤独な作業を続けられるだろうか。しかし、それも本書を読むことでしか感知しえない孤独なのだ。ついに果たした「蓮實重彥」との遭遇は、小津安二郎によってもたらされたものだ。私にとって、事態は必ずしもその逆ではない。

『監督 小津安二郎』は己の視線をカメラに漸近させ続ける著者のみが可能にした潜在的な小津作品として存在している。だからその本は小津安二郎体験を常に更新し、「来るべき小津作品」を準備し続けるのだ。書物と映画が構成するこれほど幸福な循環、もしくは卑猥なまでの結合を私はほかに知らない。

『監督 小津安二郎』は『ジョン・カサヴェテスは語る』やロベール・ブレッソンの『シネマトグラフ覚書』と並んで、二十代の私にとってほとんどバイブルと化した。それはカサヴェテスの言葉やブレッソンの思索がそうするように、私が制作することを励まし、叱咤した。しかし『監督 小津安二郎』は、映画作家の二人がどこか自分の方法を神秘化してそれを追い求めさせるのとはまったく違う態度で、映画制作の方法をきわめて顕示的に私に教育した。それは「見る」ということだ。カメラという自動機械への予め決められた敗北を生きながら、それでも「見る」ということを通じてしか映画が制作されえないというごく根本的な事実を『監督 小津安二郎』は示している。カメラが撮影現場で写し取ったものを、映写機はそのままスクリーンへと映し出す。つまりカメラと観客は同じものを見るという最早ほとんど意識さえされない事実を、何度でも生起する「できごと」へと一対の瞳が組織し直した書物、それが『監督 小津安二郎』だ。CGによってほとんど実写を用いたアニメーションと化した現代の映画を見る際にもその事実が未だ有効たりえるかという問いはピントが外れている。真に学ぶべき、刺激さるべきは「カメラのごとく見る」という馬鹿げた欲望の方だからだ。そして『監督 小津安二郎』が感動的な書物であるのは、おそらくは著者が「映画そのものになりたい」というそう馬鹿げた欲望を、一切ドン・キホーテ的ではなく、きわめて厳密な手続きでもって遂行しようとすることに由来している。

『監督 小津安二郎』が小津体験の不可欠な片割れなのだとしたら、未だフランス語版と韓国語版しか存在しない本書の英訳や中国語訳は各作品の「4Kデジタル・リマスター」などを超えた重要プロジェクトとしてあるだろう。もちろんスペイン語版やイタリア語版、タイ語版があってもかまわない。とにかく、二〇二三年の小津安二郎生誕一二〇周年かつ没後六〇周年のタイミングまでにそれは達成されなければならない。個人的には、それは東京オリンピックなどよりもずっと人類にとって重要なことなのだという気がする。

話はここで終わってもよいかもしれない。しかし、もう少しだけ続けたい。今の私にとって重要なのは、必ずしも小津について語った蓮實重彥だけではないからだ。それについて述べるには、日本映画のもう一人の巨匠の名を召喚しなくてはならない。

3 動揺──「監督 溝口健二」

二〇〇三年から二〇〇八年までの五年間は、フィルムセンターにおいて小津安二郎、成瀬巳喜男、溝口健二、マキノ雅広の網羅的な回顧上映(マキノに関しては本数が多すぎるためそれは現存する全作ということではないが)が行われるという奇跡のような時間だった。テレビ制作会社でADをしていた二〇〇四年を除いて、フリーターもしくは大学院生としてその時期に東京で比較的自由な時間を持てたことに、誰ともなく感謝したい。映画好きとしての幸福な時間の中で件の「遭遇」を経た私は遅まきながら、批評家としての活動を再活発化させた蓮實重彥の組織・登壇する企画にできうる限り顔を出した。その中でも最も大規模なものはおそらく二〇〇三年の小津安二郎生誕一〇〇周年、そして二〇〇六年の溝口健二没後五〇周年を記念した国際シンポジウムだろう。今思い返しても、どちらも夢のような顔ぶれが集うシンポジウムであって、そこで受けた刺激がいかに今につながるかはまた別の文章が必要になる。けれど、ここで話題にしたいのはその『国際シンポジウム 溝口健二——没後50年「MIZOGUCHI 2006」の記録』に収められた蓮實重彥の『残菊物語』論だ。

「言葉の力」と題されたこの『残菊物語』論を読んだ時の鈍い動揺を忘れることができない。それまでに目を通していた蓮實重彥の批評とは一読して手触りの違うものだったからだ。それこそ「蓮實的」な批評の代名詞とも言うべき映画の画面における「主題」の発見、及びその列挙的な反復とそこからの飛躍、すなわち魔術的な説得力をこの『残菊物語』論が欠いていたからだと思う。

そこで顕揚されているのは、主演の一人でお徳を演じる森赫子に宿った「言葉の力」である。しかし文中に

「言葉の力」といういい方を、綿密に書きこまれた完成度の高い脚本といった程度のことと理解してはなるまい。それはまた、ここぞというときに的確な台詞をいってのける役者の演技の巧みさといったことでもない。

とある通り、それは脚本にも役者の演技力にも究極的に帰されるものではない。「言葉の力」の正体は読む

我々にとって宙吊りにされたまま、いくつかの台詞が実例として断定的に提示される。しかし、それらの台詞が『残菊物語』の説話において担っている重大さは多くの場合あきらかでもあって、論は読者の「聞き逃し」を撃つものでもない。

当然いつも通り、論の中には溝口作品における画面の濃密な叙述が存在する。しかし、溝口がワンシーン・ワンショットを手法として完成させたとも言えるこの作品において画面＝ショットの叙述は必然的に映画における「物語の解説」というおそらくは著者自身が最も忌むべきものへと危うく接近していく。

この法外のアプローチは「主題論的批評」が小津安二郎に対して理想的に機能したようには、決して溝口に対しては機能し得ないということへの蓮實重彥自身の深い自覚に基づくものだろう。この『残菊物語』論に先立つ、二〇〇六年の回顧上映カタログに所収の「そして、船は行く」と題された溝口健二試論で、彼はこのように述べる。

> かりに粗雑な認識からでたものであるにせよ、小津安二郎の作品に「小津」的なものをあれこれ指摘することは誰にでもできます。だが、（……）溝口健二の作品に「溝口」的なものを指摘することは、主題の上からも技法的にもきわめて難しい。ほら、ここに溝口健二が露呈していると自信をもって口にしうる一瞬を見定めがたいからです。

その後に、「船」という主題を提示するとはいえ、これは間違いなく溝口映画に画面の主題を探し求めた蓮實重彥の率直な実感だろう。もし仮に、小津安二郎とはちがって、溝口健二作品に対しては主題論的批評が機能しないのだとして、個人的には妄想含みで、その機能不全を確信することができる。おそらく、小津のカメラポジション自体が、溝口との距離において、彼とまったく違う映画を作るために生まれているからだ。

その妄想は溝口健二の『藤原義江のふるさと』を見たときに始まる。一九三〇年製作のこの作品が私を驚かせたのは、溝口がトーキー以降の「長回し」やサイレント作品『瀧の白糸』『折鶴お千』で見せているある種の外連とも異なる、オーソドックスな古典ハリウッド映画的な話法をこの時点で示していたからだ。もちろんワンシーン・ワンショットがある種の「ショット内編集」であることを考えれば、溝口がアメリカ映画的な話法を体得していることは当然ですらあって、驚くに値しない。しかし、もし小津がこの作品を見ていたら、そしてその後のサイレント〜トーキーにおける溝口健二の話法の他の追随を許さない発展を見ていたらどう思うだろう、と想像する。溝口とはまったく異なるカメラポジション、彼が決して置き得ない場所にカメラを置くことを選ぶのではないだろうか。それは人のからだに正対する位置だ。そこに溝口がカメラを置き得ないのは、その場所こそが溝口映画が生まれる淵源だからだ。それは「役者」の位置する場所、もしくはその背中によって本来撮るべき他方の顔が遮蔽されるポジションだ。このポジショニングがもたらした（あくまで結果的な）各画面の「類似」において、小津は自身の戦略を発見する。彼は当然、自分の作品のあるショットが、自分のフィルモグラフィの他のショットと響き合うことにある程度意識的だったろう。顕示的な一つの画面が無数の画面を潜在させるというその「重ね合わせ」は、映画が進行するうちに画面と物語が無限に分岐・複数化するえも言われぬ体験をつくりだす。しかも、画面同士の響き合いは小津作品を新たに見るたびに異なるものとなる。その体験全体を組織することこそ蓮實重彥が「主題論的体系」として白日の下に晒した小津安二郎の戦略ではなかったろうか。

そして、その戦略は実のところ溝口健二もまた「重ね合わせ」の人であったことに由来するのではないか。では、溝口健二の「重ね合わせ」とは何か。それは想像し得る最もオーソドックスな方法である。現場において脚本に基づき、その立体化を図る全スタッフ・キャストの力を「凝集」することだ。そして、蓮實重彦の『残菊物語』論はまさに溝口の「重ね合わせ」を解くための現場への旅としてある。

> 「そのことなら、……覚悟は決めてきております」の一行は、数ある台詞のなかでもひときわ寒々と孤立し、他との温度差をきわだたせている［脚本］。それが可能なのは、そうと一息に口にする森赫子のゆるやかな声の抑揚であり［演技・録音］、すらりとのびた彼女の首筋であり［造作・照明・撮影］、誰かを見ているとも思えぬその動かぬ横顔の思いつめた孤独なのであり［立ち上がったキャラクター＝フィクション］、ここしかないという肝心な瞬間にそうした細部を画面に結集してみせる溝口健二の演出の力があったからにほかならない。
>
> （［］の補足と傍点は引用者）

照明・美術・衣装・メイク等々現場のあらゆる要素が反映して役者の演技ができあがる。それがフィクションという現実の空白地を出現させることがある。カメラ、そしてマイクが狙い定めるのはその出現したフィクション、それを立ち上げる「現場」そのものの記録であり、以上でも以下でもない。そして、フィクションを必ずや立ち上げるべくカメラそばを頑として動かない溝口がそのすべての不動の中心となる。論において「言葉の力」が原作由来のものでないと繰り返し確認されるのは、脚本家の依田義賢が溝口により現場に何度も呼び出され、台詞を改変させられたというエピソードを明らかに頭に入れた上で、「言葉の力」が立ち上がる場所があくまで「現場」であることを確認するためだろう。「言葉の力」がなぜ脚本にも役者の演技力にも帰されるものでないかは言うまでもなく、それが溝口の現場での「重ね合わせ」において生じる不定形の磁場だからだ。その出所や形を確定することはできない。この、方法自体はとりたてて特徴的ではない溝口の「現場」が語るべき言葉を奪っていく。しかし、手がかりはある。その磁場をじかに伝える森赫子―お徳の「声」だ。

実際、トーキー以降の溝口健二の作品の素晴らしさが、この作品で完璧な形式におさまったかにみえる名高いワンシーンワンショットの撮影技法にもまして、女の「言葉の力」にあることを誰もが認めざるをえない。それほどまでに、ここでのお徳の声は、他をよせつけぬ凛々しさで見る者の心を騒がせる。

咳きこむような早口でもなく、ふと言葉につまって乱れることもないそのなだらかな声の抑揚が、身うちのお説教とも、思いこみからくる身勝手な饒舌とも異なる「言葉の力」となって、菊之助のもとにとどいているようだ。

何にもまして心を打たれるのは、お徳が初めて菊之助に「あなた」と呼びかける声の晴れがましさであり、軽やかではあるがどこかあやうげなその抑揚である。

（以上、傍点引用者）

人が激しく動揺するのはこのときだ。かつて蓮實重彥がこれほどに役者ともキャラクターともつかぬ人物の「声」に固執したことがあったろうか。もちろん、蓮實重彥は単に「瞳」の人ではない。彼の耳はいくつもの音響的主題を聞き取り、指摘してきた。その白眉がほかならぬ溝口健二の『近松物語』論「翳りゆく時間のなかで」(『季刊リュミエール』四号所収)における「愛の予感」を告げる音楽の指摘、そして『監督 小津安二郎[増補決定版]』「笑うこと」の章における音響と画面の「わずかな偏差」の指摘だろう。だがある役者の「声」の質をこのような執拗さで指摘したことはなかった。そんなアプローチは、あのロベール・ブレッソンに対してさえしていないはずだ。理由ははっきりしている。図像による例示さえ許されない音声それ自体の叙述は、当然どこまで行っても曖昧であり、それを同定する言葉は必然的な貧しさをまとわざるをえない。森赫子-お徳の声を描写する「凛々しさ」も「なだらかさ」も「晴れがましさ」も、どれだけ周到に選ばれたとしてもその貧しさから逃れることはできないし、そのことを彼が自覚していないわけもない。にもかかわらず、彼は「貧しさ」の側に立ちながら叙述を続ける。そのことが人をこのうえなく動揺させる。

数十年来、自分の培った方法を投げ出し、耳を傾け、ひとりの女の臓腑の襞の波打ちを感じ取ろうとしている男。「声」。それが彼自身の提唱した「あらゆる映画はサイレント映画の一形態でしかない」という仮説を裏切ることであっても構わない。それは蓮實重彥という不世出の映画批評家が溝口健二の映画に迫るためにたどりついた唯一の方法なのだ。『残菊物語』とは、溝口健二とは、そして映画とは、それほどまでしなくては決して拮抗し得ない何ものかなのだ。

小津作品を見返したときの『監督 小津安二郎』がそうであったように、『残菊物語』を見返すこと、その中のお徳の声を聞き取ることは、「言葉の力」が『残菊物語』-溝口を語る無二のテキストであることを確信させる。叙述によってシーンのすべてを漏らさず立ち上げようとする蓮實重彦の執念に、カメラ脇を陣取ってそこから動かなかったという溝口健二自身の像が重ね合わせられる。そこにはやはり「映画になりたい」という馬鹿げた欲望をきわめて厳密な手続きでもって遂行しようとする極めて愚直な男の肖像が浮かび上がるのみだ。ここでも彼は、数十年前の自身の宣言を相も変わらず実行している。

真に機能した「方法」が人目に触れたりはせず、時空を越えた事件としてあり、いつまでも醜い「原理」や「体系」として抽象空間に残骸をさらしたりはしないということ、つまり「方法」は「批評」の前にも後にもなく、「批評」と同時的に体験されるものであって、その時にのみ積極的な価値を生きうる（……）

これは「批評」を「制作」と置き換えてもまったく同様だろう。この『残菊物語』論を読んだ動揺が、今も私を次なる場所へと誘っている。

4 「聞く視線」

先の引用は、友人から「入門編」として手渡された『表層批評宣言』からのものだ。その後、自身で買い求めた。果たして「入門」を果たせたろうか、と問うのはやめよう。同じく「入門編」として示された『反＝日本語論』（文庫版）の解説として付された（実のところ、一読して最も私を惹きつけた）シャンタル蓮實の一節を引用して、そろそろ終わりにしたいと思う。

> 時折り、夫と私とが撮った写真を見くらべて見ますと、二人の視線の違いがよくわかります。夫の写真では被写体は、あたりの風景に調和したかたちで位置づけられている。私の撮った写真では、被写体が周囲から切り離されている。ここにも、包括的な視線と集中的な視線とがはっきり出ているように思います。それは、ときどき夫の見せる、あの聞く視線ともいうべきものかもしれません。私の話に相槌をうつとき、彼は、私を見つめるのではなく、話している私を受け入れようとするかのようにやや瞳を伏せ、身を傾けているのです。私は、小津安二郎の映画で真正面から相手を見つめる人物たちが、どれほど現実とは遠いかを日本に来て学びました。私は、二人の関係が維持されていることを示す小さな視線のタッチでとりかこまれることの意味を知ったのです。

妻は夫の「包括的な」画面をくまなく見尽くすような視線を指して「聞く視線」と呼んだ。このとき、彼が「耳」を使って、現場の臓腑の波打ちを聞き取ろうとしたのは『残菊物語』が最初の試みではまったくなかったことに思い当たる。蓮實重彥は稀代の聞き手でもあった。彼なくして、どれほど多くの言葉がしまいこまれたままだっただろうか。

ゴダールから、シュミットから、アレクサンドル・トローネから、中古智から、厚田雄春から驚きとともに（「そんなことを指摘されたのは初めてです！」）言葉の漏れ出すあの瞬間。まさか、こんな場所で、こんな時代に、自身の深奥にある秘密を明かすことになろうとは思わなかった人々のほとんど自動的に漏れ出てくる声−言葉は彼の批評活動が「表層批評」として括られることの矛盾を示して余りある。「瞳」の力だけでなく、これらの声−言葉の誕生を促した「耳」の力を、わかりきった事実と口にすることなく地道に顕揚してゆく必要があるだろう。単に蓮實重彥というひとの全体像を捉えるためではなく、我々自身が生きるために、それは不可欠なのだ。

思い返せば、そのひとは何よりも私の前に「声」として現れたのだった。それを「聞く視線」を持つに至ったかは未だにまったく自信が持てない。それでも言うならば、書かれた文字を、ほとんど自動的なリズムで長時間読み上げ続けるという形で行われたあのオーディオヴィジュアルとしての式辞は、私をそれまで経験したことのない眠りへと落とし込んだ。初めから、そのひとは私にとってあまりに映画に似ていたことに、ふと思い当たる。

工藤庸子編『論集 蓮實重彥』羽鳥書店、二〇一六年六月

［追記］『監督 小津安二郎』は二〇二四年三月に *Directed by Yasujirō Ozu* と題して英訳が出版された。また、実のところ二〇一二年にすでに中国語訳も刊行されていたことを最近知った。この点、事実誤認をお詫びしたい。

曖昧な映画の書き手
——アンドレ・バザンと俳優の声

1

バザンをより正確に読もうとする試みは、どこかバザン像を曖昧にしてゆくことに他ならない。ただ、それはどこか「正確な曖昧さ」ともいうべきものに誘われることでもある。フランソワ・トリュフォーはアンドレ・バザンの遺稿をまとめた『ジャン・ルノワール』の序文で、バザンを「écrivain de cinéma」つまり「映画の書き手」なのだと述べた（奥村昭夫訳、フィルムアート社、一九八〇年、三頁）。「彼は映画を評価するというよりはむしろ、映画を叙述することに専念していた」とも書かれたこのくだりから「映画そのものを書き取ろうとした人」という含意まで読み込むことは行き過ぎだろうか。バザンがまとった曖昧さや両義性は、そもそも映画そのものに備わったものだ。だからこそ、それが「映画の書き手」であるバザンにそのまま取り憑いたのではないか。

「映画そのものに備わった曖昧さ・両義性」は、そもそもカメラという撮影機械に備わった二つの能力に由来する。カメラは撮影を通じて、世界に対して二つのことを全く同時に為す。「記録」と「断片化」だ。光学的な記録装置であるカメラは、機械独特の無関心によってレンズ前の光のありようを自動的に記録する。

このことで、ショットと過去に起きた状況や出来事、そこにいた被写体とのあいだに同一性が宿る。これは必然的にショットに備わるドキュメンタリー的な性格でもある。その一方で撮影に際して、必ず時空は断片化される。時間においてはカメラの回し始めと回し終わりを通じて、空間においてはフレームによって、この世界のありようは常に断片化される。この断片化は当然、その外側ではどのような捏造も可能という点で、映像記録の証拠能力を弱めるよう働く。ただ、その捏造の可能性こそ映像をフィクションとする上で絶対不可欠なものだ。ショット撮影時に記録、そして断片としての性質が同時発生することは、一つの映像はそれ自体ですでにドキュメンタリーであり、フィクションであるということに他ならない。その両性質は当然、ショットの連鎖を通じてつくられる映画全体にもそのまま宿り、共存し、ときに相争う。バザンのあらゆる文章に、この両義性についての深い理解が貫かれている。それを端的に表現しているのは「禁じられたモンタージュ」の中の「出来事の本質的部分がアクションの二つ、ないしそれ以上の要素の同時的共存に左右されるとき、モンタージュは禁じられる」(『映画とは何か(上)』野崎歓・大原宣久・谷本道昭訳、岩波文庫、二〇一五年、九四頁)と安易な断片化を禁じた名高い一節だろう。好みも当然あったろうがバザンは古典的デクパージュのほとんど完成したまさにそのとき、言うなれば戦略的に「記録」の力を顕揚した。何を一フレームで、一ショットで捉えるかが、作品の価値を決定的に左右するという理念が、バザンの批評の根底にある。そうした批評家としての態度を宣言する文章とも言うべき「写真映像の存在論」においてまず、現実を記録するカメラの能力への洞察が示されているが、それに先立つ「リアリズムについて」という文章の冒頭でより端的にこう指摘する。

写真は、それが機械的に生成されるからこそ、絵画とは異なる固有の特性を付与されている。イメージのリアリズムは、初めて全面的な客観性に到達し、写真をいわばモデルと存在論的に等価であるようなものにする。（だからこそ、あらゆる造形芸術の特権的な対象である人間の身体は、スクリーン上では、ほとんど必然的に猥褻ないしポルノ的なものとなる。）

（堀潤之訳、『アンドレ・バザン研究』二号、二〇一八年、八—九頁）

2

バザンの「曖昧さ」を象徴するような論考を選ぶとすれば「演劇と映画」になるだろう。まったく反リアリズムとも思える演技を含むローレンス・オリヴィエの『ヘンリィ五世』や、ジャン・コクトーの『恐るべき親達』などの演劇映画の擁護が展開される。いかにしてか。

バザンは「映画が幼稚でむなしいまやかしの手段とは縁を切り、真の意味で演劇に従い、演劇に仕えようとする場合に限って」「多くのことが得られる」と断言する（「演劇と映画」、『映画とは何か（上）』、二八五頁。以下、傍点は引用者）。バザンが擁護するのは全面的に演劇に「従う」映画だ。先述の「リアリズムについて」の中でバザンは「リアリズムに服従する」ことのみが「映画が永遠なるものに到達する」ための唯一の手段と看做している（前掲、一〇頁）。「従う」ことや「奉仕すること」は、「支配」や「管理」よりも遥かに映画の本質に近づく態度であると、バザンは何度でも言明する。演劇映画の演劇性——自然ではありえない演技や暗記を疑わせない朗々とした語りなど——を隠すどころか際立たせることは、バザンのリアリズム擁護とまったく矛盾しない。それが有効な戦略となり得る理由は、以下の「せりふ」(texte) に対するバザンの洞察の中に明示されている。

せりふは舞台にかけられることを前提に書かれているのだから、すでにして演劇的な可能性をそっくり含んでいる。せりふこそが、表現のあり方や描写のスタイルを決定する。つまり、せりふは最初から潜在的に演劇なのだ。だからこそ、せりふに忠実でいながら、同時にせりふが向かっている演劇的表現と縁を切ることはできない相談なのである。

(「演劇と映画」、二三一頁)

ごく個人的な感慨でしかないが、撮影現場という現実へのバザンの深い理解に驚かされずにはいられない。演技を撮ることはすなわち演劇を撮ることであり、書かれた文字を口にすることから必然的に生じる不自然な「表現のあり方や描写のスタイル」と真向かいになることでしかない。この文章の書き手は「演技を撮影する」際の苦悩を想像と思考によって幾度となく追体験していると感じる。そのような理解はバザンが映画を一貫して「現実の記録」と見なし、撮られた映画から撮影現場の現実を再構築することによって得られたものだろう。バザンは映画内の「せりふ」を聞くことで、それを発する俳優の身体を見ることで、戯曲のテキストというそれ自体の複雑さを持つ「現実」を見出す。「フィクションという現実」の記録ともいうべきアクロバットをバザンは演劇映画に見出し、自らの一貫性を失わずに擁護してみせる。とすれば、バザンをもはや曖昧な書き手とは呼べまい。しかし、果たして本当にそうか。

実のところそのような見立てによって演技そのものの「曖昧さ」は手つかずのまま残されてしまったとも

言える。すなわち、演技が虚構のままある種の真実性を獲得してしまうあの瞬間のことだ。溝口もブレッソンも見ていたバザンが、その瞬間を知らぬはずもない。バザンは「演劇と映画」において、口にされた「せりふ」、つまり俳優の身体に根ざした「音声」の内実に踏み込みはしない。しかし、自分が未だ言葉にし得ない現実があることもまた理解しているはずだ。だからこそ、バザンは自らの戦略を通じて、この「声」に対する失語から回復を試みる。そこで従うべき現実とは映画そのもの、もしくはそれを体現する一人の作家である。

3

実のところ（俗流バザン理解と異なり）作家主義者とは言い難いアンドレ・バザンがほとんど一貫して崇拝とも言える態度を示し続けた唯一の作家がジャン・ルノワールだ。しかし、『映画とは何か』におけるバザンのルノワール評は「天才」「例外的な存在」など、決定的にその語彙を貧しくしているような印象さえある。その貧しさへの自覚によって却って、バザンは個別の批評ではなく「ジャン・ルノワールのモノグラフを書く」という考えへと至ったのではないか。『ジャン・ルノワール』の中の「フランスのルノワール」という文章から、バザン入魂の一節を引用する。

ルノワールは俳優たちを、演劇でのように、役にふさわしいという理由からではなく、画家と同様、その俳優からならなにかを引き出すことができるという理由で起用するのである。そしてこのことが、彼の映画のなかの演技の最も美しい瞬間が、ほとんど猥褻とも言える美からなっていることの理由なのだ。また、彼がわれわれの記憶のなかに、それらの瞬間の輝きの痕跡だけを、われわれの目を伏せさせるほどの眩惑の痕跡だけを残すことの理由なのだ。俳優たちはそこでは、おそらくはすべての芸術のなかで映画と絵画だけが人間の肉体になげかけることのできる最も決定的な光によって、もはやドラマ上の表現とはなんの関係もない、一種の存在の裸としてとりおさえられ、自分自身のかなたへ導かれるのである。

（『ジャン・ルノワール』、九二頁、訳語を一部変更）

全文の中でもひときわ美しいこの一節における「存在の裸」とは、バザンがカメラによって当然捉えるべきものとする「存在そのものの猥褻さ」の謂に他ならない。その猥褻さがルノワールの映画に顕現していることの驚きが文からほとばしる。ここに至る前に俳優の表情について触れながら、バザンは映画と絵画を並べることで（明らかにその父を意識しながら）、ルノワールの「目」に対する信頼を表明している。しかし、この評言は書いたバザン自身の意図を超えて、あらゆるルノワール映画の俳優たち、あらゆる場面に当てはまるように思えた。ここではバザンがルノワールを、トーキー導入直後から「音声のリアリズム」を使いこなした「例外」的存在と評したことを当人以上に真に受けてみよう（ルノワールの「画面の深さ」はむしろその副産物に過ぎない、と）。本来、顕揚されるべきは、ルノワールの「耳」の力ではないか。「声」を通じて「存在の裸」を露呈させるルノワールの俳優たちを、バザンは自身の用語を使って「猥褻」と、ある意味ではまた失語的に表現するしかなかったのではないか。管見の限りでは、バザンが生前に俳優の「声」に対して、十分な関心を持っていたとは言い難いからだ。しかし、その失語をバザンは、自分自身の戦略への忠実さによって回復しようとする。モノグラフの中には「ジャン・ルノワールと演劇」と題された一篇があり、そこでは演劇『オルヴェ』におけるレスリー・キャロンのキャスティングに関して、ルノワールの発言を、他のバザンの文章の中でも類を見ないような長さで引用している。

結局のところ、いま舞台で見るような『オルヴェ』をつくったのはレスリーだと言わなければならない。ルノワール自身が私に、ほかの女優のために書かれたとすれば、この戯曲はもっと違ったものになっただろうと認めたのである。またさらにくわしく言えば、ルノワールが魅惑されたのは、何よりもまず彼女の声であり、《森(ボワ)》という言葉を、口を大きくあけて《ボーア》と発音するやり方である。ルノワールは私にこう語っている。「演劇教室出身の今の若い女優たちは、考えられないようなやり方で発音します。たぶんそうした声の出し方を教えられたのでしょう。あるいはむしろ、娘たちも高等中学(リセ)に通うようになったからかもしれません。いずれにしても、今の娘たちはほとんどみな、とがった感じのわざとらしい声を出します。そして奇妙なことに、ごくふつうの生まれの娘たちの場合がとくにそうなのです。今ではむしろブルジョワの娘たちのなかに、感じがよくて自然な声の持ち主がみつかることが多いのです。私がハリウッドでデビューしようとして『スワンプ・ウォーター』を撮ることになったとき、製作主任が、農民の娘で田舎には慣れているということを口実にして、どうしてもリンダ・ダーネルをつかってくれと言ってきました。彼女はいい女優ですが、でもその声は、どう聞いても農民の声じゃありません。私はアン・バクスターに固執しました。彼女は当時はまだ無名で、おまけに純粋なブルジョワ家庭に生まれた都会人だったのですが、でも彼女には、農家の娘のようなしゃべり方ができたのです」。

（『ジャン・ルノワール』、一五二頁、映画題表記を変更）

この後に、バザンは「ルノワールは［レスリー・キャロンの］この表情に富んだ肉体とこの感じのよい声を見事に演出した」と劇評を続ける。バザンがほとんど唯一、ある程度の長さにわたって、俳優の「声」について言及した箇所がジャン・ルノワールの引用から成っているという事実は、私にはこの上なく感動的だ。

バザンはルノワールを「楽しい悲劇」を作り続けていると評した。バザンがルノワールに対して破格の扱いをするのは、ルノワールが極めて両義的な作品を作り続けたからに他ならない。バザンにとって、ジャン・ルノワールは映画の両義性を体現する、映画そのもののような作家だった。ならば、この引用は「映画そのものの言葉として」為されたと言って良いのではないか。バザン自身は演技の音声的側面に迫る論考を書き遺さなかったけれども、おそらくこの「声」へのこだわりにこそ、ルノワールがいかに「猥褻」ですらあるような「存在の裸」の状態へと俳優を導いていたかのヒントがあるとバザンは直感していた。未だ自身が言葉にし得ない映画の秘密や、ルノワールの演出の核心をより正確に言い得ているからこそ、バザンはルノワールの言葉を長々と引用する。「映画そのものの書き手」であるバザンにとって、それは何ら恥ずべき行為ではない。これもまたバザンの「現実」に従う態度の一環なのだ。この引用部分は、バザンが「声」にまつわる文章への道筋をその晩年に見つけていたという確信へと、私を誘ってくれる。

バザンは映画そのものに含まれる両義性に一貫して「従う」ことを続けることによって、「映画そのものの書き手」になった。それが映画とまったく同程度にアンドレ・バザンが捉えがたい理由だ。「映画」について、つまり「映画とは何か」と考えるとき、必然的に「バザンだったらどう言うか」考えざるを得ないのはそのためだ。バザンの文章に宿る謙虚さと正確さの印象は、一貫してこの「現実に従う」という姿勢から生まれ来る。それは無論、映画そのものの作り方にもなる。

『アンドレ・バザン研究』三号、アンドレ・バザン研究会、二〇一九年三月

聞くことが声をつくる
——小野和子『あいたくて ききたくて 旅にでる』に寄せて

小野和子さんと初めてお会いしたのは二〇一一年六月、仙台に滞在しながら東日本大震災後の東北地方のドキュメンタリー映画を制作していたときです。私と共同監督の酒井耕はたまたま、せんだいメディアテークの仲介で、小野さんが顧問を務めている「みやぎ民話の会」が主催するイベント「みやぎ民話の学校」の映像記録係を担うことになりました。それは民話の語り手の方々が、民話ではなく自身の被災体験を多くの聴衆の前で語り伝えるというイベントでした。この映像記録の準備をしながら、私たちは小野さんと語り手の方たちが被災後、初めて再会する場面にいくつも出会いました。その都度、じっと手を握り、見つめ合い、ときに抱きしめ合う。それは被災後の再会に伴う高揚よりずっと、そこに至るまでの時間の深みを感じさせるものでした。ある語り手は小野さんを「私の宝物」と呼び、別の語り手は小野さんとの出会いを「神様に出会ったみたい」と言いました。語り手たち一人ひとりと小野さんの間に、強い信頼関係があることが見て取れました。いったいどうしたら肉親でもない他人同士に、こんなにも濃密な関係がいくつも生まれるのか。その理由を、自分自身が生きる術としても知りたいと思いました。なので、みやぎ民話の会から「口承の民話語りを映像として残したい」という相談を私と酒井に対していただいたときに、勇んで承諾しました。

ただ、私たちがその際にお願いしたのは「民話の語りと同時に、聞き手としての小野和子さんも記録させて欲しい」ということでした。結果として、その映像記録は単に語りの記録ではなく、語り‐聞く営みそのもののドキュメンタリーとして『うたうひと』という映画になりました。民話語りの撮影現場で、語り手たちの張りのある分厚い声に驚かされました。語り手の存在の底から汲み出された生命力がその場全体を満たしているように思われました。ただ、我々の意識としては「聞き手」としての小野さんは「語り手」と等価の、その場の主人公でした。

いくら強調しても足らないのは、とても単純な事実です。語り手たちは、聞き手がなければ、そもそも民話を語り出すことができない。語り手の方たちはほとんどすべて、幼少期に両親や祖父母、もしくは他の大人から、何度も繰り返し繰り返し、夢中になって民話を聞いた記憶を持っています。そうして語り手のからだに堆積した何十何百という民話たちは、語り手たちにとってただの「お話」ではありません。多くの語り手にとって民話は、厳しい暮らしの中で、肉親にからだごと耳を寄せて聞いた記憶そのものであり、自身の存在の基底を成すものです。ただ、語り手たちの子や孫の世代は、すでにほとんど民話に対する関心を失っています。刺激的なエンターテインメントが周囲に溢れているからでしょう。自分自身の核が、まるで無価値なものとして見向きもされないということの苦しさは計り知れないものです。ここまで想像して初めて、「民話を聞かせてください」と現れた小野さんが語り手たちにとってどのような存在であったか理解できる気もします。しかも小野さんが関心を示したのは単に民話に対してだけではありません。家族についての思い出や暮らしにまつわる苦楽、言うなればその人の歴史や、存在そのものを受け止めるように聞いていました。“ask”も“visit”も日本語ではともに「たずねる」ですが、小野さんはずっと自らの足で語り手のところにからだを運び、全身でたずねていたのではないか、小野さんが自分自身を相手に捧げるようにして「聞く」ことによって、語り手の底に眠っていた民話はあんなにも生命力を持って語り－聞きの場に現れたのではないか、と想像します。

二〇一八年一二月、みやぎ民話の会が主催する「民話 ゆうわ座」というイベントをせんだいメディアテークに聞きに行きました。その数日前に、小野さんが脊椎の圧迫骨折をされたと娘さんから伺っていたので、とても心配していたのですが、小野さんは自分の順番が来ると立ち上がり、柔らかい調子でその日のテーマであった「一粒の豆」について話し始めました。一時間はあったかというその話を通じて響いた、小野さんの声に深い衝撃を受けました。その声がじかに「自分」に宛てられたものとして届いてきたからです。声が会場の一人ひとりへと宛てられている。語り手の住まうところに歩き訪ねるように、小野さんの声が自分のところへ歩んできたような気がしました。その場にいた参加者全員が「自分に語りかけられている」と感じたと確信できます。当時、私自身が役者の「声」を演出することに心を砕くようになっていたため、小野さんの声のありようには一層驚かされました。それは語る声ですが、やはり私たちに「たずねる」声として響きました。小野さんの声は、私自身の基底へと宛てられていて、それを掘り返そうとします。いったい人はどうしたら、このような声を獲得できるのか。小野さんのこれまでを思い浮かべ、「聞くことが声をつくる」と考えると、腑に落ちました。幾度となく語り手に（を）「たずねた」からだが語るとき、声がそのような力を持つことは自然な成り行きと思われました。

小野さんに「聞く」とは何か、と漠然とした問いを投げかけたことがあります。小野さんは、田中正造のある評伝から言葉を引かれました。曰く、田中にとって、「学ぶ」こととは「自己を新たにすること、すなわち旧情旧我を誠実に自己の内に滅ぼし尽くす事業」であったと。小野さんが微笑みながら「すごい言葉でしょう」と言われたことを覚えています。当然、ここでの「学ぶ」は「聞く」ことに置き換えられます。小野さんは繰り返し、「聞く」とは古い自分を打ち捨てていくこと、自分自身を変革することなのだと言われました。「聞く」ことは単に情報を得る手段でも、ましてや巷でうそぶかれるような他人に好かれるための社交術でもありません。聞いたならば、それに対する自分自身のからだの反応に出会わざるを得ない。そこで自分がどのような人間か、どの程度の人間かを突きつけられる。他なるものに出会い、それまでの自分では決して理解の及ばない事柄の前に立ち尽くす……。「今の自分のままじゃ聞けないんですよ。語り手に見合う自分をつくり出さなくちゃいけない」と小野さんは言われました。『あいたくて ききたくて 旅にでる』に収められたあらゆる文章から、「聞きたい」と願って歩み訪れた先で、実際に聞いたものを受け止めきれない戸惑いと、それでもなお必死に受け止めようとする小野さんの踏ん張りが感じられます。小野さんの声は、そうして少しずつ、聞くことを通じてつくられたのだと私は思っています。

本書（『あいたくて ききたくて 旅にでる』）の原稿を、何度か仙台から送っていただきました。その文章は声とよく似ていて、小野さんの肉声が内から響いてくるような印象があります。これを当然のこととは思いません。それも小野さんが語り手を一歩一歩訪ねたように、一字一字に自分のからだを刻印したから生じる事態です。自分が宛先の一つであることを光栄に思う一方で、心を突き刺すこれらの文章を読むことは苦しい体験でもありました。あなたにはこれを受け取る覚悟があるか、と突きつけてくるようなところが小野さんの文章にはあります。自分は果たしてこの原稿を読むのに、この声を受け取るのに足る人間なのだろうか、という思いにいつも駆られながら読んでいました。ただ、ときに文章に現れる苛烈なまでの厳しさは、そもそもは小野さん自身に向けられたものとわかってきます。それは「聞く」ことを自分に課すとき、必然的に生じる仮借のない自己吟味の表れです。ページをめくることでどこか採訪の旅、自己吟味の旅の道連れとして招かれている思いがします。一読して、それが一筋縄ではない険しい歩みとわかります。今の自分ではついて行くのにとても足らない、と身がすくむ。ただ、厳しさだけを強調することは正しくないとも思います。そう感じられる出会いほどの幸運はないと、まさに小野さん自身が示しています。目の前の一個の人間が自分には計り知れない存在である、という事実に行き当たるときに生じる「畏れ」は、その人の果てしなさと出会う「よろこび」と常に一対です。「聞く」ことを通じて、自分自身をつくりかえていく旅。随分と距離はあるけれど、勝手に道連れと決め込んで、私もともに歩きたいと思います。

小野和子『あいたくて ききたくて 旅にでる』PUMPQUAKES、二〇一九年一二月剝き身のままの現実を語ることは、それを語る側にも、受け取る側にも大きな苦痛や負担となる局面は往々にしてあり、単なる「語り」ではない「騙り」が、つまりフィクションへの転換が必要になることがある。そのことを私に教えてくれたのは民話研究者の小野和子さんだ。小野さんには「東北記録映画三部作」(酒井耕との共同監督)の第三部『うたうひと』に民話語りを聞き取る聞き手として出演いただいた。四十年以上も東北地方の民話を聞き歩いてきた小野さんは映画冒頭近くで、「猿の嫁ご」という民話について語る。民話の粗筋はざっとこうだ。

山に田を持つ百姓が、田の水やりに苦労をしている。田に水をかけてくれるなら娘をやってもいいと百姓がひとりごちると、そこに猿が現れる。猿はあっという間に田に水をかけてやる。百姓は猿に、娘を嫁にやることを約束する。翌朝、上の娘と真ん中の娘には拒絶されるが、末娘は父の約束したことだからと、山に住む猿のところに嫁に行く。ある日、末娘が父は餅が好きだと言うと、猿は餅をついてそれを父のところに持っていこうと言う。末娘は猿の背に餅の入った臼を結びつけて実家に向かう。その途中で、持っていけば父が喜ぶと言って川端の木の上に咲いた藤の花を指差し、猿に取りに行かせる。しかし猿と臼の重みで木の枝はポッキリと折れて、猿は川に落ちる。猿は嫁を「後家」にしてしまうことを案じる句を詠みながら、川に流され、沈んでいく。末娘は発句を聞いて「ばか猿やぁい。だれぇ、後家になるっけやぁ」と言い放ち、そのまま実家に帰っていく。

小野さんの見解は、その著書『あいたくてききたくて旅にでる』(PUMPQUAKES、二〇一九年)により詳しく記されている。民話を聞き歩く旅を始めて間もなかった小野さんは、この話を聞いて「猿がかわいそうだね」と語り手の老婆に告げた。「そんなこと考えたことなかった」と答えた語り手は、自身の過去を語り始める。自分が山を越して嫁に来たこと、姑との折り合いが悪くて実家に逃げ帰りたいと何度となく思ったこと、しかし弟妹の縁談への悪影響を考えて耐え忍んだこと。そして「田に水を引くこと」が山の上に住むような貧乏百姓にとっては死活問題であったということ。小野さんはここまで聞いて、猿は「田の水引きを可能にすることと引き換えに娘を取り上げる」権力者の暗喩である可能性に思い至る。現実において語り手を襲った幾つもの理不尽を、物語のなかの末娘は自力で跳ね返していく。「ばか猿やぁい。だれぇ、後家になるっけやぁ」と一段と声高に言い放つ語り手の声に彼女が「本当にやりたかったこと」を小野さんは聞き取る。その後も聞き歩きの旅を続けながら、荒唐無稽な民話の根幹にはいつも「切れば血の吹き出すような」生々しい現実があるということの確信を深めてゆく。

『うたうひと』のための取材をしているとき、小野さんは現代の語り手が聞き手の関心の希薄化に伴って、「語り」を変形させてしまうことに繰り返し危惧を示された。エンターテインメントやメディアの発達した現代において、民話の主な聞き手であった子どもたちはもはや民話に十分な注意を払うことができない。もしくは、民話の展開のある種の不条理に対して、付き合うに足る「リアリティ」を感じることができない。語り手はこの反応を受けて、その関心を取り戻そうと聞き慣れないであろう言葉の説明を加えたり、時には展開や結論そのものを変更してしまうことがある。一見、穏当な対応にも思えるこの状況に対して、小野さんが「お話がかわいそう」と言ったことは強く印象に残っている。口承の民話はただの、現実離れした荒唐無稽な物語ではない。それは体を寄せ、口と耳を寄せて語った身体そのものの記憶であり、その裏には土地や暮らしにまつわる記憶が、つまりは「切れば血の吹き出すような現実」が張りついているのだ。

「物語り」自体が受け手の関心のありようを織り込みつつ成立していることは、否定しがたい。民話の語り－聞きの場を例に取れば、それを支えているのは聞き手側の関心だと言ってよい。聞き手が語りに対して十分な関心を注ぐことによって、物語世界が「結界」のように語り手と聞き手を包むことになる。逆に関心なきところにこの「場」は立ち現れない。このことは、目の前に受け手がいないような同時的でない「物語り」においても同様だ。一般論として語り手は、受け手の関心のありようを勘案せずには物語を構築し得ない。このことはほとんど必然的に、物語りのかたちを「因果関係の連鎖」へと導く。「事象Aを受けBが起こり、Bの結果としてCが生じる」ように因果を連鎖させることで、語り手は受け手の関心が持続するように図る。これらの事象の組み合わせ方次第で、受け手の反応をある程度、調整可能であることもまた否めない。語り手が受け手に応じて「語り方」の変更を試みるのもこのことに由来する。ただ、その変更によって、物語の根であるところの「現実」とのつながりが断たれてしまうのであれば、物語は存在意義を失うことになるだろう。

不条理な現実に直面させられた者は「どうしてこんなことが起きた」と問いかけざるを得ない。何でこんなに苦しいのか。何でそれに耐えなくてはならないのか。なぜ私や、私の愛する人が、特にその苦難を被らなくてはならないのか。この問いかけに答えや解決が与えられることは基本的にはない。このわからなさ＝不条理こそが「物語り」の動因となることがある。不条理は物語のなかで、原因と結果のギャップとして現れもする。荒唐無稽な展開だ。ただ、そのことでかえってある現実を生きることの切実な感覚を物語に与えることがある。因果間のギャップは語りを失敗させる可能性も孕みつつも、それを飛び越えるように、語り手が受け手を誘っているとも言える。その不条理をなお信じ、物語の世界をあらしめるよう。

再び小野さんが『あいたくて〜』で語るエピソードを引いてみる。民話を求めて訪れた宮城県の浜辺の村で、小野さんは太平洋戦争におけるガダルカナル島での戦闘の生き残りだと言う老漁師と出会う。「昔話を知りませんか」と尋ねる小野さんに、この男性は自分がガダルカナルで見た夢の話をする。極限的な飢餓状況のなかで、食料を巡って起こる仲間割れにも疲れた男性は翌日の戦闘で死ぬことを覚悟する。その夜、夢の中で祖母が出てきて、男性に大福餅を腹いっぱい食わせてくれた。その夢はそれから毎晩続いた。朝起きても腹が満たされ、力も漲った彼は、仲間を助け、戦闘にも生き残って、郷里へと帰ってこれたのだと言う。老人は小野さんの顔をのぞき込んで「あんたはおれの話を信ずるか。信ずるなら昔話も語るよ」と言った。小野さんは「信じます。信じます」と答える。

先祖からわたしたちが受け継いでいる民話の一つひとつだって、もしかしたら、のっぴきならない現実に追い込まれたときに、そこを切り抜けていくために生み出された「あり得ない」物語の群れなのではないかと、わたしは考えてきた。夢でおばんつぁんに一週間も大福餅を食べさせてもらったという出来事は、戦友同士が殺し合うむごい地獄を見た人だけの「もうひとつの世界」なのではないか。

そこから生き延びて帰還した人が、くぐってきた地獄から抜け出すための、さらにこれからをこの浜で生きるための、描かずにはいられなかった「もうひとつの世界」の真実なのかもしれない。自分が生きるために必要であった物語の構築が、そこにこそあるのだと言ってよいのかもしれない。

老漁師さんが語るその姿に、わたしは民話というものが生まれた瞬間に立ち会っているのではないかという気持ちになった。

（『あいたくて ききたくて 旅にでる』三一四―三一五頁）

大福餅の夢が、現実に腹を満たすことは不条理である。しかし、この不条理は老人にとって必要な物語であった。不条理が物語と受け手との関係を断ち切るように働くことは確かにある。関心が完全に失われてしまえば、物語はこの世で居場所を失ってしまう。そのとき語りの形を変えることも一つの方法だ。しかし、変えてしまった途端にその物語が存在理由を失ってしまうのだとすれば、語り手がなすべきことは受け手のインスタントな納得を求めて「説明」を行い、このギャップを因果で埋めることではない。ある覚悟を持つことだ。自分が語るべき物語を語ること。生き血の通った「現実」と「物語」を切り離さないこと。一方で、小野さんの挿話は物語に対して、受け手ができることを明瞭に示している。語り手の覚悟に見合うような切実な関心を寄せること。この覚悟と関心の出会う物語空間においては、活き活きとした相互作用がつくりだされ、物語は常に「いま現在」として体験される。それは、現実においても容易には得られないような充実した「生」の感覚を間断なく、語り手と聞き手の双方に与える。その感覚が、私たちがこの世界で物語を求める理由でもある。

せんだいメディアテーク編『つくる〈公共〉50のコンセプト』岩波書店、二〇二三年二月

孤独が無数に、明瞭に

私にとって、映画とは映画館で見るものに他なりません。もちろん、配信やソフトで映画を見ることはあります。ただ、一度でも同じ作品を映画館と家のモニター（＋スピーカー）で見比べた体験があれば、それらがどれだけ本質的に異なるものであるかを言うまでもなく知っています。よく、映画には人生を変える力があると言われます。それは間違いではありませんが、実は人生を変える力をより強く持っているのは「映画館」という場の方です。私にとって、自分の人生の方向を根底から変えてしまったと思えるような映画体験はすべて、映画館で起きたものでした。映画館という、集団で映画を見る場のほうが、驚くほど個人の身体に深く、決定的に働きかけます。映画館の暗闇が私たちの輪郭を溶かしてしまうからでしょうか。繭の中のサナギのように溶かされて、まったく異なる自分に作り変えられてしまいます。映画館に入る前と後では、まったく違う人間であり得ます。映画は身体に入り込んで、自分の人生を支える芯棒のような役割を果たします。そんなにも強烈な二時間は「劇場」という場以外では生まれ得ないでしょう。

愚かかもしれませんが、私は映画館の未来に対して、徹底的に楽観的です。「映画館で映画を見る」。人類がこれほど強烈な快楽を手放す未来を、私は想像することができません。

＊

右に掲げたのは昨年(二〇二二年)、フランスの雑誌『レザンロキュプティーブル』に寄稿した文章で、読み返すと勇ましくも思えるが、今以てこれ以上に重ねるべき言葉はなく、もちろん差し引くべき何かもない。「思い出の映画館」について語ってほしいという実に丁寧な依頼を『みすず』編集の方からいただいた。まもなく休刊を迎える「紙の雑誌」と「映画館」が重ね合わせられていることも強く感じた。消えゆく、(私にとっては)明らかに大事なもの。私にとって、前掲文の通り「映画館で映画を見ること」の重要性についてはほとんど議論の余地はない。それとほとんど同じ理由で、そのことを誰かに説明したり説得したりすることが可能とも思わない。それは「体験的事実」なのだ。それを叙述する言葉は存在しない。となると当然この文章が「思い出の映画館」についてのものになることもないのだが、そのことは誠実な依頼が引き起こした私の反応-応答でもある。

あるとき、ある場所でそれは起きた。同様の体験をした人は皆、言うまでもなくこの生起の感覚を理解している。体験した者とそうでない者の間には決定的な線が引かれ、言葉を交わすことは「線」をより太くするようなぞることにしかならないだろう。「情報」が生命線となった現今の社会で、「体験」の力がその線を超えていく望みはそもそも薄い。そういえばこの国で一番、興行で利益を得ている会社が、映画一本当たりの値段を上げた。他もまたそれに追随する。これはこの線をより太くして、決定的な断絶にまでしようという試みなのだろうか……。そんなことをする理由はとんとわからないが。

しかしその、あくまで個人的に「体験」された映画館の重要性を確信して、その価値を顧みない市場原理のようなものを攻撃することは、やはり少し的外れのように感じる。私はある程度、市場原理による淘汰はあるべきものと思っている。すべてのものが「存在したい」という欲求のみで存在し得るわけではないこともまた明らかだ。「映画館」という場所がもし現代において必要とされていなければ、消え去るのみだ。消え去ることで損失を被るのが「人類」でしかないとしても、それはそういうものだ。どちらかといえば私が憂慮しているのは、これに対する抵抗の言葉までもが「資本の論理」と区別がつかなくなっていることだ。大前提として、労働の対価が然るべく支払われない状況や、限度を超えて負荷の高い労働環境は大問題だ。そのようなものは存在すべきではない。しかしそれらに先んじて絶対に保存されなければならないのは、「体験」が積み重ねられたこの「身体」がするあらゆる行為に本来「値付け」など不可能である、という感覚の方だ。「ただより高いものはない」のは究極的に高いものにはもはや値付けできないからだが、この金言に従って、各人は、各人にとって何よりも「高いもの」とだけ取引すればよいと私は思う。自分の身体だけがその価値をよく知る「何か」が存在できるように。自分の身体を差し出すとしたら「ただ」でやっても構わないと思い定められる価値に対して、のみでよい。その価値に従事していれば、所詮は価値指標でしかない金は遅まきながらやってくるだろう（遅れの度合いは一切保証できないが）。

迷ったら、自分の身体に聞くのがよい。身体が動くならば然るべく動くのがよく、動かないならば動くべきではない。体験を重ねることで宿った何かが、価値の在り処を指して自分の身体を内側から突き動かしていく。ここでは仮に、その何かを「志」と呼んでおこう。自分の志を資本などに測らせてはならない。そして、価値を感じないものにはできるだけ背を向け、それに自分の力を譲り渡さないこと。それは何度でも「今ここ」から始められる些細な、しかし立派な抵抗だ。その基準は各人に固有の形で備わる。私たちは、私たちの孤独な「体験」にふさわしく孤独に闘うことになる。だから誰のことも利用できないが、利用させもしない。各々が互いにつながることもないかもしれない。ただその孤独が無数に、明瞭に存在することだけを私は願っている。

『みすず』二〇二三年八月号

V

ある覚書についての覚書
――ロベール・ブレッソンの方法

シネマトグラフ。この名称は第一に、映画史の最初期にリュミエール兄弟が開発した撮影‐上映システムを指す。フランスの映画監督ロベール・ブレッソンもまた、彼が「シネマ」と呼んだ他の映画群から切り分けて、自分の制作した映画群を「シネマトグラフ」と呼んだ。自作と自身の試みを映画の「源流」へと連なるものと看做してのことだろう。

ロベール・ブレッソンによる唯一の著作『シネマトグラフ覚書』（以下『覚書』）は、映画をめぐる思索や警句、及び制作の方法論をまとめた四五〇近い断章から成る書物である。これから専ら「ロベール・ブレッソンの映画（及び制作）」という意味で「シネマトグラフ」という語を使うことになる本稿が試みるのは、『覚書』をある仕方で読むことだ。言うなればできる限り「脱‐神秘」的に読む、ということになるだろうか。より強い物

※――引用は以下の邦訳書にもとづく。『シネマトグラフ覚書――映画監督のノート』松浦寿輝訳、筑摩書房、一九八七年。各引用の末尾に同書の頁数を添える。傍点やゴチックによる強調はすべて同書を踏襲。引用に付した番号は本稿独自のもの。なお、『シネマトグラフ覚書』の文言を本文中で用いるさいは〈〉を付ける。ただし、同書で〈キャメラ〉、〈テープレコーダー〉ないし〈録音器〉と訳出されているものは、本稿ではそれぞれ「カメラ」、「録音機」と呼んでいる。

言いを選ぶとしたら「脱‐オカルト」的に読む、とでも言おうか。こんな言い方をしなくてはならないのは、幾つものメモ書きのような断章から構成されているこの『覚書』は一読する限り、明らかに「神秘的」、ときに「オカルト的」にも読める記述を含むからだ。例として、以下に『覚書』から三つの断章を引用してみる。

予見の力、この名を、私が仕事に用いる二つの崇高な機械に結びつけないわけにはいかない。キャメラとテープレコーダーよ、どうか私を連れて行ってくれ、すべてを紛糾させてしまう知性から遠く離れたところへ。

（一九六頁）［1］

モデルとは――
外部から内部へと向かう運動。（俳優――内部から外部へと向かう運動。）
重要なのは彼らが私に見せるものではなく、彼らが私に隠しているもの、そして特に、自分の内にあるとは彼ら自身思ってもいないものである。
彼らと私の間には――テレパシーの交換、予知能力。

（六頁）［2］

撮影。
すばらしい偶然だ、正確に作用する偶然とは。悪い偶然を斥け、良い偶然を引きつける方法。君の作品の構成の中に、偶然を呼びこむための余地をあらかじめ空けておくこと。

（四六頁）［3］

［1］［2］で〈予見の力〉〈予知能力〉と訳されている言葉はフランス語原文ではともにdivinationだ。本稿では、後者の訳語を優先的に使用する。［2］では、この〈予知能力〉と並べて更に〈テレパシーの交換〉ともある。仮にも映画制作のための心得を記した本の中に〈予知能力〉〈テレパシー〉という超能力を表す二つの言葉が堂々と、何ら留保なく使われているという事実は読者が『覚書』からオカルト臭を感じ取るには十分と思う。

［3］は前の二つほどではないかも知れないが、これも大概なことを言っている。〈正確に作用する偶然〉とは何か。偶然とは必然ではないものである。つまりはある因果関係の系列の外から突然に、（少なくとも主観的には）理由なく生じるものである。それがある人にとって〈正確に作用する〉事態は、本来の偶然の性質から外れるとは言わないまでも、極めて稀なものだ。ここでブレッソンが言っているのは「人智を超えたことを、自分の思うように為せ」ということに他ならない。これに類する断章もある。

奇蹟を拒むな。月に、太陽に命令せよ。雷鳴を、稲妻を、走らせよ。

（一七九頁）［4］

正気の沙汰ではない、と思った人は正気の人だ。［3］で言われる〈正確に作用する偶然〉もまた、本来は真に受けることが困難な、危うくオカルト性を帯びた表現だと言ってよい。こうした危うさを感じさせる表現を『覚書』は多く含む。そのうち幾つかはこれから更に引用することにもなる。ただ、実際のところ『覚書』がオカルト的な奇書として読まれるべきものであるかと言えば勿論そうではない。ロベール・ブレッソンによる実践＝映画そのものを見つつ読む者にとっては、むしろ彼の映画をより深く味わい、また自らも制作を志す上での導きの書であり続けている。ブレッソン映画の得も言われぬ魅力を『覚書』が説明してくれるところがあるからだ。「なるほど、そういう考えとやり方から、あのような映画ができているのか!」と。かく言う筆者も『覚書』から自分の実制作に大きな影響を受けた一人だ。そういう人間にとって、こうした記述は必ずしもオカルト的に忌避されるべきものではない。ただし、単にレトリックとして読み流されるようなものでもない。どちらかと言えばそれらは読者が「深遠なる神秘」を見出してしまう箇所である。それはそれで何度も読むことを促す魅力でもあるのは間違いない。

ただ筆者は、実際に繰り返し読むうちに、しかもブレッソンの映画と本の間で眼を往還させるようにして読むうちに、ここに書かれていることはかなり字義通りに受け取ってよい、という気持ちになっている。こうしたオカルト的事態、つまりは〈予知能力〉も〈テレパシー〉も〈正確に作用する偶然〉も実在している、と感じている。それらはむしろ、映画制作の現場において果たされて然るべき仕事のように今、筆者には思われるのだ。

ここで試みられるのは、神秘的な映画監督としてではなく、制作現場における「唯物的な」実践者としてのロベール・ブレッソン像を浮かび上がらせることだ。本稿が「脱-神秘化」を試みるというのはその意味においてだ。では、繙いていこう。糸口は「俳優」だ。

1　モデルと俳優

実際のところ、シネマトグラフの体系について考察する際に俳優について触れる必要はない。というのは、俳優はシネマトグラフの体系の外部にいるからだ。

俳優は、シネマトグラフの中にいてあたかも異国に身を置いているかのようだ。彼はその国の言葉を喋れない。（九頁）［5］

それでも、俳優について触れておくことが有用なのは、俳優がその外部に置かれる理由を理解することが、シネマトグラフの境界線を描いてみる上で役立つからだ。［2］にある通り、この〈俳優〉に対置される形で〈モデル〉がシネマトグラフの内側へと導き入れられることになる。だが本格的に論を進める前に一点、大前提として言っておかなくてはならない。たしかに俳優はブレッソンの考えるシネマトグラフのなかに存在することはできない。が、ブレッソンは演劇や舞台俳優そのものを否定してはいないということだ。以下のような断章の中には、ブレッソンの演劇・俳優への実際の評価が垣間見える。

真実と虚偽について

真実と虚偽の混淆から生じるものは、虚偽である（撮影された演劇ないしシネマ）。虚偽は、もしそれが雑気(まじりけ)のない虚偽であれば、真実を作り出す（演劇）。（二七頁）［6］

撮影された演劇ないしシネマは、演出家ないし監督が俳優に劇を演じさせ、劇を演じるそれら俳優たちをキャメラに収めること、次いで、撮った映像を整理し正しく並べること、を要求する。素姓卑しい演劇だ。ここには演劇の核心をなす肝心要のもの、つまり、生きている俳優たちの物質的な現前、俳優たちに対する観衆の直接的な働きかけが欠けている。（九―一〇頁）［7］

シネマトグラフの真実は、演劇の真実でも小説の真実でも絵画の真実でもありえない（シネマトグラフがその固有の手段によって捉えるものは、演劇や小説や絵画がその固有の手段によって捉えるものでもありえない）。（一四頁）［8］

ブレッソンの舌鋒は鋭いが、生身の俳優たちの直接的な〈現前〉を魅力や力強さとして、むしろ演劇芸術自体には固有の真実があることを認めているのがわかる。〈モデル〉／〈俳優〉の二項対立は『覚書』のなかでもあまりに多く繰り返されるため、ブレッソンの俳優観はかなり紋切型的に、徹底的にネガティヴなものとして流通してしまっている印象が筆者にはある。しかしブレッソンが言っているのは単に、俳優は彼の映画制作＝シネマトグラフとは相容れない存在であるということだけだ。ブレッソンが嫌悪するのはあくまで〈撮影された演劇〉、つまりはカメラで俳優の演技を撮るというブレッソンが呼ぶところの〈シネマ〉の営為だ。ブレッソンの考えでは、俳優の演技とカメラほど食い合わせの悪いものはない。なぜか。それは第一に俳優による演技の持つ性質による。

演技。

俳優――「あなた方の見ているのは、聞いているのは、私ではない、他人だ。」しかし全身まるごと他人になりきることはできないから、彼はこの他者ではない。

（六六頁）［9］

これほど端的に、演技の問題を凝縮して表現した文章を知らない。俳優は自分ではない他者を演じるのだが、全身まるごとその他者にはなれない、つまりは自分自身から逃れることはできず、演じる俳優においては「自分自身」の残滓と演じようとしている「他者」とが常に二重に、どこか濁った形で表れることになる。

シネマの映画は、俳優が演じている人間の現実と同時に、俳優自身の現実もまた再現する。

（一三八頁）［10］

俳優とは二重の存在だ。彼自身と、観客たちが慣らされてそれを愛好せずにいられなくなってしまっている他者とが、交互に現前しているのである。

（一四五頁）［11］

舞台上ではこの俳優＝演技の二重性は必ずしも問題にはならず看過される。と言うか当然のものとして受け止められる。舞台空間自体、観客と俳優がともに無いものを在ると見立てることで成立する。この非在の他者をあらしめる想像力の営為には常に、現実へ虚構をまとわせることによる「二重性」がつきまとう。その否定は、演劇芸術そのものの否定だろう。それはブレッソンにとっても本意ではないように思われる。

しかし、こうした〈演技〉をカメラで撮影した時には問題が生じる。カメラは生身の人間の知覚を遥かに凌駕する「記録能力」（後で改めて触れる）によって、こうした二重性の「濁り」を未来の観客が繰り返し見られるように保存してしまうからだ。この問題を解決するため、カメラの前に立つことに特化した新たな身体が要請される。それがブレッソンが言うところの〈モデル〉である。

俳優なし。
（俳優への演技指導なし。）
配役なし。
（役柄の研究なし。）
演出なし。
では何があるのか。人生のなかから摑み取ってきたモデルを使うこと、これだ。
いかにも見せかけること（俳優）ではなく、在ること（モデル）。
（五頁）［12］

ブレッソンが自身の制作の根幹に据えるのが、〈モデル〉である。モデルは演技による〈見せかけ〉なしに、ただ〈在る〉のだとブレッソンは言う。先述の通り、『覚書』内でモデルは常に俳優と対置されることになるが、本稿ではできる限り「俳優対モデル」という二項対立をつくることも、それによってモデルの優位を示すこともすまいと考えている。舞台上に限れば俳優の魅力をブレッソンも認めているし、逆にモデルは舞台に引っ張り上げられても、ほとんど何の魅力も発さないだろう。ただ、［2］で既に示したようにブレッソンが俳優を〈内部から外部へと向かう運動〉と定義し、モデルを〈外部から内部へと向かう運動〉即ち逆方向のベクトルを有した存在として定義した点には注目しておきたい。モデルは一種の「内向性」を存在の条件とする。それはおそらくブレッソンがモデル選びのために最も重視する点でもある。その内向性を称揚する断章は枚挙に暇がない。

モデル。自分の謎めいた外見の中に閉じこもっている。彼は、外部に存在していた自分のものすべてを自分の内に引き戻してしまった。彼はそこにいる、あの額の後ろ側、あの頬の後ろ側に。（二〇頁）［13］

H（モデル）、彼が私に隠していること、彼はそれを、自分が自分でないかのような印象を彼自身に、あるいは私に作り出そうとして隠しているのではなく、謙虚の心から隠しているのだ。（一九六頁）［14］

モデル。彼のやらない（やろうと思えばやれる）あれらすべての動作によって、美しい。（一五四頁）［15］

モデルは自分自身のうちに閉じこもり、あれもこれもやろうと思えばやれるにもかかわらず、やらない。それは自分を自分以外の誰かとして見せようという意図からではない。モデルは単に〈謙虚〉なのだ。少なくともブレッソンは自分にとってそう見える（聞こえる）男女をシネマトグラフの被写体として選ぼうとしている。この「内向性」が、なぜシネマトグラフにとって重要なのか。一つは自分自身に留まり続けようとするその性質が〈俳優〉の〈演技〉が陥る二重性（自分以外の誰かを演じてしまうこと）を予防するからだ。もう一点を先取りして言うならば、この内向性が〈正確に作用する偶然〉の必要条件であるからだが、今はブレッソンがこうした内向的な〈モデル〉に対して、準備段階から撮影に到るまでどうアプローチするかを見ていこう。

モデル。彼らは君に導かれるのではない。君が彼らに喋らせたりやらせたりするセリフや仕草によって、導かれるのだ。

（八七頁）［16］

〈仕草〉と〈セリフ〉がブレッソンがモデルに課すものである。ブレッソンは自分自身をモデルを導く＝演出する存在とは捉えていない（実際のところ仕草やセリフを与える時点でその違いを見出すことはやはり難しいが）。モデルを導くのは、あくまで彼が課す〈仕草〉と〈セリフ〉である。いかにしてか。

仕草とセリフ

仕草とセリフは、たとえばそれが戯曲の実質をかたちづくるのと同じような仕方では、映画の実質をかたちづくることはできない。そうではなくて、或る映画の実質とは、仕草やセリフが喚起し、君のモデルたちの内に模糊たるかたちで産み出されてゆくこの……事物、これらの事物たちであろう。君のキャメラはそれらを見て、記録する。かくしてわれわれは芝居を演じている俳優たちの複製写真から脱することができるのであり、それと同時に、新たなるエクリチュールとしてのシネマトグラフは発見の方法となるのだ。

（八九頁）［17］

モデル。君は彼に、仕草やセリフを口移しに教える。その代りに彼が君に返してくれるのは（君のキャメラが記録するのは）一つの実質だ。

（四四頁）［18］

これらの断章にはシネマトグラフの、特に撮影現場における原理が圧縮されて示されている。〈仕草〉や〈セリフ〉は〈モデルたちの内に模糊たるかたち〉で、ある〈事物〉を〈喚起する〉。この「喚起された模糊たるかたちの事物」をカメラで〈記録〉することが〈シネマトグラフ〉を〈シネマ（＝演じる俳優たちの複製写真）〉から遠ざけることになる。決定的なのはここで起こる〈喚起〉である。その〈喚起〉されるものを〈モデルのうちに模糊たるかたちで産み出されてゆく事物〉と何度も長々しく呼ぶよりも、[18]に即して、モデルの〈実質〉と呼びたい。では、この〈仕草〉や〈セリフ〉がモデルの〈実質〉を〈喚起する〉ための条件は何か。ある〈訓練〉だ。

> 訓練
>
> 音節を均等化し、故意の個人的効果はすべて除去することをめざす読書訓練を、君のモデルたちに課せ。一律で規則的なものとなったテクスト。ほとんど感知しがたい減速と加速とによって、また、くすんだ声と艶のある声とによって獲得される、誰にも気づかれずに過ぎてゆく表現。音色と速度（音色（タンブル）＝証印、スタンプ）。
>
> （一四八頁）[19]

君が使うモデルたちは、君の映画のアクションの中に放たれるや、すでに二十回も機械的に反復練習している仕草をたちどころに自分にぴったりと馴染んだものとしてしまうだろう。口先だけで覚えて来たセリフは、そこに彼らの精神が参与することなしに、彼らの真の本性に固有の抑揚と歌を見出すだろう。実生活の自動現象を再発見するための方法。(一人ないし何人かの俳優やスターたちの才能を考慮に入れるのはもうやめることだ。重要なのは、君のモデルたちに、そして君が彼らからうまく引き出してゆく未知なるものや未だ汚れを知らぬものに、君がいかにして近づいてゆくか、ということなのだ。)

(九〇―九一頁)[20]

ブレッソンのモデルへの実際の訓練法の詳細は明らかではないが、『覚書』を素直に受け取るならばそれは〈機械的〉であることを目指した〈反復練習〉から成る。〈故意の個人的効果をすべて除去〉してセリフを覚えるよう促し、〈反復練習〉はときに〈二十回〉にも及ぶものである。またここでは、このように〈口先だけで〉覚えることで、〈セリフ〉は〈彼らの精神が参与することなしに〉〈彼らの真の本性に固有の抑揚と歌〉が見いだされる「場」になる、ということは覚えておこう。ひとまず、いくぶん偏執的にも感じられるこうした〈訓練〉の目的を明確にしておく。

君のモデルたちが抱いている意図を根こそぎ抹殺せよ。

(二一頁)[21]

モデル。彼の意識の部分を最小限に減らすこと。彼がもはや彼自身でしかありえなくなり、また有益なこと以外には何一つなしえなくなるような抜き差しならぬ状況をぎりぎりに引き絞ること。

(七四頁)[22]

〈根こそぎ抹殺〉とは穏やかではないが、この〈意図〉への強烈な憎悪こそがブレッソンが俳優と仕事をしない理由だ。ブレッソンは特に初期二作『罪の天使たち』（一九四三）『ブローニュの森の貴婦人たち』（一九四五）においてプロフェッショナルの俳優との仕事を経験し、自身が望むような状態に彼らのセリフや仕草を導くこと、即ち彼らから意図を取り除くことの困難を強烈に感じたようだ（にもかかわらず、これらも間違いなく映画史上の傑作であるということは何度でも言っておきたい）。ブレッソンは『田舎司祭の日記』（一九五〇）以降、モデルとの共同作業に専心する。舞台俳優に比べて遥かに「表現」をしない男女をモデルとして選んだうえで、更に〈もはや彼（女）自身でしかありえなく〉なるほどに〈意識の部分を最小限に減らす〉のに有効な方法として、こうした〈反復練習〉は見いだされただろう。では、この結果として得られたものは何なのかといえば、それは〈誰にも気づかれずに過ぎてゆく表現〉だと言う。……なぜ、そんなものが必要なのか。これを理解するには幾つか段階が要るだろう。まずは〈自動現象〉なるものについてのブレッソンの考えを知る必要がある。そして改めてカメラの特質についても。より深く。

2 自動と自然

いかなる動作も、われわれの内面を露呈させぬようなものはない（モンテーニュ）。しかし、動作がわれわれを露わにするのは、それが自動的な（意識の指令を受けない、故意でない）ものである場合だけだ。

（一八四頁）［23］

ブレッソンはまずモンテーニュの言葉を引用したうえで、そこに注釈を加える。あらゆる〈動作〉が人の内面を露わにする、わけではない。意図を〈根こそぎ抹殺〉したときにのみ、人の〈動作〉は自動性に達し、その人の〈内面〉が露わになる場となる。身体のあらゆる動きは、それが自動化されている限りにおいて、我々の内面に通ずる窓のようなものであり得る、とブレッソンは考えている。彼自身は〈自動現象〉について、以下のような考えを述べる。

> 自動現象（オートマティスム）について
>
> われわれの動作はその九割までが習慣や自動現象に従っている。それらを意志や思考に従属させるのは、反＝自然的なことだ。（三二頁）[24]

仮にブレッソンの考える通りだとして、彼がモデルを〈自動現象〉へと至らせ、その〈反＝自然〉性を排さなくてはならないのはなぜか。〈自然〉こそがシネマトグラフの素材だからである。

> 君は一つの芸術を作る、いかなる芸術からも閉め出された、とりわけ演劇芸術から閉め出された自然の諸存在・諸事物をもって。（九七頁）[25]

> 君の天才とは、自然を贋造すること（俳優、舞台装置）にあるのではなく、機械によって自然から直接に切り取ってきた破片を選択し配列する、君だけのやり方にある。（一一六頁）[26]

これらの断章において、シネマトグラフの構成要素は〈自然〉と言明される。〈自然〉を〈機械〉即ちカメラと録音機によって切り出し、その〈破片〉を配列することでシネマトグラフは可能になるのだ(後半で詳しく見ていく)。〈自然〉は目の前の「現実」と同一視したくなるかもしれないが、単なる「現実」とは異なる。ここで改めて生身の現実でもあるはずの俳優が参入できない理由もより明瞭になる。彼らが〈自然〉のままでおらず、〈自然らしく〉あろうとするからだ。

……自然らしさは欠いていないが、自然そのものを欠いている。――シャトーブリヤン

自然――劇芸術が、訓練によって習得され保持される自然らしさを得ようとして、その代わりに消滅させてしまったもの。(一〇頁)[27]

人生をコピーし、研究しつくした感情を敷き写しになぞる演劇のこの自然らしさのトーンほど、映画において偽りのものはほかにない。(一一頁)[28]

或る身振りをしたり或るセリフを喋ったりするうえで、あんなふうにするよりもこんなふうにした方がより自然らしい、より真実味があると考えるのは馬鹿気ており、シネマトグラフにおいては意味をなさぬことだ。(一一頁)[29]

俳優の〈自然らしさ〉への志向、即ち〈或る身振りをしたり或るセリフを喋ったりするうえで、あんなふうにするよりもこんなふうにした方がより自然らしい、より真実味があると考える〉ことこそ〈内部から外部へと向かう運動〉即ち〈意図〉である。〈意図〉を持った俳優の演技をカメラで撮影した時、シネマトグラフは成立しない。俳優の演技には〈自然〉はもはやなく、それとは似て非なる〈自然らしさ〉しか残っていないからだ。図式化するならば「動作－意図＝自動現象」であり、〈自動現象〉に達することでモデルは〈自然〉の一部に留まる。そもそも意図をより少なく持ったモデルを選び、更にその意図を極限まで削ぎ落とすことが彼がシネマトグラフの素材＝〈自然〉を手に入れるために必須の作業となる。では訓練を経たモデルたちが撮影現場で、カメラの前に立ってある〈仕草〉を為し、〈セリフ〉を発するとき、何が起こるのか。ここには二つの次元がある。〈仕草〉や〈セリフ〉の為される場としての「身体」及びその周囲において起きること、またそれを写す記録機械の「カメラ」の側で起きることだ。ただ、その二つの次元の『覚書』における叙述はそれぞれに問題含みである。カメラの側で生じる事態から見ておこう。まず、カメラの力を記したのは以下の断章だ。

> いかなる肉眼にも捉えられぬもの、いかなる鉛筆、筆、ペンによっても固定できぬもの、君のキャメラはそうしたものを、それが何かわからぬままに捉え、機械特有の細心綿密な無関心によって固定する。
>
> （三八頁）［30］

カメラは人間的・生物的な興味関心に基づかない〈機械特有な細心綿密な無関心〉によって、〈いかなる肉眼にも捉えられ〉ることのないものを記録する。ここまではいい。カメラとはまさにそういうものであることに異論を挟む者はいないだろう。では身体がカメラに捉えられるとき、何が起こるのか。

> 君のキャメラは捉える——鉛筆や筆やペンによっては捉えがたい様々な物理的運動のみならず、君のキャメラなしでは表に現われない諸々の徴候から見分けられる或る魂の状態もまた。（一四六—一四七頁）[31]

ここが分かれ目になる。カメラはそれなくしては表面化し得ない身体に生じる〈諸々の徴候〉を通じて、〈或る魂の状態〉までも見分けられるように被写体を捉える、とさえブレッソンは言うのだ。危うい。哲学的にも宗教的にも様々な含意がある「魂」という言葉を扱うのは、筆者の能力の限界を超えてはいる。それでも「魂」という言葉遣いには一般的に、単なる「精神」を超えて身体が滅した後も存続するある種の「永遠性」といった含みがあり、それゆえに神性や霊性のニュアンスが紛れ込んでくることも往々にしてある、とは言えるだろう。『覚書』には、この断章に限らず〈魂〉という語が幾度も使用される。それは我々が日常で使うような、ごく穏当な使用も含む。ただ、仮にその「魂」をカメラが捉えられるとまで言うのであれば、それは所在の確定できないものを「在る」と言うことであり、「見えないものが見える」と言うことでもある。仮に「見えないものが見える」と言うならば、それは「不在」や「見えなさ」にアクセスする能力を誇ることで、無限に権威を汲み出す預言者やある種の宗教の司祭のように振る舞うこととも通じる。危うい、というのはその点だ。〈魂〉という語の多用は『覚書』の神秘性・オカルト性を最も印象づけるものであるだろう。

身体の側で生じる事態も見ておこう。

モデルたちが自動的に動くようになり（すべてを計測し、重さを量り、時間をきっちり定め、十回も二十回も繰り返しリハーサルすることによって）、そのうえで君の映画の諸事件のただなかに放たれるならば、彼らを取り巻いている様々な人物やオブジェと彼らとの関係は正しいものとなるだろう、というのも、それらの関係は思考を経たものではないからだ。（三二―三三頁）［32］

モデル。肉体行動の中に投げこまれると、彼の声は、均等な音節から出発しながら、彼の真の本性に固有の抑揚や高低の変化を自動的に帯びるようになる。（四五頁）［33］

正しい抑揚――そこに君のモデルがいかなるコントロールも働かせていないとき。（一一一頁）［34］

身体の側で起きることとは、ある「正しさ」の自動的獲得である。モデルを取り囲む人物・事物との〈関係〉の正しさや、声に宿る（モデルの本性に由来する）〈抑揚〉の正しさが自動的に生じるとブレッソンは言う。ただ、この場でその「正しさ」とは何かを言い定めることはできない。ここまで読まれて既にそう感じていた人もいるかも知れないが、これは言葉を辞書で調べているときに発生するトートロジー的状況と酷似している。ある言葉を定義するために持ち出された別の言葉が、それが定義するところの言葉によって定義されており、同じ幾つかのページを堂々巡りさせられる状況に近い。「自然－自動－正しさ」や、その裏面としての「自然らしさ－意図－虚偽」と言った言葉遣いは互いに互いを説明したり、排除し合うけれども、実のところ『覚書』からそれらの具体を知ることはできない。そして、ただ読むのみでその具体を知り得ないのは、〈魂〉という語の使用においても実は同様なのだ。

今や行論は二つの理由で行き詰まる。一つは言葉そのものの神秘性のために。もう一つは言葉たちの堂々巡りのために。ここで遂に、我々は『覚書』を読むことから一旦抜け出て、ブレッソンの実践に目を向けなくてはならない。『シネマトグラフ覚書』は、ロベール・ブレッソンによるシネマトグラフの「実践」につれて編み出された言葉であったという事実を常に心に留めておく必要がある。それは空理空論では一切なく、たえず現場の実作業とともにあった。それが神秘的な言葉遣いに留まるとしたら、それは彼が現場で体験したできごとの言葉にし難さに由来している。これから試みるのも言語化作業に他ならない以上、むしろより一層の困難に直面するかも知れないが、筆者には手がかりを提供してくれる人物に心当たりがある。『ジャンヌ・ダルク裁判』（一九六二）のモデル、フロランス・ドゥレだ。ちなみに『ジャンヌ・ダルク裁判』は『覚書』の中で唯一言及されるブレッソンの作品でもある。

芝居がかった身振りや大袈裟な扮装の出てくる歴史物の映画は願い下げだ（『ジャンヌ・ダルク裁判』において、私は、わざとらしい「芝居」も「仮装」もなしに、ただ歴史的な言葉遣いによって非歴史的な真実を発見しようと試みた）。

（一八〇頁）［35］

3 ジャンヌ・ダルクとフロランス・ドゥレ

『ジャンヌ・ダルク裁判』においては〈ただ歴史的な言葉遣いによって非歴史的な真実を発見しようと試みた〉とブレッソンは自身の挑戦を語る。無論ここで言う〈非歴史的な真実〉とは〈シネマトグラフの真実〉に他ならない。インタビュー集『彼自身によるロベール・ブレッソン』（角井誠訳、法政大学出版局、二〇一九年）の中でも、彼はこの映画に取り組んだ理由を、ジャンヌ・ダルクの処刑裁判記録の「原本」を読んで、彼女の受け答えから強い感銘を受けたことだと語っている。彼はとりわけジャンヌの〈言葉遣い〉の優美さに驚き、彼女がその言葉によって彼女自身の「肖像画」を描いてみせたと言う。ブレッソンはその裁判記録原本から繰り返しの冗長さを取り除いて凝縮を試み、一方でできる限りジャンヌ自身の言葉遣いを守りながら、その裁判記録を映画の〈セリフ〉として精錬していった。撮影現場においてブレッソンは〈モデル〉であるフロランス・ドゥレにこの「ジャンヌ自身の言葉」を与えることで、彼女の〈実質〉を〈喚起〉しようとしたと言える。囚われの状況下においても可能な、極めて限定された〈仕草〉をともに課しながら。

『ジャンヌ・ダルク裁判』冒頭、コーション司教たちによるジャンヌ・ダルクへの最初の審問の場面を、〈セリフ〉と、ある〈仕草〉に注目しながら、見てみよう。以下にセリフと最低限の身振りの書き起こしを付すが、「地図」のように活用するに留めて、できる限り実際の映像をご覧いただきたい。（本作のセリフの引用は角井誠氏にあらたに訳出いただいた。なお、「〜向け」という表記は、ショットごとにカメラが主に向けられている人物・対象を指す。）

ショット①：ジャンヌ向け

コーション（声）「洗礼はどこで受けたのか？」
ジャンヌ「（座るや否や目線を上げて）ドンレミの教会です（目線を下げる）」(a)
コーション（声）「誰から信仰を授かった？」
ジャンヌ「（目線を上げて）母から「主の祈り」「アヴェ・マリアの祈り」「使徒信条」を教わりました（目線を下げる）」(b)
コーション（声）「「主の祈り」を唱えてみよ」
ジャンヌ「（目線を上げて）告解の許可を。告解の時に唱えましょう（目線を下げる）」(c)
コーション（声）「実家では何をしていたのか？」
ジャンヌ「（目線を上げて）家事をしていました。羊や他の家畜を牧場に連れて行くことはありませんでした（目線を下げる）」(d)
コーション（声）「何か仕事を教わったか？」
ジャンヌ「（目線を上げて）はい。紡いだり縫ったりすることを」(e)
コーション（声）「なるほど」
ショット②：コーション向け
コーション「（立ち上がりながら）余、司教は、ジャンヌに対し、ルーアン城の定められた牢の外に出ることを禁ずる」
ショット③：ジャンヌ向け
ジャンヌ「（立ち上がって、胸を反らせて、まっすぐ前方を見て）承知できません」

コーション（声）「そなたは以前、別の場所で、何度も脱走を図っているではないか」
ジャンヌ「（前を見たまま）あらゆる囚人にとっての権利ですから（言い終わるや否や背を向け去る）」

実に簡潔なセリフのやり取りだが、ここで指摘したいのはジャンヌ・ダルク＝フロランス・ドゥレが各セリフ(a)〜(e)を発する際に行う「目線の上げ下げ」と、その規則性だ。セリフを言う前に目線を上げる。相手を見てセリフを言う。言い終えたら目線を下げる。それが繰り返される。この「目線の上げ下げ」は果たして指示されたものか、自発的なものか。セリフの始めと終わりに即して繰り返されるこの微細な身振りについて、ここまでブレッソンの考えを追ってきた我々はこれが彼の指示（直接・間接にかかわらず）から生じる〈仕草〉であると確信できる。言葉で直接にそう指示されたかはわからない。しかし、フロランス・ドゥレが「目線を上げ、セリフを言って、また下げる」という〈仕草〉を身体化しているのは明らかだ。こう断言まですするのは実のところ、この「目線の上げ下げ」はこの場面に限定されたものではなく、中後期のブレッソン作品に一貫して見られる身振りだからだ。『ジャンヌ・ダルク裁判』の前作に当たる『スリ』（一九五九）から最後から二番目の作品『たぶん悪魔が』（一九七七）に至るまで、こうした発話に伴う「目線の上げ下げ」は特に人物二人の対話においては頻繁に確認される。上述の場面の後半（ショット③）にあるような「大きめの動き（立ち上がり、立ち去り）」が指示されているであろう場合にはこの「目線の上げ下げ」は現れないが、人物たちが大きく動くことなく向き合って話す局面においては多くの場合、それが起きる。「セリフごとの、目線の上げ下げ」はブレッソンのモデルたちが遂行する最も微小かつ基本的な〈仕草〉となっていると言ってよい。
だが、特にこの場面のフロランス・ドゥレに関して特筆しておくべきは、彼女のこのルールに対する尋常ならざる「従順さ」である。彼女は必ずセリフを言う前に、目線を上げる。この運動の終止点が、そのままセリフの開始点と重なる。この場面にはそうした動作と発話のリレーが目に見える形で存在するからこそ、筆者もそれに気づくことができた。そして、ここまで律儀に「ひとセリフごとの、目線の上げ下げ」を遂行するモデルはフィルモグラフィ全体を通じても彼女の他にはいない。とは言え、この「従順さ」は一本の映画を通じて保持されるものでもない。少し後の審問の場面を見てみよう。ここでもやはり、「目線の上げ下げ」は確認できるが、様子が異なる。以降の引用では、ジャンヌのセリフにはフランス語も付したうえで、彼女が目線を上げきった後に発する語を太字にしている。このことで彼女がセリフのどのタイミングで目線を上げているか、おおよその見当がつくだろう。以下、場面途中から引用する。

ショット①：コーション向け
コーション「啓示が神によるものであるという証拠を挙げてみよ」
ショット②：ジャンヌ向け
ジャンヌ「どうぞ私を信じてください（Croyez-moi **si** vous voulez.）」
審問官（声）「初めて王に謁見した時、王の頭上に天使はいたか？」
ジャンヌ「いらっしゃったかはわかりません。私には見えませんでした（S'il y était, je ne sais pas. **Je** ne l'ai pas vu.）」
審問官（声）「何か光明や光は見えたか？」
ジャンヌ「多くの光が。五十本以上もの松明が。（Beaucoup de lumière. Plus de cinquante torches.）あら

ゆる光があなただけに向けられているわけではありません（Toute lumière ne vient pas que pour **vous.**)」
審問官（声）「いかにして王はそなたの言葉に信を置くようになったのか？」
ジャンヌ「王は、私を信じるようになる前に、あるしるしを得ていました（Mon roi a eu un **signe** avant de me croire.)」
コーション（声）「どのようなしるしを？」
ジャンヌ「次の質問を。私には申しあげられません（Passez outre, **je** ne vous le dirai pas.)」
ショット③：コーション向け
コーション「そなたは剣を身につけていたな。どこで手に入れた？」
ショット④：ジャンヌ向け
ジャンヌ「（目線は既に上げている）ヴォークルールです（**Je** l'avais prise à Vaucouleurs.)」
コーション（声）「他にも剣はあるか？」
ジャンヌ「サント・カトリーヌ・ド・フィエルボワの教会の、祭壇の後ろにある剣を探させたこともありました（J'avais fait chercher une épée dans l'église de Sainte-**Catherine**-de-Fierbois, derrière l'autel.)」
ショット⑤：コーション向け
コーション「どうして剣がそこにあると？」
ジャンヌ（声）「剣は地中で、錆びついていて——（Elle était dans la terre, rouillée.)」
ショット⑥：ジャンヌ向け

ジャンヌ「十字が五つ刻まれていました。剣の存在は声から教わりました（et il y avait dessus cinq croix. Je le savais par **mes voix**.）」

審問官（声）「剣にどのような祝福を授けさせたか？」

ジャンヌ「いかなる祝福も（Aucune **bénédiction**.）」

審問官（声）「武運をもたらすよう、剣を祭壇に供えたのではないか？」

ジャンヌ「いいえ（**Non**.）」

審問官（声）「剣と軍旗、どちらの方が好きであったか？」

ジャンヌ「軍旗の方がずっと、四十倍も好きでした（**J'aimais** beaucoup plus, voire quarante fois, mon étendard.）」（f）

この場面で注目したいことは二点ある。冒頭と異なりこの場面では、目線上げの運動の終止点は、セリフの開始点とはほとんど一致しない。目線下げは一応、セリフを言い終わった後に行われるので、そこに一種の規則性を見出すことは未だ可能だけれども、明らかに規則には乱れが生じている。目線を上げながらセリフを発することもあれば、セリフをある程度発してから（途中で）目を上げることもある。この規則の乱れ＝目線上げの遅れが何であるのかの検討は、少し先に譲ろう。もう一点、ここで指摘しておきたいのは「軍旗の方がずっと、四十倍も好きでした」というセリフ（f）とともに浮かんだ、ほとんど視認できないぐらいの口角の上がり、つまりは「笑み」である。実に些細な、口の端に生じた運動がここにはある。初見時は気のせいのようにも思われたが、何度も見てみれば「口角は上がっている」と間違いなく言えるようになる。この微笑と呼ぶことさえ躊躇されるような「笑みらしきもの」、それを自分自身の表情の上に再現しようと試みる者は、一つの事実に気づくことができる。かくも些細な動きを、意図によって再現することはできない。口角は意図して上げようとしてみれば、簡単にこのジャンヌ・ダルク-フロランス・ドゥレのそれよりも上の位置まで上がってきてしまう。この「口角の上がり」は意図して浮かべた微笑と言うより、このテキストを与えられ、この状況の中に投げ込まれたジャンヌ-フロランスの顔の上に生じた「自然発生的な笑み」と言うべきものだ。何かが起き始めている。更に進んで映画の中盤を見てみよう。ジャンヌの審問は進行し、舞台は彼女が幽閉されている部屋へと移っている。審問が進んだところで、ジャンヌの前にコーションが現れる。

ショット①：コーション向け
コーション「（階段を降りながら）冠はそなたの手にあったのか？」
ショット②：ジャンヌ向け
ジャンヌ「いいえ（**Non.**）」
審問官1（声）「冠をもたらした天使は空から来たのか？　それとも地上からか？」
ジャンヌ「空からです。主の命令でおいでになったのです（De haut. Je veux dire qu'il venait **par** le commandement de Notre-Seigneur.）」
審問官1（声）「扉からは歩いてきたのか？」
ジャンヌ「歩いておられました（Il **marchait.**）」
ショット③：コーション向け

コーション「（椅子に座る）王と同席した全員が天使を目撃したのか？」

ショット④：ジャンヌ向け

ジャンヌ「大司教と他の数名はご覧になったと思います。聖職者のなかには、天使は見えなかったが、冠なら見えたという者が何人もいました（Je pense que l'archevêque et quelques autres l'ont vu. La couronne, plusieurs gens d'Église l'ont vue, **qui** n'ont pas vu l'ange.）」

審問官1（声）「天使はどのように去ったか。そなたが覚えたのは悦びか、それとも恐れか？」

ジャンヌ「恐れはありません。（**Pas** effrayée. 目線を下げる）私も共に行ってしまいたかった。つまり私の魂も（Je serais bien allée avec lui, je veux dire **mon âme**.）」(g)

ショット⑤：コーション向け

コーション「神が天使を遣わしたのは、そなたの功績ゆえか？」

ショット⑥：ジャンヌ向け

コーション（声）「なぜ他の者でなく、そなたの元に？」

ジャンヌ「素朴な娘を仲立ちとすることが神の思し召しだったのです（Il plut à Dieu de faire ainsi par l'intermédiaire d'une **simple** fille.）」

ショット⑦：審問官1向け

審問官1「天使がどこで冠を得たかは聞いているか？」

ショット⑧：ジャンヌ向け

ジャンヌ「神がご存じです。私は存じません（Je m'en **rapporte** à Dieu. Je ne sais où.）」

審問官1（声）「冠はよい匂いがしたか？ 魅惑的であったか？」

ジャンヌ「……（目線は上げるが答えない。無言の口元に僅少の笑みが浮かぶ。目線を下げる）」（h）

審問官2（声）「なくなった手袋と茶碗を見つけたと噂されているが、この件について知っていることは？」

ジャンヌ「何も存じません（**Rien.**）」

ショット⑨：審問官2向け

審問官2「（目線を紙に落として）幽閉されていたボールヴォワールの塔から飛び降りた際、自殺を考えていたのか？（Quand vous avez sauté de la tour de Beaurevoir, où vous étiez prisonnière, pensiez-vous **vous** tuer ?）」（i）

ショット⑩：ジャンヌ向け

ジャンヌ「いいえ。飛び降りて逃げれば、イギリス人に引き渡されずに済むと思っていました（Non. Je croyais en sautant m'échapper **sans** être livrée aux Anglais.）」

審問官2（声）「イギリス人に引き渡されるよりも死ぬ方がよいと言わなかったか？」

ジャンヌ「イギリス人の手に落ちるよりも、神に魂をお返ししたいと思います（J'aimerais mieux rendre l'âme à Dieu que d'être dans la **main** des Anglais.）」

ショット⑪：審問官2向け

審問官2「意識を取り戻し喋れるようになった時、神を冒瀆したのではないか？」

ショット⑫：ジャンヌ向け

ジャンヌ「話を伝えた人々が誤解したのです（Ceux qui **l'ont** rapporté ont mal entendu.）」

審問官2（声）「聖女カトリーヌとマルグリットが現れる時には、いつも光明があったか？」
ジャンヌ「声の名の下に光明が訪れます（Au nom de **la voix** vient la clarté.）」(j)
審問官2（声）「この城で声を聞いた際には、光明は見えなかったのか？　そなたの部屋でもか？」
ジャンヌ「声は聞きましたが、光明も聖女カトリーヌとマルグリットのお姿も見た覚えはありません（J'ai entendu la voix, mais je n'ai pas souvenir d'avoir vu **la clarté**, ni même d'avoir vu sainte Catherine ou sainte Marguerite.）」

前に挙げた場面と同様、この場面でもやはり目線上げのタイミングはセリフの開始点に対して一貫しない。セリフをしばらく口にしてから目線を上げたり、セリフの言い始めとともに上げたりしている。そして、ここでも先に指摘したのと近似した運動が生じる。「冠はよい匂いがしたか？　魅惑的であったか？」という（天使が実は悪魔なのではないかという含意の）質問を受けた後の(h)とした箇所において、彼女は鋭く目線を上げた上で、沈黙を保つ。ただ、ここでも実に僅かな「口角上がり」が生じる。そして沈黙のまま目線を下げる。目線を下げたあともごく微妙な口角の上がりは保たれているように感じる。感じる以外はないほどあるかなきかの「笑み」がここでは生じている。このごく微小な運動において表現されているものは愚問を発する審問官に対する嘲りだろうか。自身は神の真実に触れたことがあるがゆえの哀れみだろうか。何であれこの沈黙と「笑み」は、彼女の倍以上は生きているであろう大人の男どもに囲まれたこの少女に「威厳」を与えるのに十分なものだ。
彼女の身に何が起きているのか。天使が去った際の心理を「悦びか、それとも恐れか？」と問われたジャンヌヌが「恐れはありません。私も共に行ってしまいたかった。つまり私の魂も」と返す瞬間(g)に、端的に表れている。彼女はまず「恐れはありません(Pas effrayée.)」と言い終えた直後に目線を下げる。そして目線を下げたまま「私も共に行ってしまいたかった(Je serais bien allée avec lui)」と続けたのち、「つまり(je veux dire)」とさらに言葉を継ぐところで目を上げ始める。目を上げきって前を向き「私の魂も(mon âme)」という語を発するこのとき、彼女の声にはより多くの呼気が含まれ、そこには密やか且つあからさまな「恍惚」が宿る。その後の「光明が訪れます(vient la clarté)」というセリフ(j)においても事態は同様だ。

ここに生じている事態は何であるのか。「目線を下げる」ということが実生活で持つ意味へと立ち戻りつつ、筆者の考えを述べておきたい。自分が目線を上げていて、かつ相手もこちらを向いて目線を上げているとき、つまりは「目と目が合っている」とき、この視線の一致が少なからず互いを結びあわせてしまうことを誰でも体験的に知っている。私たちは目を合わせるとき、相手との交流関係に否応なく入ってしまう。逆に「目線を下げる」ことは、そうした外界との交流関係から——完全に離脱するとは言わないまでも——過度に影響を受けることを防ぐ方法となる。目線を下げることで周囲の関係性及びその影響から自分を束の間、切り離す。一種の「閉域」をつくりだすとも言える。

では、その「閉域」では何が起きているのか。ヒントを与えてくれるのは、ジャンヌを問い質すコーション司教や他の審問官たちだ。彼らもまた目線を上げ下げする。先ほど触れた場面の(i)でも審問官の一人が、手元の紙に目を落としたのち、質問をしつつ目線を上げていた。審問時に彼らが目線を下げるのは手元の資料を確認するためだ。紙の上で確認した言葉を携えて彼らは目を上げ、彼女に向けて(時に悪意の感じられる)その言葉を放つ。ジャンヌ＝フロランスがやっているのもまさにこれではないのか。彼女は目線を下げて、自分自身に与えられたテキストを見ている。彼女の場合は勿論、テキストは実体としては目線の先に存在していない。ただ予め、彼女の精神には与えられている。ジャンヌには神の啓示を通じて。そして、フロランスには特殊な〈読書訓練〉を介して。

目線を下げることで、ジャンヌ-フロランスは外界（コーション司教ら）からの影響を受けつつも、この内なるテキストとより強い交流関係に入る。この内なるテキストと彼女の間に起こる交流の場こそが「閉域」の正体でもある。そこは「安全地帯」とさえ言ってもいいかも知れない。テキストが彼女に「次に何を言うべきか」、常に指示するからだ。ジャンヌが言うべきことは神の啓示に沿って必然的に生じるし、フロランスは実際の裁判記録を基にブレッソンが再構築したテキストを、〈反復練習〉を通じて諳んじている（このとき神-ジャンヌの関係と、ブレッソン-フロランスの関係は相似的な対応を為していることに人は気づく）。この「閉域」はいつでも、彼女をテキストとの安定的な関係へと立ち返らせる。

彼女は目線を下げ、テキストを想像上で視認して保持し、目を上げてそれを相手に向けて放つ。それを繰り返しているとあるとき、不図、目をあげられなくなる。それは内なるテキストに捕われる瞬間かもしれないが、彼女自身がテキストと交流関係に入り、テキストを「玩味」するようになる事態でもある。彼女はこの玩味によって、口にしようとしているテキストのニュアンスを単なる意味内容としてではなく、まさに「味」のように身体的に理解することになる。悪意とともに問いを投げかけられているその只中で、「今」このテキストを返答として口にすることの意義と正当性が、彼女の身体に染み渡ってゆく。彼女の身体は束の間、この「味わい」に留まり続けたいという欲望と「目線を上げる」という習慣化した自動運動の相争う場となるだろう。この相剋が彼女の目線を上げるタイミングに微妙な綾を加え、ときに大いに遅らせる。だが彼女がいずれ目線を上げたとして、これは単に習慣が勝利したことを意味しない。言葉と、自分の身体と、それが置かれた状況との関わり、そのすべてから受け取るべきものを彼女が汲み尽くした瞬間に「それ」は起こる。彼女の口から出てくるセリフ即ち〈声〉と〈抑揚〉が、テキスト及び状況に対する身体的理解の発露となるのだ。「私の魂（mon âme）」や「光明（la clarté）」と口にされるそのとき、その声が確かに「恍惚」を含んでいると聞く者に直感されるのは、（神の啓示を源泉とする）あるテキストを玩味した結果生じた、その身体反応をそのまま彼女が呈示するためだ。ただ、これまで見てきたようにこの〈動作〉や〈声〉における身体反応は、常に極小のもので、見聞きする者の知覚の網の目を大いにすり抜ける。つまり〈誰にも気づかれずに過ぎてゆく表現〉なのだ。

　それだけではない。まったく同時に、それは意志によって制御・保持するのが不可能なほど小さいという点で、意図によらず〈自動的〉に「生じた」ものであることを見聞きする者に確信させるのだ。まだある。単に〈自動的〉であるのみでなく、この微小な現象はその再現不可能性において「今」という時間と「ここ」という空間に固有性をしるしづける〈偶然〉の生起でもあるのだ……。

　さあ、得たものを携えて、少しずつ『覚書』に帰ってゆこう。

4　魂＝肉体

『ジャンヌ・ダルク裁判』内の指摘した箇所で起きている現象は以下のように言い換えられる。ブレッソンは〈仕草〉や〈セリフ〉を、意図を削ぎ落とすための〈反復練習〉を課したうえで、モデルにカメラの前で実行させる。〈意図〉が削ぎ落とされているならば当然、それらの〈仕草〉や〈セリフ〉は精神的空白地帯として在る。ここが〈偶然〉を呼び込むために予め空けておいた〈余地〉と呼ばれたものとなる。では、〈仕草〉や〈セリフ〉の最中にこの〈余地〉を占めることになる〈偶然〉とは何か。〈意図〉が削ぎ落とされているがゆえに、与えられたテキスト（セリフであれト書きであれ、書かれたものであれ口述されたものであれ）と周囲の影響力が総合的に働く場として、モデルは自らの身体を明け渡す。そこに最も直接的かつ大きな作用を及ぼすものは何か。まさに諸力が働くその場所だろう。つまりは身体そのもの、しかもその抑制なきリアクションだ。諸力の影響が総合され、その結果が身体上に発現するとき、最も強く表現されるものは何よりモデル自身、その〈実質〉なのだ。モデルの〈実質〉こそが〈セリフ〉や〈仕草〉という空白地を訪う〈偶然〉となる。それは〈自動現象〉として否応なく、かつ出来事の必然に沿って過不足なく現れる身体反応でもある。その具体は既に『ジャンヌ・ダルク裁判』において見たような〈動作〉や〈声の抑揚〉だ。我々はフロランス・ドゥレの威厳と恍惚に、その身体の〈真の本性に固有の抑揚と歌〉と呼んだものを見出す。もはやこの現象を〈正確に作用する偶然〉と呼ぶことに迷いはない。だが、それらは極めて小さい。

ここでブレッソンが〈魂〉と呼んでいるものの正体も明らかになる。［31］によれば〈諸々の徴候〉から〈或る魂の状態〉は見分けられるのだった。身体上に生じるのは〈徴候〉としか呼び得ないほどの、微小な運動だ。ここに〈意図〉や〈思考〉はないことを、その微小さ自体が確信させる。この〈意図〉や〈思考〉の痕跡を持たない、知性とは無縁な運動こそ、ブレッソンが〈魂〉と名指すものへと通じている。身体の極小の動作を感知する際に必ずまったく同時に、それに張りついたある「精神活動」が感得される。実のところ、先に「恍惚」「笑み」「威厳」と呼んだものも、必ずしもそのように言語化されるのに十分ではないような、未然の

〈動作〉及び〈声の抑揚〉なのだ。〈魂〉は常に、身体の運動を通じてのみ現れる。いや、むしろこの〈魂〉はもはや、〈肉体〉の運動とほとんど相違ないものとしてある。

　モンテーニュ――魂の運動は、肉体のそれと同じ進み方で生まれる。

（五二頁）［36］

ブレッソンは、ここでのモンテーニュの言葉に注釈を差し挟むことはしない。〈運動〉は、〈肉体〉と〈魂〉において〈同じ進み方〉で生まれる。そこでは〈動作〉や〈声の抑揚〉が、無媒介的にその身体の〈内部〉で起きていることのしるし＝〈徴候〉となる。それらの〈徴候〉はどれだけ微小ではあっても、目に見える具体的な運動なのだ。だからこそ〈キャメラなしでは表に現われない〉。カメラの〈細心綿密な〉記録能力のみが、この身体の微小な運動を常に捉えることができる。

〈正確に作用する偶然〉が訪れるそのとき、カメラが〈或る魂の状態〉まで捉えるというブレッソンの断言に何ら誇張は含まれない。身体のあらゆる動きは、それが自動化されている限りにおいて、我々の内面へと通ずる窓のようなものであり得る。そこでは魂が肉化されていると言えるかも知れないし、全くその逆が言い得るかもしれない。このときカメラはその記録能力に即して必然的にその通り路の一端を担う。ここで、俳優の持つ〈意図〉がカメラに対してなぜ相性が悪いのか、その詳細も明らかになる。〈意図〉はカメラにとって、いわばモデルの〈魂〉への通り路の遮蔽物となるからだ。〈意図〉した身振りを写すことによっては、カメラは本来ならばそこまで至るはずの〈魂〉へと辿り着くことができない（身振りとカメラの関係は、声と録音機の関係と対応する）。

筆者自身は、ジャンヌ＝フロランスの「目線の上げ下げ」に注視することでようやく、シネマトグラフの映画においてモデルに生起している事態にアクセスするための一つの「パス」を得たような思いがした。自分と彼女の間に通路が開かれたようだった。身体の〈動作〉や〈声〉を通じて、彼女の〈内部〉で波を打っている出来事が、自分の内側までそのまま流れ込んでくるような感覚を覚えた。一つ一つのセリフの開始点から目線を上げるまでのタイミングの綾が、彼女とテキストが結んでいる関係を仔細に教えてくれる。先に指摘した微小な〈動作〉や〈声の抑揚〉すらかろうじて言語化できるレベルに達した特異点なのであり、それ未満の〈運動〉が絶えることなくジャンヌ・ダルクの言葉を口にする彼女の肉体＝魂には生じているのが知れた。それまではブレッソン作品の中でも特に平板に思えていたジャンヌ・ダルク＝フロランス・ドゥレの受け答えが、むしろ屈指のダイナミズムを伴っていたことに初めて気づかされた。現在筆者は、フロランス・ドゥレこそが最も理想的にブレッソンの「モデル」を体現した存在であるとも確信している。

表現のどれ一つとして明瞭なものはない。それらはすぐに消え去ってしまう。目の端に残像が、耳の奥に残響がごく僅かに、けれど強烈に残っているような感覚のみを持つ。その強度は、そこで正確に彼女の〈実質〉がその〈動作〉と〈声〉に現れていることで得られたものだ。

一度気づいてしまったら、観客はフロランス・ドゥレの身体において生じている「威厳」や「恍惚」を、驚きと共に見聞きし続けるしかない。なぜなら彼女はジャンヌ・ダルクではないからだ。ジャンヌ・ダルクがどうであったかは保留しても、フロランス・ドゥレが天使に会っていないことは確実なのだから、我々はここで再演されたのではない威厳や恍惚の「現前」を前にして驚くほかない。それが彼女の狂気に由来するのでないことはその十分な小ささから確信できる。ここで起きていることはジャンヌ・ダルクの憑依や顕現とはまったく異なる事態である。ここでは「ジャンヌ・ダルク」という固有名詞は頭から一旦捨ててしまうのがよい。テキストが「裁判記録」であるとは言っても、それはどこまでも真偽判定不能な「あるテキスト」でしかない。フロランス・ドゥレはジャンヌ・ダルクを「的確に再現」しているのではまったくない。ここで起きている事態はあくまで、「今・ここ」では「これ以外に有り得ない」と見聞きする者に直観させるほどの水準で、彼女の身体があるテキストを発声している、ということだ。「このセリフは、まさしくこのように言われるほかなかったし、言われなくてはならなかった」とブレッソンは、モデルの具体的な〈声〉及び〈抑揚〉によって知らされる。

ただ……、付言しておきたい。この事態が我々を不思議な心持ちへと誘うことは否定し難い。厳密には真偽が判定不能とは言ったものの、ブレッソンが参考にした「裁判記録原本」は、歴史上の実在が疑われてはいないジャンヌ・ダルクという人物の言葉をその淵源として持っている。「その言葉に最も相応しい受肉」が達成されているのだから、やはりフロランス・ドゥレはこの瞬間に「ジャンヌ・ダルクとの一致を生きている」と言ってしまいたくもなる。実際、大人たちを相手取って一切言質を取らせることはない彼女の受け答えの聡明さは驚くほかはない。一方で、受け答えの簡潔さは「素朴な少女」の素朴さをそのまま表現している。この聡明さと素朴さの両立を、フロランス・ドゥレは何ら説明的な仕方でなく体現している。裁判記録を編集しつつ〈セリフ〉として精錬したブレッソンこそが、彼女の身体に起こることを深い驚きとともに見ていただろう。そのときブレッソンは、これらの言葉がまさにジャンヌ当人のものであったことを確信したのではないか。また自らの作業の確かさを密かに誇らしく思ったのではないか（ブレッソンはインタビューの場で、ジャンヌ・ダルク研究の権威による「彼女自身によるジャンヌ」という映画への評言を、誇らしさを隠さずに引用している）。ブレッソンもフロランス・ドゥレも「ジャンヌ・ダルクの魂の肖像画を描く」と呼んだ自分たちの仕事をこの上なく見事に遂行している。ただ「脱-神秘化」を標榜する本稿では、それは筆者の個人的に得た感触として書きつけておくに留める。

モデルの身体が魂の窓と化す瞬間へと戻ろう。そのとき「このセリフは、まさしくこのように言われるほかなかったし、言われなくてはならなかった」という覚知が生じる。しかしそれは、撮影現場ではブレッソンとフロランス・ドゥレのたった二人にのみ共有されたかもしれない。それはあまりに微小な現象だからだ。その具体的な〈声〉の響きや〈動作〉の現れを通じて、その場で二人だけが密やかに交流する。この覚知が「今・ここ」において両者へと共有される事態は〈正確に作用する偶然〉によってもたらされたものであった。今や、この〈正確に作用する偶然〉と〈テレパシー〉が同一事態の別側面であることはほとんど明らかだろう。それは単に〈自動現象〉に達したモデルの〈肉体〉が自身の〈魂〉への通路を開いているから、という理由だけではない。正確にはブレッソンは〈テレパシーの交換〉と言ったのだった。ブレッソンとモデルはこの開かれた通路を行き交う。

モデル。彼らは君に導かれるのではない。君が彼らに喋らせたりやらせたりするセリフや仕草によって、導かれるのだ。

（八七頁）［16／再掲］

君は君のモデルたちを君の規則へと導いてゆかねばならぬ。君が彼らの内で働きかけることを彼らの方でも許すし、彼らが君の内で働きかけることを君の方でも許すことによって。

（二二―二三頁）［37］

君の密かな意志が君のモデルたちに直接伝わるとき、君の映画は始まる。（一一八頁）［38］

演出家、あるいは監督（ディレクター）。他の誰かを導く（ディリジェ）ことではなく、自分自身を導くことが問題なのだ。（五頁）［39］

君を君のモデルたちと同質のものとせよ、彼らを君と同質のものとせよ。（六九頁）［40］

ブレッソンとモデルは相互に働きかける。これまで見たようにブレッソンはモデルに課す〈仕草〉や〈セリフ〉を介して、彼女らを導く。しかし、ブレッソンもまた彼女らによって導かれるのだ。〈仕草〉や〈セリフ〉によって〈喚起〉される彼女らの〈実質〉は、前もってブレッソンに知悉されているわけではない。むしろ彼にとっても全く予想もしないものとして現れる。

撮影。予期せぬ出来事の中には、君が密かに待ち望んでいなかったものは何一つない。（二九頁）［41］

ブレッソンは自身の課した〈仕草〉〈セリフ〉を為す際に出現するモデルの〈実質〉を通じて、自分自身が果たして何を待ち望んでいたかを知る。彼自身にとっても〈密か〉であった自身の望みを彼は知らされる。〈正確に作用する偶然〉とはブレッソンが〈密かに待ち望んでいた〉〈予期せぬ出来事〉の到来に他ならない。そして、それはブレッソンのみに起こることではない。

モデル自身の〈実質〉がブレッソンの予期しないものとして現れるのは当然だ。他者のことは知り得ないし、モデルたちはとりわけ「自分自身を隠す」傾向をそもそも持つからだ。しかし、モデルの〈実質〉は彼女たち自身にとっても〈自分の内にあるとは彼ら自身思ってもいないもの〉として現れるのだ。彼女らは「自分の知らない自分」を知る。フロランス・ドゥレがジャンヌ・ダルクの再現を志向することなしにカメラ前に立ったことで起きた出来事を思い浮かべてみるのがよい。モデルたちはいわば「在るがままに、新しく」なる。

君のモデルたちにこう言うのは馬鹿気たことではない――「あなたの在るがままの姿に、あなたを新しく創造してあげましょう」と。（四〇頁）［42］

しかし、一旦立ち止まる必要があるだろう。ここで最も基本的なことを検討しなくてはならない。なぜブレッソンだけがモデルの〈実質〉を、つまりは〈誰にも気づかれずに過ぎてゆく表現〉を見聞きできるのか、ということを。いや、そもそもブレッソンは本当にその、極小の〈動作〉と〈声〉が見聞きできていたのだろうか。彼はごくあっさりとある「苦悩」を告白する。

撮影。ちらりとしか見えぬもの、私の眼には恐らくまだ見えておらず、もっと後になってからしか見ることのできぬものから、何一つ洩れ落ちぬようにと努めることの苦悩。（一二五―一二六頁）［43］

ブレッソンはそれを〈まだ見えておらず〉〈後になってからしか〉見ることができない。せいぜい〈ちらりとしか〉見えない。〈苦悩〉はそれにもかかわらず、撮影現場で〈何一つ洩れ落ちぬように〉見なくてはならないというある種の矛盾から生じる。二進も三進も行かないこの局面にこそ、未だ十分に触れられていない〈予知能力〉を考えるための手がかりがある。ブレッソン、そして我々の導き手になってくれるのは、ここでもやはり「カメラ」と「録音機」である。

5 構想と即興

先へと進む前に、今一度カメラの能力を確認しておこう。

いかなる肉眼にも捉えられぬもの、いかなる鉛筆、筆、ペンによっても固定できぬもの、君のキャメラはそうしたものを、それが何かわからぬままに捉え、機械特有の細心綿密な無関心によって固定する。
〔三八頁〕［30／再掲］

まったく当たり前のことだが、光学的装置であるカメラは人間の視覚とは異なる仕方で働く。カメラは現実を細心綿密に記録する。それに対して、人はどのように現実を認識するのか。ブレッソンは以下のように述べている。

現実的なもの
精神に生起する現実は、もはやすでに現実的なものではない。あまりに思慮深すぎる、あまりに賢すぎるわれわれの眼。

二種類の現実。(一)キャメラがそのありのままの姿で記録する生(なま)の現実、(二)われわれが現実的と呼びながら、にもかかわらず自分の記憶と間違った計算によって歪められてしまうのをわれわれが目の当たりにするところのもの。

問題。君に見えているものを人々に見させること、それも、君が見ているようにはそれを見ていない機械を間に介して(*)。

*そして、君に聞こえているものを人に聞かせること、君が聞いているようにはそれを聞いていないもう一つ別の機械を間に介して。

(一〇四—一〇五頁)[44]

何度でも立ち返るべき断章だ。与えられた二つの〈問題〉は後で検討するとして、ここでは異なる仕方で記録もしくは認識されるような、二種類の現実があることを確認しておこう。カメラと我々の肉眼とで捉えるものが異なること自体はわかりきったことだ。前者はレンズ前の光のありようを機械的に〈ありのまま〉記録する。一方、後者による認識は〈歪められて〉我々に与えられる。この「歪み」を引き起こす〈思慮深すぎ〉て〈賢すぎ〉る精神の働きは、まず〈知性〉と呼ばれるものであることが、ブレッソンの言葉遣いからかなり確かに類推できる。

モデル。その手つかずのイメージ、つまり彼の知性によっても君の知性によっても歪曲されていない彼のイメージを君は定着しなければならない。

(一四一頁)[45]

〈知性〉は、〈自然〉であるところの〈モデル〉のイメージを歪めてしまう。〈知性〉の働きはむしろ〈シネマ〉に与するものとして『覚書』では一貫して嫌悪されていると言ってもいい。

知性によって操作されるシネマの映画は、それ以上遠くへ行くことはできない。（六六頁）[46]

ブレッソンが〈知性〉を憎むのはそれが俳優の〈意図〉と同様に〈操作〉的なものであることによる。そしてもう一つ、〈知性〉と同様に〈思慮深すぎ〉て〈賢すぎ〉る精神の働きの一つと思われるものがある。〈想像力〉だ。

現実に直面するとき、想像力というこの仲介の作業はいったい何なのか？（一九五頁）[47]

〈現実に直面するとき〉という言葉遣いがこの断章と[44]を近づける。〈想像力〉はブレッソンと現実を〈仲介〉する際、「歪み」を引き起こすのかもしれない。ただ〈いったい何なのか？〉という疑問でこの断章は終わり、その答えが『覚書』内で与えられることはない。〈想像力〉は〈記憶〉（想起）に、〈知性〉は〈間違った計算〉に対応した精神の働きなのかもしれない。しかし実際のところ、〈想像力〉へのブレッソンの態度は、〈知性〉に向けられたものほどはっきりとしていない。それがシネマトグラフの制作において両義的に働くところがあるからだ。

ここでシネマトグラフの制作全体における〈意図〉の役割を再検討しておく必要があるだろう。モデルの〈意図〉は根こそぎ抹殺されるべきものであった。しかし果たして意図なしに、つまりは偶然のみで一つの芸術作品が出来上がることがあり得るだろうか。自然が悠久の時間のなかでそれを為すことはある。だからこそ人は造物主を想像する。けれど、人間（動物でもいいが）の制作においてそれが起きる事態は「不可能」と同一視してよいほど極限的に稀である。仮にモデルから〈意図〉を根こそぎ抹殺できたとしても、ブレッソン自身が制作上の〈意図〉を持たずには何も始まらない。企画（pro-ject）を立てる段階で必ず、進む先へと自らを投げかける必要がある。〈意図〉なしには、その前方への身の投げ出しは不可能だ。モデルの〈意図〉の根絶だって、ブレッソンのより総合的な〈意図〉に基づくものとも言える。その作品全体の総合を図る〈意図〉を――その語が実際に出てくる断章に触れるのは少し先になるが――〈構想〉と呼ぼう。〈構想〉なくして作品は生まれない。なので制作においてそれは否定されるわけにはいかない。シネマトグラフ（のみならずあらゆる映画）は〈構想〉及びそれに基づく〈準備〉なくしては、決して撮り得ない。

撮影とは決定的な何かをなすことではない、準備を整えるだけのことだ。（一四四頁）〔48〕

シネマトグラフ。軍事技術。一つの戦闘を準備するように一本の映画を準備すること。（二六頁）〔49〕

真実に対して君の傾ける情熱のうちに、人はただ偏執しか見ることができないだろう。（一六九頁）〔50〕

『覚書』のなかで〈準備〉の重要性を訴える断章は意外なほど少ない。とは言え［49］一つだけであったとしても強烈だ。まるで〈一つの戦闘を準備する〉ように、〈軍事技術〉のように、撮影のための準備は入念に為されなくてはならない、とブレッソンは言う。大袈裟に感じる人は多いだろう。ただブレッソンにとっては大真面目に撮影はほとんど戦闘と同じであり、つまりは命懸けのものでさえあり得る。周囲の人間はその入念さにはブレッソンの〈偏執〉しか見て取らないのだが。この入念な〈準備〉を経て、撮影に臨むブレッソンが目指すのは以下のような境地である。

> 撮影。
> 君の映画は、君が眼を閉じて見る映画に似なければならない。（いかなる瞬間にあってもその全体が見えている、そして聞こえている、という能力を君は持たなければならない。）（七七頁）［51］

撮影において、目指す完成像はブレッソンが〈眼を閉じて見る〉映画だ。それに向かっていかなくてはならない。〈眼を閉じて見る〉ことを素朴に、〈想像する〉ことと同義と解してみるならば、ブレッソンは事前に視聴覚的に映画全体を〈構想〉し、撮影は常にそれへと近づくように進めるべき、と言っているように思える。〈構想〉なくしては、つまり撮影に先立つ〈想像力〉なくして制作は成立しない。それはブレッソンが〈想像力〉を切って捨てられない理由だろう。ただ一方でこんなことも言う。

> 観客を存在と事物に向かいあわせること、決まりきった慣習をなぞっただけのいい加減なやり方（紋

切型）によってではなく、自分でも予想もしていなかった君の印象や感覚に従って君自身が身を置くようなやり方で。前もって絶対に何一つ決めぬこと。

（一二五頁）［52］

末尾の一文、その力強さに着目しておきたい。そう、『覚書』には〈構想〉の堅持を促すように読める部分と、〈前もって絶対に何一つ決めぬこと〉を促す部分、つまりはその場での〈即興〉を重視しているように読める部分が併存している。ただ、一度通読してみれば〈準備〉の重要性を説くものよりも、自らに〈即興〉的であるよう促す断章のほうがずっと多いという印象を誰もが抱くだろう。

決まりきった作業を行なうだけの人間の魂を持たぬこと。一つ一つのショットの撮影にあたって、当初抱いていた構想に新味を加えるような斬新なアイデアを見出すこと。即興的な発明（再発明）。（四頁）［53］

未知のモデルたちを用い、私を緊張した警戒状態に引き留めておくのにふさわしいような思いもかけない場所で、即興的に撮影すること。

（三五頁）［54］

その場の即興で作るとき私の映画は急激に高まり、既定の作業をただ行なうとき低くなる。

（五三頁）［55］

『覚書』は〈即興〉を盛んに奨励する。しかし、読者‐観客が『覚書』の提言しているような〈即興〉の痕跡を——その語からまず想像するような「野放図さ」として——実際の作品のうちに発見することはほぼない。我々がブレッソン作品から受ける第一の印象は、いわゆる〈即興的〉なるものから懸け離れたある種の厳密さ・厳格さだろう。だからこそ、モデルに課せられた執拗な〈反復練習〉があったと読めば、我々は深く納得もする。だが同時に、そうした厳密・厳格なブレッソンを誰よりも警戒しているのは、ロベール・ブレッソンその人なのだ。

鉄のごとき掟を鋳造して自分に課すこと。たとえそれに従うためであれ、あるいはどうにか苦労してそれに背くためであれ。（一六七頁）［56］

ブレッソンは〈鉄のごとき掟〉を自身に課す。真反対の二つの運動を引き起こすためだ。〈従う〉こと、そして何より〈背く〉こと。実際のところ、我々は既にこのような規則から逸脱するような〈即興的〉振る舞いを具体例として確認してきた。テキストとの関係に応じて当初の規則的な「目線の上げ下げ」から逸脱してゆく、『ジャンヌ・ダルク裁判』のフロランス・ドゥレだ。モデルは本来ブレッソンの為すべきことを為し、彼を導く。ブレッソンは彼の言葉通り、自身をモデルと〈同質〉のものとしようと試みている。

モデル——彼自身にも君にも逆らって、君が予め想像していた虚構の人間から真実の人間を引き出してくる。（一四五頁）［57］

モデル。君の映画の人物たらんとするための彼らの方法、それは自分自身であること、あるがままの自分にとどまり続けることである（それがたとえ、君が前もって想像していた姿と背反しても）。

（一一五頁）［58］

モデルは、ブレッソンの〈構想〉通りに〈仕草〉や〈セリフ〉を遂行するわけではない。予め彼に〈想像〉されていたのは〈虚構の人間〉であり、一方のモデルは〈あるがままの自分〉であり続けること以外できない。この性質によってモデルは〈映画の人物〉としてはブレッソンの〈構想〉に沿わない形で現れざるを得ない。このモデルの「内向性」もまた〈鉄のごとき掟〉のように働く。

モデル。内に閉じているので、外界と交流関係にはいるのは必ず自分の知らないうちにである。

（一四一頁）［59］

本質的に内向的なモデルが、それでも〈外界と交流関係にはいる〉としたら〈必ず自分の知らないうち〉にである。モデルが自己の外側へと表現してしまうものは他所から持ってきた何かではあり得ず、常に彼女らが内に〈隠しているもの、そして特に、自分の内にあるとは彼ら自身思ってもいない〉ような自身の〈実質〉でしかない。このときモデルはブレッソンの〈構想〉に反した〈真実の人間〉としてカメラの前に現れざるを得ない。彼女らの〈実質〉は、自身の本質的な内向性をいわば「裏切る」ような形で現れる。それはコントロール不能な、止むに止まれず起こる事態であって、誰かが望んでそれを起こすのとは異なる。この誰にとっても〈予期せぬ出来事〉が〈正確に作用する偶然〉として働くことは先ほど言ったが、そのときモデルの内向性は〈自動現象〉の「正確さ」を高める前提条件となる。その内向性ゆえに、結果として生じた事態の「他であり得なさ」を信じることができるのだと言ってもよい。かくしてモデルは予め〈構想〉されざるを得ない作品のなかへ〈偶然〉を招来するための〈余地〉となる。ブレッソンはいわば偏執的に〈準備〉をしてしまう自分自身を活用して、モデルに〈反復練習〉を課す。このことでブレッソンは〈構想〉-〈準備〉-〈偶然〉-〈即興〉をひと連なりの仕事としてしまう。モデルと仕事をすることはブレッソンにとって「構想」と「即興」を同時に、もしくはリレー的に進行させるための極めて合理的な方法なのだ。

> 流れの道筋を放棄することなしに、——それは決して放棄されてはならない——、そしてまた君自身の持つ何ものをも手放すことなしに、一瞬の閃きの裡にキャメラと録音器をして摑み取らせよ、君のモデルが君に提供する新奇なもの、予期しがたいものを。
>
> （一四二頁）[60]

〈流れの道筋を放棄することなしに〉〈君自身の持つ何ものをも手放すことなしに〉といった言葉遣いは事前の〈構想〉の堅持を示唆しているように読める。一方、モデルがブレッソンに〈提供する新奇なもの、予期しがたいもの〉を〈一瞬の閃きの裡にキャメラと録音器をして摑み取らせよ〉という命令は明らかに〈即興〉的態度を促している。重要なのは、これらの別様な仕事がいちどきに為されることなのだ。ブレッソンにとって撮影現場は〈構想〉と〈即興〉という相異なる仕事が互いに働きかけつつ進行する場である。『覚書』が実作品から受ける印象と異なって「即興」の称揚に偏っているのは、単に厳格である以上にほとんど〈偏執〉

的に〈準備〉をしてしまうブレッソン自身への警句として考えるべきだろう。〈構想〉自体は決して否定されない。制作の出発点として絶対に必要とされる。ただ、それは常に生じた〈偶然〉に応じて〈即興〉的に〈矯正〉される必要がある。この二つの仕事の蝶番にあたるものが「カメラ」だ。

現実に直面することで、君の張りつめた注意力は、当初の構想における君の過誤(*)を幾つも明らかにする。それらを矯正するのは君のキャメラだ。しかし、君の感じとった印象こそ、唯一興味深い現実である。

*紙の上の誤りというやつだ。

(一四四―一四五頁)[61]

カメラはここで〈構想〉時点での〈過誤〉、つまり〈紙の上の誤り〉を〈矯正〉する権能が与えられている。カメラが記録しているものは少なくとも撮影に先立つ〈構想〉よりも正しい。〈ありのままの現実〉が彼の〈構想〉した〈虚構〉とは懸け離れているという事実を突きつけるだろう。しかし、この断章を『覚書』の中でもひと際重要なものとしているのは、最後の一文だ。〈君の感じとった印象こそ、唯一興味深い現実である〉。〈感じとった印象〉即ち、肉眼が捉えた〈現実〉しか興味深いものはないとブレッソンは言う。このことは『覚書』の読者にも意外な印象を与えるだろう。と言うのは、カメラはその詳細な記録能力を通じて〈現実〉を〈ありのまま〉に捉える驚くべき機械として、常に賞賛されてきたからだ。なのに〈唯一興味深い現実〉はブレッソンの感じとる〈印象〉の方だと言う。肉眼が捉える〈現実〉は歪められて我々に与えられているのに? ここに「ねじれ」がある。この「ねじれ」を引き起こすもの、つまりカメラの記録する〈ありのまま〉よりも肉眼の捉えるほうの〈現実〉を興味深くしてくれる条件が存在するのだ。断章［61］には、それがはっきりと記述されていた。〈張りつめた注意力〉を持つことだ。

カトリック的＝ギリシア的儀礼において――「注意深くあれ！」（一五〇頁）［62］

6　張りつめた注意力と予知能力

ブレッソンは単に漫然と被写体を眺めるのではない。為されるのは尋常ならざる〈張りつめた〉注視だ。カメラは確かに〈構想〉を修正するかのように〈現実〉を〈ありのまま〉記録するのだが、ブレッソンの〈張りつめた注意力〉もまた〈構想〉時の〈過誤〉を幾つも明らかにする。つまり、ブレッソンの〈注意力〉が十分に〈張りつめ〉ているそのとき、彼の視聴覚はカメラ・録音機の記録能力と拮抗するに至る。

精度に狂いを生じさせぬこと。私自身を一つの精密器具たらしめること。（四頁）［63］

識別能力（知覚における正確さ）を持つこと。（一〇六頁）［64］

ここでようやく、なぜブレッソンが撮影現場において、極小の〈動作〉を認識し、無きに等しいような〈声の抑揚〉を聞き取ることができるのか、一つの仮説が可能になる。自らを最も微小な現象までも〈識別〉するような〈一つの精密器具たらしめる〉ほど〈注意力〉を〈張りつめ〉させることによって、だ。これは以下のような自己への命令にも転化するだろう。

撮影。印象と感覚のみを信じること。これら印象や感覚とは無縁な知性の介入は、必要なし。
（四八頁）［65］

〈張りつめた注意力〉によって感じ取られた〈印象〉や〈感覚〉のみを信じなくてはならない。〈張りつめた注意力〉は言うなれば〈知性〉や〈想像力〉のある面を不活性化させるよう働く。〈想像力〉とは、眼前にないものを精神上に存在せしめる能力であるからこそ、作品制作においては〈構想〉を立ち上げるために必ず要請される。しかし、望ましくない働きもする。〈想像力〉は時に無根拠に「ないもの」を精神の上に展開できる。そのことでものごとを正確に見ずに得られた〈記憶〉に基づけば、〈知性〉は〈間違った計算〉を通じて〈現実〉とは何ら関わりのない「妄想」を生み出す。〈張りつめた注意力〉は〈構想〉を「妄想」から遠ざけ、〈現実〉へと錨を下ろすよう促す。〈現実〉への極めて精緻な観察こそが、彼の精神の〈思慮深すぎ〉て〈賢すぎ〉る部分を機能不全に陥れるのだ。〈反復練習〉がモデルから〈意図〉を削ぎ落とす作業であったように、この〈張りつめた注意力〉がブレッソンの〈想像力〉の一部と〈知性〉を不活性化する。そのことで、〈知性〉と無縁の〈印象〉〈感覚〉を生み出し、「歪み」をシネマトグラフから削ぎ落とす。ブレッソンがカメラや録音機に匹敵するような〈精密器具〉と化すとしたら、それはこの〈張りつめた注意力〉を持つことによってでしかない。

ただ、思い出さなくてはならない。この〈印象〉〈感覚〉は〈唯一興味深い現実〉であった。〈印象〉〈感覚〉の、カメラの〈記録〉に対する単なる拮抗以上の優位が主張されている。なぜか。

生のままの現実は、ただそれだけでは真なるものを提示はしまい。（一四六頁）［66］

われわれの眼と耳が要求するのは、現実そのままの人間の姿ではなく、真の人間の姿だ。（一四九頁）［67］

ブレッソンが求めるものは〈生のままの現実〉〈現実そのままの人間の姿〉ではなく〈真なるもの〉〈真の人間の姿〉である。カメラの捉えるありのままの〈現実〉は、ブレッソンの目指す終着地点ではない。彼の求めたものは常に〈シネマトグラフの真実〉であった。だからこそ、この命令が生まれる。

君の見るものの中に、やがて見られるであろうものを即座に見よ。君のキャメラは事物を、君がそれを見るのと同じようには捉えない。（キャメラは、君が事物にこめる意味を捉えない。）（一五二—一五三頁）［68］

［44］において先送りにしていた二つの問題があった。〈君に見えているものを人々に見させること、それも、君が見ているようにはそれを見ていない機械を間に介して〉。また、〈君に聞こえているものを人に聞かせること、君が聞いているようにはそれを聞いていないもう一つ別の機械を間に介して〉。カメラや録音機はブレッ

ソンの〈構想〉を実現するようには働いてくれない。それらはただ現実を〈ありのまま〉に記録する機械である。その特性に応じて、ブレッソンはモデルを〈意図〉なき〈自然〉へと還元するよう、特殊な〈訓練〉を課してきた。しかし、入念な〈準備〉を経て撮影に臨んだとしても、それはまだ十分ではない。「カメラ」や「録音機」が記録する現実は、ブレッソンの求める〈真なるもの〉と未だ距離を持つからだ。その〈真なるもの〉はいかにしてたどり着けるのか。その道筋は定かではない。ただ一つ確かに言えるのは、撮影もまた次なる段階への〈準備〉に過ぎない、ということだ。

> 二つの死と三つの誕生について。
> 私の映画はまず最初に私の頭の中で生まれ、紙の上で死ぬ。それが甦るのは、私の用いる生きた人物や現実のオブジェによってである。これら人物やオブジェはフィルムの上で殺されてしまうが、或る種の秩序の中に置かれスクリーンの上に映写されるとき、まるで水に浸した水中花のように生を取り戻す。
> （一八―一九頁）［69］

［69］は〈シネマトグラフ〉の体系を最も圧縮的に示した断章と言うべきものであって、後に改めて検討することになるが、ここでは一点のみを強調しておく。それは、撮影はシネマトグラフの工程においては「中間段階」「経由地」でしかない、ということだ。〈シネマトグラフの真実〉は最初は単に〈想像〉されるほかはない。それは、多くの点で現実と関わりのない「妄想」的なものでしかあり得ないだろう。かくしてまず「妄想」含みの〈構想〉がある。それに基づいて撮影が行われる。得られた映像・音響素材はポストプロダクション

の現場へと送られ、そこで作品としての完成像が探られる。中間段階たる撮影時になされるべきことがあるとすれば、〈現実〉のモデルやオブジェとの出会いを通じて、〈構想〉から「妄想」を削ぎ落とすこと、つまりはより正確な形でそれを生み直すことだ。だからこそ、ブレッソンは撮影現場で〈やがて見られるであろうものを即座に見〉ること、それが可能になるほど自身の注意を〈張りつめ〉させることを自身に要請するのだ。

細心綿密であること。現実的なもののうち、真実と化さぬものはすべて排除すること（虚偽なるものの、おぞましいまでの現実感）。（一九五—一九六頁）[70]

この〈細心綿密〉という言葉は、別の箇所ではカメラの能力を表現するために使われていた。そのことからも、ブレッソンが自分自身の知覚にカメラと匹敵するような識別能力を求めているのは明らかだろう。単に現実的であることが重要なのではまったくない。後に〈真実と化さぬ〉と判断されるであろうものを、まず撮影現場においてできる限り排除すること。それが可能になるほど自身の注意を〈張りつめ〉させることをブレッソンは常に自身に要請する。しかし……、卓袱台を返すようだがそんなことが果たして、できるだろうか。できはしない。少なくとも常には。所詮は生身のブレッソンは、カメラや録音機の「恒常的に細心綿密な」記録能力に拮抗し得ず、敗北を喫するしかない。[43]を思い出してみるとよい。彼はせいぜい〈ちらりとしか〉見ることができない。いかに〈注意力〉を〈張りつめ〉させたとしても、だ。多くの場合、〈もっと後になってから〉しか見ることができない。その事態を「モデル」「カメラ」「ブレッソン自身」の三項の関係として語るのは以下の断章だ。

モデル。彼は問いかけられる（君が彼にやらせる仕草によって、君が彼に喋らせるセリフによって）。問いかけへの返答（たとえそれが返答することの拒絶であろうと）は、君自身はそれに気づかないことがしばしばだが、君のキャメラが記録している。後になって初めてそれは君の検討に委ねられるのだ。

（三一―三二頁）［71］

ここでブレッソンは、自身の課した〈仕草〉や〈セリフ〉に対するモデルからの応答に、その拒絶も含めて〈しばしば〉〈気づかない〉ことを認める。ただ、「カメラ」はモデルの〈ありのまま〉を記録している。〈後になって初めて〉、つまりポストプロダクションの現場でブレッソンはモデルの真の応答に気づかされるだろう。［31］で〈君のキャメラなしでは表に現われない諸々の徴候〉と言っているのはこのためだ。カメラだけが、レンズ前の現象を細大漏らさず記録し、それを何度でも再生することを可能にする。人は映像を繰り返し見るなかで、以前は気づかなかったものを発見する。一度気づいてしまえば、どうしてそれまで気づかなかったのかと戸惑うほど明らかに映っており、漠然と感じていた〈印象〉や〈感覚〉の淵源として納得もする何かだ。カメラは常にブレッソンに先んじて、それを記録するのだ。カメラ、そして録音機はブレッソンの敵でも味方でもない。むしろ審判員だ。ブレッソンの仕事の結果を、どこまでも〈機械特有の無関心〉でもって宣告するのみである。この絶対的不利とも言える状況でのブレッソンの〈苦悩〉が、以下のような警句を自身に発させる。

撮影。強烈な無知と好奇心の状態に自分を置くこと、そしてそれでもなお事物を先に見てとること。（二四頁）［72］

君が見るものを、君がそれを見るような仕方で見るうえで、いかなる人にも先んじてあれ。（七一頁）［73］

〈後になって〉からしか見ることのできないものを撮影現場において常に、既に見て取るカメラは、ブレッソンにとってはまるで〈予知能力〉をもっているように見えたろう。それに倣い、生身のブレッソンもまた〈後になって〉からしか見ることのできないものを、それでもなお〈先んじて〉見て取ろうとする。『覚書』において盛んに主張されるこの時系列の逆転は、原理的にほとんど不可能に近い。にもかかわらず、それを〈見よ〉と命じる警句の数々はどこか精神論や根性論に近い響きすらある。そのための具体的な方法の記述はなく、せいぜい〈注意力〉を〈張りつめ〉させる、ということしか『覚書』には書いてはいない。ここで、この有限なる〈張りつめた注意力〉こそが〈予知能力〉と呼ばれたものの正体なのだ、と言ったら読者は拍子抜けするだろうか。しかし、これこそがロベール・ブレッソンが常に直面してきた問題なのだ。ブレッソンは自身の能力の限界もまた深く認識している。

撮影。君の映画が、君がはるばる踏破しなければならなかった山脈に値するものなのかどうかは、ずっと後になってみなければわからない。（一二八頁）［74］

〈ずっと後になって〉からでないとわからないのだから、自身の労苦と見合う結果が撮影において得られてはいなかったと編集時に、または作品完成後に突きつけられることも当然ある。そんな経験を重ねればブレッソンにとっての撮影現場は当然、常に極度の不安を抱えたものにならざるを得なかったろう。

> 撮影に嫌気がさし、疲労その極に達し、かくも多くの困難を前に手を拱いたまま過ごすこれらおぞましい日々——それは私の仕事の方法の一部をなすものなのだ。（一七八頁）[75]

筆者の個人的な感慨を打ち明けるならば、この断章や[43]を読んで、非常に安堵するところがあった。撮影現場で〈構想〉通りでなく、〈正確さ〉もない数多の偶然がブレッソンの前を通り過ぎる。〈疲労〉は〈その極に達し〉、そのために常に見逃し、聞き逃すことになる。〈多くの困難を前に手を拱いたまま過ごす〉しかない時を経て、ポストプロダクションにおいて映像素材を確認するときに頭を抱えるような瞬間を幾度も体験することになる。ロベール・ブレッソンでさえ、そのことにずっと〈苦悩〉していたのだ。そうでなければ、これまで見たような警句の数々を自身に発し続けるはずもない。そう考えることは、まったくレベルが異なるとは言っても映画を志す若者を安心させた。きっとこれからもさせるだろう。しかし、単に安堵する以上に勇気づけられるのは、この〈おぞましい日々〉が〈仕事の方法の一部をなす〉ものとして語られることだ。

ブレッソンはもちろん超能力者ではない。にもかかわらず、彼が彼の仕事を遂行するためには、それとほとんど区別のない〈予知能力〉が必要だ。この倒錯した状況においてなお撮影現場に立つために、絶対的な苦悩のなかでなお自分のすべきことをなすために、彼は一つの方策を編みだす。

モデルから受ける不意打ちに君がどこまで耐えようとするのかというその限界を、はっきりと画定すること。有限の枠の内部の、無限の不意打ち。

（一四六頁）［76］

たとえ極限まで〈注意力〉を〈張りつめ〉させることで、現実に対する尋常ならざる〈識別能力〉を持つことができたとしても、生身のブレッソンはその状態を恒常的に保持することはできない。だとすれば、彼がすべきことは予め〈モデルから受ける不意打ちに君がどこまで耐えようとするのかというその限界を、はっきりと画定すること〉だ。自分の限界を知り、そこを自身の起点とするのだ。ブレッソンは同じアプローチを、〈同質〉なる存在である〈モデル〉に対しても採る。


モデル。君は定めるべきだ、彼らの力の限界をではなく、彼らが力をそこにおいて行使するところの限界領域を。

（一三五頁）［77］

予期せざる出来事を挑発すること。それを待ち受けること。

（一三六頁）［78］

ブレッソンは自分の〈張りつめた注意力〉を行使する〈限界領域〉を予め〈画定〉しておく。このときにのみブレッソンの視聴覚は、モデルが〈仕草〉と〈セリフ〉を遂行するときに生じさせる「微小な身体運動」までも捉え得るものとなる。それが、本来なら彼が〈後になって〉からしか見ることができないもの、一方でカメラや録音機がブレッソンに〈先んじて〉捉えるものを、それでもなお現場で捉えるような〈予知能力〉を持つということだ。その領域において初めてブレッソンは〈予期せざる出来事を挑発〉し、〈それを待ち受ける〉ことができるようになる。そこでいわばブレッソンは〈正確に作用する偶然〉を待ち伏せる。ただ、ここで言う〈限界領域〉の〈画定〉は読者には未だ漠として感じられるだろう。[76]の〈有限の枠の内部〉という言葉遣いを字義通りに受け取ろう。無限の不意打ちと差し向かいになるには、枠（原文ではcadre）即ち「フレーム」の範囲内でなければならないとブレッソンははっきり言っている。映画撮影には、最も根本的かつ具体的な〈限界領域〉を〈画定〉するための営為が存在する。それが「フレーミング」、いや〈断片化〉だ。

断片化について
もし表象に陥りたくなければ、断片化は不可欠だ。
存在や事物をその分離可能な諸部分において見ること。それら諸部分を一つ一つ切り離すこと。それらの間に新たな依存関係を樹立するために、まずそれらを相互に独立したものとすること。
（一二六頁）[79]

〈断片化〉は、シネマトグラフの制作において最重要の営為の一つだ。それが果たす機能を本稿では順を追って三点ほど指摘していくことになるが、第一のものはこの〈限界領域〉の〈画定〉に他ならない。一つ一つのショットを撮影する都度、作家主体は「いったい、どこからどこまでを写すか」を決定する。そして、この決定は空間的なものに留まらない。「いつからいつまでカメラを回すか」もまた決定されなくてはならない。つまり、撮影行為とは現実の空間と時間を〈断片化〉して記録することだ。ブレッソンは自身の注意力を〈張りつめ〉させる限界に応じて、この〈断片化〉の度合いを調整し、決定する。シネマトグラフ作品におけるショットが、時間の長大さにも空間の広大さにも無関心に見えるのは、何よりブレッソンが〈限界領域〉の〈画定〉としての〈断片化〉に自覚的だからだ。

あるショットの撮影行為は必然的に〈断片化〉であり、〈限界領域〉の〈画定〉である。この〈限界領域〉の〈画定〉への自覚により、ブレッソンは撮影現場においてついに〈正確に作用する偶然〉―〈テレパシーの交換〉―〈予知能力〉を渾然一体のものとする。

たまたま僥倖によってうまく行った物事は、何という力を持っていることだろう！　（一八八頁）[80]

もはや言うまでもなく、撮影時に狙い定められているのはモデルの〈実質〉、即ち彼女らの内に隠された〈魂〉である。それを直接的に見聞きし、捉えて、映像‐音響の素材とすることが、そのまま〈映画の実質〉を構成する。それは〈シネマトグラフの真実〉へと至る道でもあるだろう。常に忘れられてはならないのはここで言う〈魂〉とは、〈意図〉を取り除くことで〈自動〉的に生じる、微小な身体運動と等しいということだ。モデルの身体に生じるこの微小な運動は、〈正確に作用する偶然〉と呼ばれるものでもあった。それが単なる〈偶然〉ではなく〈正確に作用する〉ものとまで呼ばれる理由は、今やより明確だろう。それはブレッソンの当初の〈構想〉の〈過誤〉を明らかにしてくれる、〈僥倖〉のような〈偶然〉だからだ。

所詮は〈紙の上〉の〈想像〉でしかなかった〈虚構の人間〉を、モデルは「自分自身であり続ける」ことを通じて〈真実の人間〉として矯正する。このことは同時に、モデルにとっても〈自分の内にあるとは彼ら自身思ってもいない〉隠された自分自身の出現に立ち会う機会である。つまり、ブレッソンとモデルはこの瞬間に、共に「未知の自分」を発見する。モデルにおいてそれは、ブレッソンの課した〈セリフ〉や〈仕草〉に導かれて起こり、ブレッソンにとっては、モデルの達した境地こそが次に自分自身が向かう場所を照らす。この〈偶然〉の一瞬において、この発見をモデルとブレッソンが共に覚知すること。それが〈テレパシーの交換〉であった。ただ、ブレッソンはこのとき、モデルに生じた微小な現象をあくまで〈ちらりと〉捉えるのみで、十全に把握するのではない。言語化には程遠く、モデル以外とは分け合うこともできないその覚知は、だからこそ〈知性〉とは無縁な〈印象〉や〈感覚〉と成るのだ。

〈正確に作用する偶然〉と〈テレパシーの交換〉は同時に生じた。同様に〈予知能力〉も〈テレパシー〉も、結局は同じ事態を指している。尋常ならざる〈注意力〉でもって〈偶然〉の瞬間の内に〈現実〉を捉え、言語化できない〈印象〉と〈感覚〉を手に入れること。この〈印象〉や〈感覚〉は、〈シネマトグラフ〉においてはカメラが捉える〈ありのままの現実〉よりも遥かに興味深いものだ。それはブレッソンが〈持つ何ものをも手放すことなしに〉〈現実に直面する〉ことで捉えた、いわば〈構想〉と〈現実〉の混合体である。いや、単なる混合ではない。もし〈現実〉が自身の〈張りつめた注意力〉によって捉えられてさえいれば、〈印象〉や〈感覚〉は〈紙の上〉の想像とは異なり、〈現実〉をその根として持ち、〈構想〉の一部をそれに基づいて修正する。いわば、〈印象〉や〈感覚〉は、〈現実〉という観点からは未だ十分に〈正確〉とは言えないかも知れないが、〈構想〉としてはより〈正確〉なものとして、ブレッソンの内に住まい、彼の行く道を照らす。

この点でブレッソンの〈予知能力〉は、実はカメラや録音機の能力と似て非なるものだ。それは未だ存在しないものを、より〈正確〉に見ることであって、〈ありのままの現実〉を捉える能力とは異なる。それでも、カメラや録音機を範とすべき点があるとすれば、それが徹底的に〈知性〉とは無縁な精密機器である、という点である。〈張りつめた注意力〉は特に〈知性〉を不活性化して、〈正確に作用する偶然〉を捉える。このとき得られた〈印象〉と〈感覚〉は〈現実〉に基づいて〈構想〉を研磨し、撮影現場及びポストプロダクションにおいてブレッソンを先へと導く。ただそれはつまり撮影の都度、新たな発見があり、変化し続けるということに他ならない。ブレッソンは常に更新される〈構想〉に基づいて〈即興〉をし続ける。得られた〈印象〉と〈感覚〉が、〈構想〉と〈即興〉を「順次」行う際の起点となる。

撮影するにつれて、順次モンタージュを行なっていきたまえ。残余のすべてがそこに引っ掛かってゆくような、様々な核（力の、安全性の）が形成される。（三八頁）[81]

ブレッソンが自らに課すショットごとの〈即興〉とは、得られた〈印象〉と〈感覚〉に基づいて、〈順次〉の〈モンタージュ〉を行うことだ。この〈順次モンタージュ〉せよという命令は、〈一つ一つのショットの撮影にあたって、当初抱いていた構想に新味を加える〉ような〈即興的な発明〉を促す[53]とも通ずる。そして、このように〈モンタージュ〉を撮影現場へと導き入れることこそが、〈断片化〉の第二の機能である。

画家や彫刻家や小説家と違って、君は人物やオブジェの外見を写生する必要はない（機械が君のためにそれをやってくれる）のだから、君の創造というか発明は、捉えられた現実世界の様々なかけらの間に君が取り結ぶ絆に専ら関わることになる。また、どんなかけらを選ぶかということもある。決定するのは君の嗅覚だ。（九八頁）［82］

現実をどの程度〈断片化〉するかということと、どのような〈絆〉を〈かけら〉と〈かけら〉の間に取り結ぶかは相互依存的であり、互いに影響及び限定を与える。〈撮影するにつれて〉、〈新たな依存関係を樹立する〉ことがブレッソンにとって〈モンタージュ〉を行う、ということだ。撮影現場においてこそ、モンタージュは為されなくてはならない。それはポストプロダクションの現場へと先送りされてはならない。あらゆる〈モンタージュ〉は一つ一つのショットを撮影することから始まる。あるショットの撮影は、前のショットの撮影時に得た〈印象〉と〈感覚〉に依拠しながら、更新されつつある〈構想〉に基づき、〈即興〉的に決定されてゆく。前に〈断片化〉をシネマトグラフにおける「最重要の営為の一つ」と呼んだのは、それが撮影とポストプロダクションを一体化するからだ。撮影時にどのように〈断片化〉を現実に対して行うかが、ポストプロダクションにおいてブレッソンが映像と音響を「再構成」する際の核心なのだ。

7 映像と音

〈断片化〉とは〈存在や事物をその分離可能な諸部分において見ること〉である、と語った［79］の断章には、以下のような註が付けられている。

遠くから見れば、一つの町、一つの田舎は町であり田舎である。しかし近づくにつれて、それは家、木、瓦、葉、草、蟻、蟻の脚、といった具合に無限に細かくなってゆく。（パスカル）（一二七頁）［79註］

撮影時に適切な機材があれば、被写体をほとんど〈無限に細かく〉見ることが可能だ。とは言え、シネマトグラフにおいては〈蟻の脚〉ほど極端な〈断片化〉がなされるわけでもない。ロベール・ブレッソンの映画を見ていれば誰もが今、その「手」へのクロースアップを思い浮かべているだろう。身体をすべて見せるのではなく一部分において見せること、それはどのような効果を持つのか。

すべてを見せてしまうと、シネマは紋切型と化す運命を逃れられない。誰もが慣れ親しんでいる物の見方に従って事物を示さざるをえなくなってしまうのだ。だがもしそうしないと、それらの事物は偽物というかイカサマに見えてしまうことになろう。（一二六―一二七頁）［83］

或る古臭い事物も、もし君がそれを、ふだんその回りを取り囲んでいるものから引き離すならば、新鮮なものとなる。（七二―七三頁）［84］

事物を習慣の外へと引きずり出すこと、事物を麻酔から醒めさせること。（一九〇頁）［85］

ブレッソンの映画を見て、「手」そのものが自ら動く生き物のように感じたことがある人も多いのではないか。それは先に述べてきたような〈自動〉化をもたらす〈訓練〉の賜物であることは間違いないとしても、〈断片化〉の効用もまたある。そこでは〈すべてを見せ〉ないことによって、つまり顔や全身が写されないがゆえに「手」は我々の〈紋切型〉的な身体イメージから切り離されて、まったく〈新鮮〉に、まるで新生物のように「それ自体」として感知される。

先ほど〈断片化〉の第二の機能を、撮影時に〈モンタージュ〉を導き入れることと言った。その転換は、〈諸部分を〉現実において属していた全体や関係性から〈一つ一つ切り離すこと〉を通じて起こる。そのことでレンズ前の現実は明確に「素材」へと転換され、編集台での取り扱いが可能になる。結果として以下のようなことが起こる。

映像の位置を移すや否やその映像がたちまち帯びることになる新しい意味を前にすると、いつも変わることのない同じ喜び、同じ驚きが湧き起こってくる。（一八八頁）［86］

映像編集に携わった者なら誰でも感じたことがあるような素朴な喜びと驚きが綴られている。『覚書』全体の中でも数少ない、微笑ましく感じられる断章だ。〈断片化〉され、〈習慣の外へと引きずり出〉された〈現実〉は編集上のユニットとなり、〈慣れ親しんでいる物の見方〉から大いに飛躍した、新たな結合の可能性を持つようになる。それは映画・映像編集全般において言える事態だが、〈シネマトグラフ〉においてはより本質的な意味を持つ。ただ、話を進める前に、〈断片化〉のもう一つの機能に触れておこう。

事物のあらゆる側面を見せぬこと。漠とした余白。（一四三頁）［87］

一部分しか与えられていないものの全体を推測することに、観客を慣れさせること。推測させること。そうしたいという欲求をかき立てること。（一四八頁）［88］

〈断片化〉とは、〈すべてを見せ〉ないことでもあった。このことが観客に〈推測〉を促す。ブレッソンはこの状況に〈観客を慣れさせる〉ことまで目指している。つまり、常に描かれていない全体を観客に〈推測〉させることを。それをより促すよう、〈断片化〉された映像は、そこに音を招き寄せる〈余白〉として働く。これが第三の機能だ。

表面的な（一般に）眼。深く創意に富んだ耳。一台の機関車の鳴らす汽笛の音が、われわれの内に、一つの駅の全体の光景を刻印する。（一〇八頁）［89］

ある映像。背景が壁しかないような、どこともわからぬ場所を歩いている人物が映し出されているとする。その映像に〈一台の機関車の鳴らす汽笛の音〉が付されたならば〈一つの駅の全体の光景〉が、耳を通じて描写されるだろう。このことで音は映像を、その全体像を示す労から解放する。映像の機能を然るべく限定しておくことで、音が果たす役割が決定的なものになる。ここまで「カメラ」と「録音機」がいかに異なる機械であるかは、ほとんど考慮せずに進んできた。それらの相違に目を向けるべきときだろう。

或る音が或る映像に取って代わることができるときには、映像を抹消するか弱めること。耳はより多く内へ向かい、眼は外へ向かう。

（七八―七九頁）[90]

〈深く創意に富〉むと言われる耳の内向的特質と、〈表面的〉なものと言われる眼の外向的特質が対比される。耳がその内向的特質を特に発揮するのは、〈モデル〉の〈声〉を聞き取るときだ。

モデル。彼の肉体的外観よりもむしろ彼の声（鍛えられたものではない）の方が、彼の秘められた性格や彼の抱いている哲学について、より多くのものをわれわれに明かしてくれる。（一〇〇―一〇一頁）[91]

シネマトグラフにおいて、音は映像と等価か、時にそれ以上の存在であり得る。ブレッソンの音、特に「声」への感性は殊の外鋭い。筆者自身も「声」を信頼する態度をブレッソンから学んだことは、ここに記しておきたい。声の含む情報量の多さには制作を重ねる都度、驚かされている。ブレッソンにとって「声」は、モデルの選択にあたって最重要視されるものでさえある。

モデルの選択について。

彼の声が、私に彼の口、眼、顔立ちを描きあげ、彼の内面・外面のすべてにわたる全身像を浮かびあがらせてくれる。彼が私の眼前にいるときよりも鮮やかに。ただ耳だけに頼るのが、人間を読み解く最良

の途だ。（一六頁）［92］

モデルの〈声〉が、いかにその内部の運動を伝えるかということを、我々は既に『ジャンヌ・ダルク裁判』において見て（聞いて）いるので、ここでは深入りしないけれども、ブレッソンが音と声へ寄せるこの関心と信頼は彼の仕事を、第一に「視覚芸術」とされがちな映画制作において特異なものとして浮かび上がらせているだろう。ただし、シネマトグラフにおける聴覚の視覚に対する優位は、固定的なものというわけではない。眼が〈表面的〉であるのはあくまで〈一般〉的な事態でしかなく、〈張りつめた注意力〉とともに見る者は、やはり内奥への探索へと導かれることもまた我々は見てきた。むしろ重要なのは、音と映像を扱う上でそれらを互い違いに優位に立たせ、見聞きする者の〈眼〉と〈耳〉を交替的に導くことである。

眼のためにあるものと耳のためにあるものとが重複してはならない。（七八頁）［93］

もし或る音が或る映像の不可避の補足物であるならば、音か映像かどちらかを優位に立たせること。五分五分の場合、両者は互いに損ないあう、ないし相殺されてしまう、ちょうど色彩に関してそう言われるように。（七九―八〇頁）［94］

映像と音とは互いに手を貸して支えあってはならない。そうではなくて、おのおの交替に、一種のリレーによって働かなければならない。（八〇頁）［95］

眼が刺激されると、ただそれだけでもう耳は待ちきれなくなる。耳が刺激されると、ただそれだけでもう眼はうずうずする。こうした苛立ちを利用せよ。調整可能な仕方で両方向に働きかけるシネマトグラフの力。

（八〇頁）［96］

今はこれらの規則が、実際の映画においてどう働くかを、語る段階ではない。ただ、映像と音は〈重複〉せぬよう、〈交替〉に〈どちらかを優位に立たせ〉、〈一種のリレー〉を構成すべきである、とブレッソンが考えているという点はよく覚えておこう。我々は〈シネマトグラフの真実〉の核心部に至ろうとしている。

映像と音の配置（*collocazione*）。

（一五三頁）［97］

一つの映像の持つ絶対的な価値というものはない。
映像と音の価値や力は、君がそれらに割り当てる用い方によってのみ定まってくることになるだろう。

（三二頁）［98］

〈シネマトグラフ〉の最終段階でなされるべきは、〈映像と音の配置〉である。いや、それは本来、再‐〈配置〉と呼ぶべきものだ。各々の〈映像〉や〈音〉は〈絶対的な価値〉は持たず、あくまでその〈価値や力〉はそれぞれを互いに〈割り当てる用い方によってのみ〉決定される。実のところ、その点が〈撮影された演劇〉

＝〈シネマ〉と決定的に異なる点である。ここで〈シネマトグラフ〉とは何である（ない）のかを、改めて確認しておく。

> 二種類の映画——演劇の諸手段（俳優、演出、等々）を用い、再現するためにキャメラを使う映画と、シネマトグラフの諸手段を用い、創造するためにキャメラを使う映画。（七頁）［99］

> シネマトグラフの映画。そこにおいては、表現が獲得されるのは映像と音響との諸関係によってであり、物真似（ミミック）によって、身振りや声の抑揚（俳優のそれであれ非＝俳優のそれであれ）によってではない。それは分析しない、説明もしない。それは組立て直す。（一三頁）［100］

〈演劇の諸手段〉を用いて〈再現〉をするためにカメラを使う映画がいわゆる〈シネマ〉であり、片や〈シネマトグラフ〉はその固有の手段によって〈創造〉をするためにカメラを使う、とブレッソンは言う。〈再現〉と〈創造〉がここでは対比されている。前者へのより苛烈で、本質的な批判は以下の断章に見られる。

> 映画は見せ物興行（スペクタクル）ではありえない。スペクタクルには血肉を備えた生身の人間の現前が必要だからだ。しかし、映画は、撮影された演劇あるいはシネマにおけるように、スペクタクルの写真的な再現ではありうる。ところで、スペクタクルの写真的再現は、油絵や彫刻の複製写真と比較されえよう。だがドナテルロの「洗礼者聖ヨハネ」やフェルメールの「頸飾りの若い女」の複製写真は、あの彫刻、あの油絵の、力も

> 価値も価格も持っていない。複製はオリジナルを創造しない。複製は何一つ創造しない。（八頁）［101］

〈複製〉は〈現前〉する〈オリジナル〉の〈力も価値も価格も持っていない〉ものであり、〈創造〉から著しく隔たったものとされ、〈演劇〉を〈撮影〉、つまり〈複製〉するという営為は徹底的に否定される。［79］で断言されていたのは〈再現〉や〈複製〉の罠に落ちることを避けて〈創造〉するためには〈断片化〉は不可欠、ということだ。つまり、ある〈現実〉を〈断片化〉し〈それらの間に新たな依存関係を樹立する〉こと、即ち〈モンタージュ〉としてまったく新たにそれらを〈組立て直す〉＝「再構成」することこそがシネマトグラフにおける〈創造〉の核心である。

> 創造すること、それは人物や事物を歪曲したりでっちあげたりすることではない。それは、存在する人物たちや事物たちの間に新たな諸関係を取り結ぶことだ、しかもそれらが存在しているままの姿で。（二一頁）［102］

撮影段階におけるモデルへの特殊な〈訓練〉は〈創造〉のための〈準備〉であったことはもはや言うまでもない。〈意図〉なきモデルの〈動作〉や〈声〉は〈自然〉として〈在るがまま〉に捉えられ、シネマトグラフにおける〈創造〉の最終段階＝〈モンタージュ〉に不可欠の素材となる。改めて問おう。〈モデル〉とは果たして何者であったか。

モデル。模倣不可能な、魂、肉体。

（七二頁）［103］

この断章は、今やすっと腑に落ちるものとして感じられるはずだ。モデルとは、他の誰かを真似ることも、誰かが真似ることもできないような固有の〈魂〉及び〈肉体〉であり、だからこそ〈シネマトグラフの真実〉を構成し得る。そして……


真実とは模倣不可能なものであり、虚偽とは変形不可能なものである。

（一一一頁）［104］

この断章の含意として読み取れるのは、モデルたちの〈実質〉を収め得た映像は「変形可能」なものである、ということだ。その逆の事態は、よりそのことを確信させてくれる。


俳優の演技は決定的であり、変化の余地がない。それは、そのあるがままの姿にとどまりつづける。

（一五〇頁）［105］

シネマは、物真似（ミミック）や仕草や声の抑揚による即座の、そして決定的な表現を捜し求める。このシステムは、従って、諸映像や諸音響の接触や交換による表現を、またその結果として生じる様々な変形を否応なく排除する。

（五四頁）［106］

もし或る映像が、それ自体として切り離して眺めたとき何事かを明瞭に表現しているならば、また或る解釈を包含しているならば、それは他の映像群との接触によって変化することはないだろう。他の映像はその映像にいかなる力も及ぼさないだろうし、後者もまた前者に対していかなる力も持ちえまい。作用もなく反作用もない。その映像は決定的なのであり、シネマトグラフのシステムにおいては使用不可能である（一つのシステムはすべてを統轄するわけではない。それは何事かが始まるための糸口だ）。

（一五頁）［107］

［105］における〈あるがままの姿にとどまりつづける〉という事態は、モデルたちの〈あるがまま〉と同じではない。それは〈俳優の演技〉を収めたショットが他のショットと組み合わされたとしても、既に為されてしまっている〈解釈〉を変更させないことを指す。俳優の演技の〈決定的な表現〉は、本来なら〈モンタージュ〉において発生するはずの〈変形〉を〈否応なく排除する〉。俳優による演技は〈モンタージュ〉による変化の契機を欠いている。それが彼らが〈シネマトグラフの中にいてあたかも異国に身を置いているかのよう〉であり、ブレッソンがモデルを求める理由である。

君の映像群が燐光を発するのは、それらが互いに凝集しあうことによってである。（俳優が望むのは、自分がその場で即座に輝くことだ。）

（一二三頁）［108］

モデル。物質的には表現されていなくても、二つの、ないし他の数個の映像の相互交渉と相互作用によって、彼の顔の上に目に見えるものとなる思考や感情がある。

（六三頁）［109］

モデル。撮影中あからさまに目立つかたちでは喪失してしまうものを、彼らはスクリーンの上で、深いところでまた真実の姿において獲得する。最終的にもっとも生命溢れるものとなるのは、もっとも平板でもっとも地味な部分である。

（九九頁）［110］

モデルはトランスフォームする。〈それらが存在しているままの姿〉が捉えられたならば。それらは〈新たな諸関係〉へと取り結ばれることによって、即ちほかの〈映像の相互交渉と相互作用によって〉、〈撮影中あからさまに目立つかたちでは喪失して〉しまっていたもの、たとえば〈思考や感情〉が〈彼の顔の上に目に見えるものとなる〉。ブレッソンはそのことを〈映像群が燐光を発する〉とまで言う。撮影において、〈モデル〉の〈あるがまま〉の〈実質〉＝〈魂〉＝〈肉体〉を捉えることによってのみこの変化は生じる。これらの映像を手にしてブレッソンは以下の事態を目指す。

何一つ変更を加えず、かつすべてが違ったものとなるように。

（一九三頁）［111］

モンタージュ。死んだ映像から生きた映像への移行。すべてがふたたび花開く。

（一二〇頁）［112］

［111］は［102］の、［112］は［69］のより端的な言い換えと言える。〈創造〉とは〈人物や事物を歪曲したり〉

〈自然を贋造〉したりすることから最も遠い何かだ。もう一度、シネマトグラフの体系を圧縮したこの断章に戻ろう。

> 二つの死と三つの誕生について。
> 私の映画はまず最初に私の頭の中で生まれ、紙の上で死ぬ。それが甦るのは、私の用いる生きた人物や現実のオブジェによってである。これら人物やオブジェはフィルムの上で殺されてしまうが、或る種の秩序の中に置かれスクリーンの上に映写されるとき、まるで水に浸した水中花のように生を取り戻す（*）。
> *或る人物を映画に撮るとは、彼に生を賦与することではない。一方、舞台の俳優たちが戯曲を生きたものとするのは、彼ら自身が生きているからである。
> （一八—一九頁）［69／再掲］

まずブレッソンには映画の〈構想〉があった。それは〈想像力〉や〈知性〉によって〈歪められ〉て、〈過誤〉に満ちて〈紙の上〉で形にされた。そこでいわば彼の映画は一度、〈死〉を経験する。しかし撮影現場において、彼の映画は〈生きた人物や現実のオブジェによって〉甦る。だが、それらはやはりフィルムに定着させられることで〈殺され〉てしまう。ただ、その〈死んだ映像〉は〈或る種の秩序の中に置かれスクリーンの上に映写されるとき、まるで水に浸した水中花のように生を取り戻す〉と言う。

ここで言う〈死んだ映像〉とは何か。我々が先に確認した撮影現場での事態、特に〈正確に作用する偶然〉–〈テレパシーの交換〉–〈予知能力〉が渾然一体となって起きるその一瞬は、〈死〉から最も遠い何かではなかったか。それは映画が〈生きた人物や現実のオブジェ〉との出会いによって〈甦る〉とされた事態と同一視してよいものだろう。では、それがまた〈殺されてしまう〉のはなぜか。フィルムに定着したそれは〈誰にも気づかれずに過ぎてゆく表現〉だからだ。『ジャンヌ・ダルク裁判』のフロランス・ドゥレに関して「威厳」や「恍惚」と呼んだ事態さえもなお、過度の言語化であったことを思い出そう。それですら言語化を誘う特異点でしかなく、実のところモデルの身には常に、些細な「何か」が起き続けていた。しかし、それらはまだ映像のなかで明瞭には、一切表現されていない。無にも等しいが、確かにある。この「あるかなきか」のアンビヴァレントな状況こそが、まさにブレッソンにとって探し求められているものなのだ。

自分の映像を平たくする（ちょうどアイロンを当てるように）こと、ただしそれを弱めることなしに。

（一六頁）［113］

〈構想〉と〈即興〉がそうであったように、二つのことがいちどきになされなくてはならない。まずは〈自分の映像を平たくする〉ことだ。なぜなら〈平たく〉された〈平板な〉映像こそ、〈変形〉し得る唯一のものだからだ。

君の映像（平たくなった）の持っている、みずからのあるがままとは違ったものとなることのできる能力。異なった十の道筋に導かれた同一の映像は、それぞれ十通りに異なった映像となることだろう。

（四九頁）［114］

［110］では〈最終的にもっとも生命溢れるもの〉へと変貌を遂げるのはモデルの〈もっとも平板でもっとも地味な部分〉であるとされていた。それらは、提示された道筋に応じて〈異なった映像となる〉力能を持つのだ。最大限〈平たく〉なったとしても、そのことは「弱さ」を意味しない。その映像はある強度を保っていなくてはならない。一切〈弱めることなしに〉〈平たくする〉という繊細さがここでは要求されている。〈誰にも気づかれ〉ないような極小の現象が、それでもなお確かに存在していなくてはならない（ここに、多くのブレッソン模倣者にとっての陥穽があるだろう。シネマトグラフは実際、極めてシンプルと感じられる映像から成る。だが、人を直立させて、抑揚を欠いた発話をさせて、標準50ミリレンズを使ってある距離から撮ることで、ブレッソンの模倣はまったく果たせない。それは単なる痩せ細った平板さに過ぎない。そこに欠けているのはシネマトグラフの核心をなすモデルの〈実質〉、つまりはそれを映像として収めるための戦闘に対するような〈準備〉だろう）。

撮影現場でモデルの〈実質〉が現れたとしても、それはあまりに微小で〈誰にも気づかれ〉ずに、映像と音のうちにいわば「仮死状態」として眠ったままだ。つまり、ブレッソンの映画はまだ彼の〈印象〉と〈感覚〉の中にしかない。だから、〈君に見えているものを人々に見させること、それも、君が見ているようにはそれを見ていない機械を間に介して〉と、〈君に聞こえているものを人に聞かせること、君が聞いているようにはそれを聞いていないもう一つ別の機械を間に介して〉という二つの問題が生じることになる。このとき、「再構成」の目的が明瞭となる。

　印象を、感覚を伝達すること。（一一七頁）［115］

これだ。〈印象〉を、〈感覚〉を〈伝達〉するそのとき、彼の映画は〈花開く〉。[52]もまた、ここで思い出される必要がある。〈断片化〉された〈存在や事物〉を〈決まりきった〉〈紋切型〉によらず、つまりは〈新たな諸関係〉へと「再構成」するのだ。撮影現場で〈予期〉せず得られた〈印象〉や〈感覚〉に身を置き直すことで。

目覚めようとしている映像の震え。

（一七四頁）[116]

存在と事物が、生きてゆくために待ち望んでいる絆の数々。

（一〇七頁）[117]

写し取られた〈存在と事物〉は今や〈目覚めようとしている〉。映像と音響そのものに、まだ〈印象〉や〈感覚〉通りのものは見えも聞こえもしない形で、眠っている。〈生きてゆく〉ために〈待ち望んでいる〉幾つもの〈絆〉によって取り結ばれたそのとき、それらは〈目覚め〉、観客へと伝達され得るものになるのだ。では、それはどのような〈絆〉か。

互いにもっとも隔たりあいもっとも相違しあっている君の映像たちを結びつけている感知不可能な絆、それが君のヴィジョンだ。

（四〇頁）[118]

互い同士の内的な結合をあらかじめ見越している映像たち。

（七〇頁）［119］

……ここで我々は、シネマトグラフにおける〈モンタージュ〉及び「再構成」を言語化することの限界に達したと言ってよいだろう。というのも〈映像たちを結びつけている〉のは〈感知不可能な絆〉だと言われているからだ。〈映像たち〉が〈互い同士の内的な結合をあらかじめ見越している〉という表現からは、ひとまずこの〈感知不可能な絆〉を、その不可能性にもかかわらず〈構想〉しておくことが、撮影現場でブレッソンの持つべき〈ヴィジョン〉であると解することができる。しかし、その状況が果たしてどういうものなのかを、一般論として語ることは不可能だ。というのは、〈内的な結合〉と言われる以上、それは、個々の映像の内実に即した結合であると見做すべきだからだ。具体的な映像と音響に即してしか、この先は語ることはできない。我々はここでもう一度『覚書』を読むことから抜け出て、彼の作品と差し向かいになることにしよう。音と映像の構築物としての極北であり、ロベール・ブレッソンの遺作である『ラルジャン』（一九八三）へと。

8　リズムとリレー

これから『ラルジャン』序盤の一場面における〈映像と音の配置〉を見て、聞いてみたい。主人公・イヴォンに無実の罪が被せられるという点でドラマ上「決定的な」五分ほどの場面だ。その五分をできる限り記述してみる。文は「主に映っているもの」の描写を試みている。ゴチックの部分は、その映像の提示につれて音が発生していることを示す。そのうち、地の文のゴチックは、画面内に映るアクション・運動を出元と特定できる音が聞こえることを表し、（ ）内のゴチックは、画面内に出元が明瞭に確認されない音の存在を示している。ちなみにどのショットでも背景音として「車の走行音」が大なり小なり、常に響いている。車の走行音に関して特記している部分は、認識できるほどの「音の変化」が生じた箇所である。文中の「上手（かみて）」とは画面の右側、「下手（しもて）」とは画面の左側を指す。なお、映画の物語上は観客はまだ人物を「イヴォン」「リュシアン」と認識する前だが、行為者を書き分ける便宜のためにそのように記す。繰り返しになるが、これもまた実際の映像－音響を見聞きする上での「地図」であろうとする文章に過ぎない。（本作のセリフの引用は日本版DVDの細川晋氏の字幕にもとづく。）

ショット①：場所不明（おそらくカメラ屋の外）。人の手元中心で顔は見えない。
給油口に金属製の蓋をはめる汚れた手袋をした（イヴォンの）手。その手で金属管を取り、もう片方の手で持つ給油ホースの口にはめる。イヴォンはホースを手に立ち上がり、フレームの下手外へ向かって歩いていく。

ショット②：場所不明（おそらくカメラ屋の外）。人の手元中心で顔は見えない。
フレーム上手端から下手へ、タンクローリーに向かって歩み寄るイヴォン。タンクローリーの所定位置に、給油ホースを差す。ボタンを押して、ホースのたわんだ部分を自動で巻き取らせる。左手袋を右手で、それから左手で右手袋を取る（バイクの走行音が高く、しばらく鳴る）。タンクローリーの助手席から伝票らしき紙を掴む。膝を台にして、伝票にペンで書き込む。伝票を掴み直し、上手へと歩いてゆく。

ショット③：カメラ屋店内。ドアノブ向け・手元ヨリ～イヴォンをフォローしてパン、店奥の店員向けになる。

下手外から上手へと伸びる手がドアノブを下げて、ドアを引く（車の走行音が高まる）。イヴォンは中に歩み入り、ドアを閉める（車の走行音が下がる）。カメラ屋店員のリュシアンがいる上手の店奥へと歩いてゆくイヴォン。立ち上がるリュシアン。リュシアンは「どうも」と挨拶し、イヴォンも「どうも」と返す。リュシアンがイヴォンの差し出す伝票を受け取る（階段を降りてくる音がする）。リュシアンは上手外を見やってから伝票を見て、フレーム上手へと歩いてゆく。

ショット④：カメラ屋店内。店入口側から奥の階段向け。

階段を降りてきたらしき店主が上手におり、下手のリュシアンが彼の前に立つ。差し出す伝票を手で取る（クラクションの音）。店主はリュシアンと入れ替わりに下手フレーム外へ歩いて出てゆく。

ショット⑤：カメラ屋店内。レジスター向けヨリ。

フレーム上手端から下手のレジに向かう店主。伝票を置き、レジボタンを押す店主の手。レジが開く（クラクションの音）。レジから紙幣を一、二、三枚、それから数枚まとめて取り（高いクラクションの音）、店主は「はい」と言って、下手方向のカウンターに紙幣を置く。下手外側からフレームインしたイヴォンの手がそれに触れる。

ショット⑥：カメラ屋店内。店奥から入口向け。窓越しに外の車道・歩道が映る。

イヴォンは紙幣を受け取ると「どうも」と言って踵を返し、下手方向に歩いてゆく。店のドアを開ける（車のブレーキ音が響く）。ドアを閉める（車の音は一段下がる）。ドアガラス越しにタンクローリーへと向かって歩いてゆくイヴォンが見える。イヴォンは鞄に紙幣をしまって、それを助手席に置くと、タンクローリーに乗り込んで、ドアを閉める。エンジンをかける。タンクローリーが上手外に向かって発車し、走り去る。そのタンクローリーの反映がカメラ屋のガラス窓に、上手から下手に向かう形で映り込む（車の走行音が小さくなっていく）。

ショット⑦：ビストロ前。

イヴォンがタンクローリーを降りる。車のドアを閉め、下手側へと歩いてゆく。

ショット⑧：ビストロ前。

上手端からイヴォンが下手方向へと、ビストロのドアに向けて歩く。ドアを開け、中に入っていき、ドアを閉める。

ショット⑨：ビストロ店内。テーブルに着いているイヴォン向け。

イヴォンの前（下手側）に店員が紙幣を手にして立つ。イヴォンはテーブルにナプキンを置く。店員は「ダメだね」と彼に告げる。イヴォンはコーヒーを飲み干し、カップを置く。新たに紙幣を取り出して店員に差し出し、「これは？」と問う。

ショット⑩：ビストロ店内。店員の手元ヨリ。

紙幣を受け取る店員。紙幣を裏にし、また表に返して確認する。店員は「これも（ダメだ）」と拒絶する。

イヴォンはまた紙幣を差し出して「これは？」と問う。店員は紙幣を受け取る。

ショット⑪：ビストロ店内。テーブルに着いているイヴォン向け。

首を振る店員。イヴォンは紙幣に目を落として「これで俺に払った人に返してくる」と言うが（食器の音）、店員は「お前には返さん」と応じる（食器の音）。「そんな勝手な」と言うイヴォンに、店員は「お前は偽札を使う悪党だ」と言い放つ（水を注ぐ音）。イヴォンは立ち上がり、店員を睨む（食器の音）。

ショット⑫：ビストロ店内。イヴォンの手元ヨリ。
下手にいる店員の胸ぐらを強く摑むイヴォンの手。その手が下手外へと店員を突き放す。手は開いたまま大写しになる（木椅子や食器に店員がぶつかったらしい音）。
ショット⑬：ビストロ店内。店員の足元及びテーブルのヨリ。
皿が落ちて割れ、テーブルが床に倒れる。店員の足元がふらつく。テーブルクロスがゆっくりと落ちかかる（この間に、車の走行音が入ってくるが、徐々にエンジン音が低下していく）。クロスがハラリと床に落ちる。
ショット⑭：徐行するパトカーをフォローしてパンすると、カメラ屋の店前（道から店内向け）。
下手へと向かうパトカーが徐行し、カメラ屋の前に止まる。運転手がサイドブレーキを引き、エンジンを切る（ここまで⑬からこのパトカーの走行音は連続して聞こえている。車のドアの開く音。降りてくる足音。車のドアの閉まる音）。車から降りてきたと思しきイヴォンと刑事が、下手方向のカメラ屋入口へと歩いていき、ドアを開ける（バイクの走行音が高まる）。二人は中へと入り、ドアが閉まる。カメラ屋のショーウインドウに下手から上手へと走る車が映る。
ショット⑮：カメラ屋店内。店入口側から店奥向け。
下手のフレーム外から歩いて入って来る店主。画面手前の刑事とイヴォンを通り過ぎて、彼らの方（下手側）へと振り返って立ち止まる。イヴォンを見て「この人？　使用人に聞こう」と言って、店主は奥の暗室のドア前へと歩いていく。その扉を指で軽くノックする店主。暗室のドアが開く（高いクラクションとバイクの走行音）。暗室内に入っていく店主。

ショット⑯：カメラ屋店内。店奥から店入口側向け。

立っている刑事とイヴォン（前のショットから続く車の走行音。暗室のドアが閉まる）。

ショット⑰：カメラ屋店内。店入口側から店奥向け。

暗室から歩み出てくる店主とリュシアン。リュシアンは立ち止まって、下手外のイヴォンに目線を向ける。

ショット⑱：カメラ屋店内。店奥から店入口側向け（ショット⑯と同構図）。

イヴォンは「俺だよ」と上手外のリュシアンに向かって言う。

ショット⑲：カメラ屋店内。店入口側から店奥向け。

眉根を上げて、小さく首を振るリュシアン。

ショット⑳：カメラ屋店内。店奥から店入口側向け。イヴォンをフォローしてパン。

イヴォンは「請求書を渡した。これだ」と言って、上手のリュシアンに歩み寄る。鞄を開け、「写しがある」と紙束を取り出し、それをめくってリュシアンに見せる。

ショット㉑：カメラ屋店内。店入口側から店奥向け。

リュシアンは紙を見て、イヴォンを見て、また首を振る。イヴォンは紙束を閉じ、鞄へと。

ショット㉒：カメラ屋店内。店奥から店入口側向け。

イヴォンは鞄に紙束をしまう。刑事は上手外にいる店主とリュシアンに「お邪魔して申し訳ない」と告げて、イヴォンの腕を取り「行こう」と言う。イヴォンは下手外の虚空を見て「バカな」と呟く。二人は下手方向のドアへと歩いていく。ドアを開ける（車の走行音が大きく響く）。刑事はイヴォンを先に行かせて「まだ終わりじゃない」と言う。ドアが閉まる（車の走行音が一段下がる）。何台もの車が通りすぎるなか、下手から上手へ向かって猛スピードで走り抜ける車がある。パトカーのドアが開き、エンジンがかかる。刑事とイヴォンが乗り込んで、車のドアが閉まる。エンジン音が高まり、パトカーは上手外へ向かって発車し、フレームアウトする。そのパトカーの反映がカメラ屋のガラス窓に、上手から下手に向かう形で映り込む。

ショット㉓：イヴォンのアパルトマン、外廊下。

暗い画面（前のショットを引き継ぐように車の走行音が聞こえている。階段を上がってくる足音が響く。車の走行音が完全に消える）。上手外からフレームインしたイヴォンの手が、下手側のドア鍵穴に鍵を入れようとする。その前にドアが開く。部屋内から娘が現れ、言葉にならない歓喜の声を上げる。イヴォンは中へと歩み入り、内部へ続く内扉を開け、娘を中に進ませる。入口のドアが閉まる。

こうした文章は、結局のところ読者に、映像‐音響を記述することの不可能性を再確認させるのみだろう。映像上で蠢くすべてを叙述することなどできようはずもない。筆者はあくまで読者が、何らかの形で実際の映像‐音響を見聞きすることを望んでいる。ただそれでも、『ラルジャン』はこのような記述を完全に拒むような、極度に複雑なショット構成を持ってはいない、とは言える。そこにあるのは、いわば次の断章の逆の事態だ。

極度に混乱していたり極度に整頓されたりしている諸事物は、互いに等しくなり区別がつかなくなってしまう。それは無関心と倦怠の種となるだけだ。
（一三四頁）［120］

つまり「ある程度整頓され、且つある程度混乱している」ことこそ、諸事物を相違させ、互いに際立たせるのだと言える。そのことで、むしろ観客は関心を刺激され、興奮さえ覚えるだろう。それこそが『ラルジャン』はじめ、ブレッソンの映画で起きていることだ。中でもこの場面の〈映像と音の配置〉には、最も顕著な線的(リニア)な「進行」とでも言うべきものがあり、それが筆者がこのような形での記述を選んだ理由でもある。幾つかの特筆すべき点を取り出しつつ、見ていこう。

まずショット①②③において特徴的なのは、やがて主人公と言うべき存在へとなりゆく「イヴォン」の顔を観客が見ることがない、ということだ(この場面で彼は初めて登場する)。ここでは彼の身体が〈断片化〉されている。彼を中心として写しているにもかかわらず「手元」や「背中」しか見えない。これほど過激な〈断片化〉は、言うなれば現実の空間をバラバラにしてしまう。本来の現実では、これらの空間は何ら特筆すべきことはなく連続しているのかも知れない(あるいは、まったく離れた場所を恣意的に並べているのかもしれない)。古典的ハリウッド映画のように、エスタブリッシング・ショット(ヒキ画(え))によって具体的な位置関係が示されることもないため、観客は一つ一つのショットが「どこ」であるのかもはや判断できない。これらの断片は錨につながれない船のように、どこともつながりを持てずに観客の想像力のなかで遊離している。かろうじてそれらをつなぎとめるものは、同じ「物体」が、同方向へと運動することで生じる「運動感覚」しかない。ホースを持った手が、①②を通じて、上手から下手へ移動していた。そして、伝票を持った手が②③を通じて下手から上手へと移動していた。この断片同士の「運動の方向性」を介したつなぎは、シネマトグラフの〈モンタージュ〉がバラバラとなった〈断片〉間に打ち立てる〈新たな諸関係〉の最も基本的なものだ。

更に見ていこう。④でも⑤でも、カメラはそもそもイヴォンに向けられてはいない。ショット⑤のカット替わり直前に、彼の手がフレームインしてくるのみだ。ショット⑥で我々は初めてイヴォンの顔を視認する。それは彼がこの映画のタイトルにもなっている「金銭（ラルジャン）」、それも「偽札」の紙幣をその手に受け取った瞬間である。思えば、これより前にも「紙」が複数の人間を行き交っていた。この場面ではショット②で「伝票」が登場し、③でリュシアンに、④で店主に手渡された。⑤で店主は（明確な意図を持って）、伝票に記載された金額を「偽札」で支払い、イヴォンはそれを手で摑んだ。彼はいわば、そもそもはこのドラマの外側に存在していたにもかかわらず、この「偽札」を手にした瞬間にドラマの進行へと引きずり込まれたようでもある。その「引きずり込み」はあくまで「紙」を手渡すという運動を介して起こったこと、そして紙が手に取られるその都度「パリパリ」とした強いペーパーノイズがあったことを覚えておきたい。

また、ここで指摘しておきたいのは③⑥における、人物（イヴォン）を捉える「サイズ」の変化である。③においてはイヴォンの手の大写しから始まり、その動きにつけてカメラをフォロー（パン）することで、最終的にはイヴォン及びリュシアンの身体の腰より上を捉える。⑥に至っては、逆にイヴォンの腰より上を捉えるサイズから始まって、彼が画面後景へと退く様子をフィックスで、店外に出た彼の全身までをガラス越しに捉える。そのことで、長回しとも言えない長さのシンプルな一つのショットはぬらっとその性質を変転させて、ショット・サイズによる記述の強張りから逃れ出てしまう。いわんや、それらが連ねられるときに映像と音が織りなす複層的なダイナミズムには驚くほかない。

君の映画を見よ、それが表現し意味しているものの外で、運動する線や塊の結合体として。（一二二頁）［121］

シネマトグラフとは、運動状態にある映像と音響とを用いたエクリチュールである。（八頁）［122］

シネマトグラフ――書くための、すなわち感じとるための新たなる方法。（四三頁）［123］

シネマトグラフは、もちろんカメラや録音機によって、現実の〈運動する線や塊〉を記録することを通じて成立する。それは単に受容的な営為ではなく、むしろ〈書く〉ための、即ち〈感じとる〉ための方法としてある。「運動」を〈感覚〉し、且つそれを〈結合〉することが〈書く〉方法となるのだ。たとえば観客がショット⑥の最後に映るものを〈感じとる〉とき、シネマトグラフの映像と音響は、新たな連関を生き始める。

⑥のカット尻には、イヴォンの乗ったタンクローリーが画面をフレームアウトしてのち、微妙な「余韻」がある。これは明らかにドラマ上は不要なものだ。主要と言える人物は既に画面外に出てしまっている（実際ここに至るまで①②③⑤は人物がフレーム外に出る前に終わっている）。しかし、既に記述してある通り、このカット尻のタイミングを選んだ理由は明らかだ。ショーウィンドウに映った「タンクローリーの虚像」を見せるためだ。なぜか。その虚像が実際のタンクローリーの方向と反対に、「上手から下手に」動いているからだ。それが一体何だというのか。その運動は、続くショット⑦のイヴォンの動きの方向と一致する。⑧とも。そして、それ以降のイヴォンにまつわる（イヴォンのではなく）動きは基本的に「上手から下手へ」と向かって生じている。⑫で、彼の手はビストロ店員を下手外へ向かって突き飛ばす。⑭では彼を乗せたパトカーは「上手から下手に向かって」徐行し、停止する。パトカーを降りた刑事とイヴォンは下手方向への運動を維持しつつ、画面奥の

カメラ屋へと入っていく。⑮においてカット頭では下手外側にいた店主が移動することで、イヴォンらと左右の位置関係を反転させる。以降のショットの連鎖（⑯～㉒）でも登場人物間の視線の方向性を維持することで、イヴォンは場面全体を通じて下手側に配され続ける。カメラ屋たちが揃って彼との面識そのものを否認した後の㉒において、本来（上手に向かって）返されるべき「紙」を拒絶されたイヴォンは下手の虚空に向かって「バカな」とつぶやき、やはりそのまま下手へと連行される。イヴォンを乗せたパトカーは、逆に「下手から上手へ」とフレームアウトする。ただし勿論、ここでもショーウィンドウに「パトカーの鏡像が上手から下手へと動く」のが映ってカットが替わる。そして㉓でもイヴォンは上手から下手へと動く存在として現れるのだ……。

素直に告白すると、⑥の「タンクローリーの鏡像」に気づいて指摘したのは筆者ではなくダンサー・振付家の畏友・砂連尾理だ（彼の映像を見る能力から、あまりに多くのことを学んだ）。この指摘を受けて筆者は、この場面における「動きの方向性」が「ひとつながり」のものとなってしまったことに、ひどく動揺した。映像が〈互い同士の内的な結合をあらかじめ見越している〉とは、たとえばこのように運動の方向性を介してつながることを指しているだろう。これほどの「同方向」の運動の連鎖は、撮影に先立つ〈ヴィジョン〉なくしては決して実現されないことも言い添えておきたい。ただ、「タンクローリーの鏡像」はもしかしたら編集時に発見されたものかもしれないとも思う。その際にブレッソンはこの編集点を選び、「上手から下手へ」の運動でこの場面を貫くことを思い立ったのではないか。真実はわからない。具体的に運動する〈線や塊の結合体〉があるのみだ。

その〈結合体〉はもはや単なる「同方向の運動」以上のものとして感じられる。「偽札」の行き交いから生まれた、ある不可逆な事態の「進行」が、具体的な運動の連なりとして示されている。抗い得ない「力」

の〈流れ〉、その〈道筋〉とも言うべきものが、カットを越えて生じていることに震撼し、感動に近い恐怖さえ覚えた。そして、この「進行」を音が裏打ちする。

街の通りや鉄道の駅や飛行場に溢れている未組織の雑音（君が聞いていると思いこんでいるものは、実際に聞こえているものとは異なる）を組織し直すこと……それらの音を一つ一つ沈黙の中で摑み直し、それらの混淆を調合すること。

（六六頁）［124］

『ラルジャン』における音響構築、特に〈雑音〉（ノイズ）のそれは間違いなく後処理（効果音のアフレコ）によるものだ。現場録音だけで、今あるように特定の音を強調することはできない。我々が日常において聞く音は〈未組織の雑音〉である。これを腑分けするようにして、構成要素であるノイズを別途録音することで初めて、各音をどの程度聞かせるか選択すること＝ミキシングは可能になる。ではその「効果音」はどのように、つまり何を「目印」として付けられるのか。基本的には「アクション」もしくは「運動」に合わせて、である。

物と物がある速度において、つまりはある運動のなかで出会うときに、音は生じる。ブレッソンの映画を見ることほど、「音」とは基本的に物体同士の擦過音か衝突音なのだと気づかされる体験はない。彼の映画の音は常にアクションや運動につれて生まれる。これほどまでに出元のはっきりした音は〈未組織な雑音〉と言うより、個別具体的な〈物音〉と呼ぶのがよいだろう。

物音のリズム的価値。

ドアが開いたり閉まったりする音、人の足音、等々、リズムの必要のための。

（六四頁）〔125〕

リズム。

リズムの持つ絶大な力。

持続しうるのは、リズムの中にはまりこんでいるものだけだ。内容を形式に、意味をリズムに従わせること。

（八九頁）〔126〕

〈物音〉はアクション・運動につれて起こる。ということは、その反面としてアクションや運動の停止とともに沈黙が訪れる。運動に即して、音の出現と沈黙が繰り返されるわけだ。このときアクションに応じて〈物音〉は固有の「リズム」を持つことになる。音が一定の間隔を置いて繰り返し、間欠的に現れ続けるときに我々は否応なく「リズム」を感じる。リズムとは本質的に「回帰」であり、それゆえにリズムの中にいるとき、我々は意識されない「予測」を生きるようになる。それが続くことは安心なことだけれども、同時に閉塞的でもある。だからこそ聞く者は、安定した何かが続くことを望みつつ、それが変化してゆくことも同時に望む。シネマトグラフにおける〈映像と音の配置〉は複数のリズムを交替的に配置することによって、安定と変化を同時に実現する。

我々の日常に存在する〈物音〉のうち、一定のリズムを最も顕著に感じさせるのが〈足音〉だ。この場面でも〈足音〉は終始よく聞こえる（たとえガラスの向こう側の歩行であっても）。ある場所から別の場所への人物の移動があり、彼が立ち止まるならば、事態の進行にはある変化が付け加えられる。それは映像における運動の変化であると同時に、音の変化でもある。〈足音〉は、この映画の根本的なリズムを形成している。

立ち止まるとき、そこにまったく異なる音が導入される。最も一般的な音声は実は〈物音〉ではなく、〈セリフ〉だ。他人と相対することで立ち止まる事態が多く発生し、言葉が発されることで関係が始まる。ただ、『ラルジャン』における〈セリフ〉の大きな特徴は、基本的に寡黙なブレッソン作品のなかでもひときわ言葉数が少なく、単に簡潔である以上にとりつくしまのないほど断定的であることだ。前作までに比べても、『ラルジャン』の会話には話者同士の関係性を微妙に震わせていく、という側面が極端に欠けている。断定的な言葉遣いはむしろ議論を封じ、決定的なアクションを引き起こす（⑨⑩⑪）。ちなみに筆者は、このことが『ラルジャン』に前作までほど明瞭には「目線の上げ下げ」が見られなくなる理由と考えている。あの「目線の上げ下げ」は話者間の影響が過度なものとならないよう、ある「微妙さ」を保ち続けるようにモデルたちをテキストという起点へと差し戻すためのものだったのではないか。今ならば「目線の上げ下げ」が歩行を止めたモデルたちに与えられた、最も根本的な「リズム的仕草」であったと理解できる。ただ、これがないからと言って、『ラルジャン』に繊細さがないということにはまったくならない。むしろ別種の繊細さへブレッソンは舵を切る。

筆者は、『ラルジャン』におけるアクションを呼び起こす簡潔かつ断定的な〈セリフ〉は、どこか〈物音〉へと近接していっているような印象を抱いている。モデルたちから、これまで以上に「人間性」も「人間関係」も見出すことが難しくなっているからだろう（唯一の例外があるとすれば、終盤のイヴォンと寡婦とのやりとりだが、それらすべてが終局においてはこの上なく強烈に否定される）。モデルは〈反復練習〉を介して、〈意図〉を抹殺された〈自然〉へと至る。それが理想的に達成されたとしたら、オブジェと人間の境目がなくなるような事態であるはずだ。実際にブレッソンがどこまでその理想に迫ったかは判定できないが、その試みを最も推し進めたのは『ラルジャン』においてだ、とは断言できる。筆者は『ラルジャン』の映像と音に立ち会うたび、以下の謎めいた断章を思い起こす。

　人物とオブジェの持つ、たった一つの神秘。（一二三頁）[127]

　君の映画の登場人物たちとオブジェたちは、道連れとして、同じ足取りで歩かねばならぬ。（一〇五頁）[128]

『ラルジャン』はブレッソンによるシネマトグラフの「最後」の作品としてよりも、専ら彼の試みの「最先端」に位置する作品として記憶されるべきだろう。人物はひたすら〈アクション〉ひいては〈音〉の発生源へと還元されて、物(オブジェ)とともに〈リズム〉の構成要素となる。すべては〈運動する線や塊の結合体〉として、〈形式(フォルム)〉としてそこに現れているのだ。

　或る芸術が人を強くうつのは、その純粋なフォルムにおいてである。（一一八頁）[129]

「足音」が人物の足の運動と関わるとして、「紙」の立てる〈物音〉は常に「手」のアクションとともに生じていた。伝票が、紙幣が、手を介して受け渡される（ちなみに「伝票」は常に上手に向かって手渡され、「紙幣」は常に下手に向かって受け渡されていた）。その都度、不可逆な事態の推移をしるしづけるように、ほとんど過剰なまでに「紙」の音が立つ。そして、この手を介した「紙」の受け渡しがイヴォンの運命を決定的に捻じ曲げ、彼をその「仮借なき進行」とも言うべき事態へ巻き込んだことも既に確認した通りだ。ただ『ラルジャン』が恐ろしいとしても、こうした〈物音〉が「運命の仮借なき進行」を象徴しているから、では一切ない。アクションと運動が、またそれに付随して発生する〈物音〉が、意味を欠いた単なるフォルムとして、〈リズム〉を構成するように〈配置〉されていること自体が恐ろしいのだ。そして恐ろしさの本質は、結局のところ我々がそのアクションを見ておらず、〈物音〉を聞いていないことにある。この映画のなかでミキシングされている〈物音〉は、我々が日常的に知覚する以上の明確さで聞こえてくる。にもかかわらず、我々観客はそれに十分な注意を払わない。それがあまりに日常的な音だからだろうか。ただ無意識的に〈リズム〉を感じるのみである。〈リズム〉は我々を乗せる乗り物のように、もしくは河の流れのように、我々を映画の終局まで自動的に運んでいく。我々は自分たちを運ぶものに関して無知なままだ。映画を見ていながらも見ていない。聞いてもいない。その「不注意」こそが実は『ラルジャン』、いやシネマトグラフと観客の関わりの最も恐ろしい部分ではないか。だがそれについて語ることは、最終節に譲ろう。

　こうした〈配置〉のなかに、映像と音声のリズムの特異的一致点が存在する。「ドア」だ。その〈映像と音〉は協働して明示的に、事態の「進行」の〈印象〉や〈感覚〉を持つことを観客に促す。『ラルジャン』には「ドア」を映したショットが異様なほどの数で存在する。多くの人がそこを「出入り」することでドラマが推移するからで、やはりそのこと自体「仮借なき進行」を示してもいる。特に「ドアの閉まる音」は日常生活のなかでひと際大きな音量を持つ「衝突音」であり、時に人の神経を逆撫でする。この映画においても「ドアが閉まる」そのたびに、観客はそれに近い感情を抱くだろう。なぜ誰も音を立てないように閉めないのか。誰もが、他の誰かを拒絶しているかのようだ。人がある空間からドアを通じて出ていくその様を映像が示すとき、人のいない空間でそれ以上ドラマが進行することはなく、即ち「ドアが閉まる音」はそのままある場面の終わりを意味する。いわば「ドア」の映像と音は『ラルジャン』において、「進行」にコンマを打ち、事態を分節化するように機能する。また一枚、更に一枚とドアが閉まる。その都度、ドアの音は「ペーパーノイズ」とともに、しかしよりあからさまに事態がまた一段と、取り返しのつかないかたちで進んだことを我々に知らせる。にもかかわらず我々はやはり、気がつけば映画の終わりまで運ばれていることだろう。あの「ドアの開け放たれた」ラストカットまで。このとき、開け放たれたドアの向こう側を見つめる映画のなかのエキストラたちと、映画を見つめる観客たちの境目は随分と曖昧にされてしまう。「運命の仮借なき進行」は映画が終わっても止まることはなく、あのドアをくぐり抜けて、観客の世界まで届かんとしているかのようだ……。

『ラルジャン』の分析を終える前にもう一つ、我々の意識の裏側へと潜り込むタイプのある〈物音〉とその使用法について触れておきたい。「車の走行音」だ。正確には、これは自動車のエンジンの回転する音であり、それが近づき遠ざかる音だ。往来の激しい車道沿いの「カメラ屋」の場面において、この「車の走行音」は、ほとんど一台一台の音の区別はつかない格好で、それこそ〈雑音〉としてこの場面の背景音となっている。ときに実際に映りもする車の行き交いの映像とともに、この音声は常に「都市」におけるものごとの進行の「自動性」を暗示する。音声は映像以上に、その「自動性」が個々の生活にまで侵入してしまっていることを直截に示す。この音声の侵入・越境は単に空間的なものにとどまらず、更に時間的なものでもあり得る。ショット⑫において、イヴォンがビストロ店員を突き飛ばす。開いた掌が大写しで示される（運動の痕跡と予感をはらんだ、このブレッソン的な「ポーズ」を多くの観客が忘れないだろう）。このイメージに重ね合わせて、木椅子や食器にぶつかったような音が響く。そして⑬へ切り替わった瞬間、前ショットの音を引き継ぐようにして、店員の足元に皿が落ちて割れ、テーブルも床に倒れる様が映る。勿論、それぞれが強い音を立てる。映像と音の一致は「ある暴力」が起こったこと、それが取り返しのつかない事態への着々たる進行であることを観客に確信させる。しかし場面はここで終わらずに、ある余韻を持つ。テーブルにかかっていたクロスがごくゆっくりと床に向かって落ちていくまでの間だ。このとき車の走行音が、この落下に重なるように入ってくる。この「車の走行音」のエンジン回転数は徐々に低下していく。我々は車の徐行のイメージを（先んじて）抱く。その瞬間、クロスがハラリと床に落ちて、わずかに音を立て、映像は⑭に切り替わる。車の走行音は⑬から連続している。その冒頭ではパトカーが徐行して、停車する。ここで、「徐行する車の走行音」はこのパトカーのものであったことが観客にも知れる。我々は一瞬、警察が「事件現場」に駆けつけたものと解釈しかける。しかし、イヴォンがパトカーから降りてくることで、事態は我々が考えるより遥か先へと進行していることがわかる。しかも、彼らは「偽札」をイヴォンに渡したカメラ屋へと来たのだ。因果関係が幾つもの飛躍を含みつつ、この音声の先行一つでなし崩し的に接合されていってしまう。

ポストプロダクションの現場ではこの音声のみの先行は「ズリ上げ」と呼ばれる。一方、㉒→㉓のように、前シーンの音のみを次シーンへと「残響」させることは「ズリ下げ」と呼ばれる。「ズリ上げ」「ズリ下げ」は、シーンをまたいだ音声という点で共通する技法ではあるけれども、両者の性質は微妙に異なる。「ズリ下げ」

が必然的に前シーンの余韻を伝え、次シーンがそれ以前の影響下にあることを比較的穏当に示すのに対して、「ズリ上げ」はより暴力的だ。⑬において、我々は車の走行音を聞いて、どこか「この空間とマッチしない音像である」と感じる。車が映っていないにもかかわらず、その場を支配する音声が車の音になっているという「ちぐはぐ」さがあるからだ。この「ちぐはぐ」さが、一瞬ではあっても〈映像と音〉の関係を不安定にする。次シーンにおいてパトカーが映れば、我々は音の「ズリ上げ」を事後的に了解し、そこではある安定が回復される。実のところ、この安定はいわばマッチポンプ的なものだ。本来ならば、次ショットの映像と音がいちどきに現れた際に生じるであろうショック・不安定さを、音を先行させてしまうことで「不安定→安定」の体験へと書き換えてしまうからだ。その点で、一般的に「ズリ上げ」にはある種の詐術性があると言ってもいい。しかし、本来なら受け入れがたいものを観客に無意識に受け入れさせてしまうその詐術性が、この場面にはよく適合している。因果関係の飛躍も含めて、本来つながらないものがつながってしまうことで、却ってもたらされるひときわ強い〈持続〉の感覚は、『ラルジャン』における「仮借なき進行」の印象に大きく寄与する。実際の映像と音を扱うブレッソンの手つきはしかし、暴力的どころかむしろ繊細そのものだ。

⑫⑬⑭の一連において、映っている映像と聞こえてくる音声は常に「ズレ」を伴って進む。音は先んじてやってきて、次のショットを予告し、〈推測〉させ、我々を〈うずうず〉させる。映像が到着すると、音声はまた先に行ってしまう。その点でまさに、この場面は映像と音声の〈リレー〉を理想的に遂行している。しかし、テーブルクロスがこの速度とタイミングで、このニュアンスで落ちたことは間違いなく撮影現場の〈偶然〉だろう。筆者にはこの〈偶然〉を発見したブレッソンが、ポストプロダクションの現場で〈即興〉をしているように思われる。勿論、落ちきる前に編集点が来てもよかったはずだが、この「落下」はブレッソンにとって〈構想〉をより

正確に表現する〈偶然〉だった。だからこの編集点になっている。しかし、単に映像のみを見せるには長すぎる余白だ。好意的に取られたとしても、その「余白」はイヴォンの皮肉な運命を「感傷的な余韻」として示しかねない。ブレッソンは決して望んではいない「感傷」を抹殺すべく、次シーンに登場するパトカーのエンジン音をここに重ねる。更にパトカーのエンジン音の回転数を下げつつ聞かせることで、落ちるテーブルクロスの映像へと音を呼応させ、音にそこにあることの正当性を付与してやる。ついにテーブルクロスの床につく瞬間、「落下音」が立つ。その音が「クロスが床に落ちること」を「ドアが閉まること」へとこの上なく近づけたところで、次ショットに切り替わる。そこにまず映るパトカーには、偽札使用という「無実」の罪の嫌疑をかけられたイヴォンが乗せられ、運ばれていたのだった。エンジン音とパトカーという、一旦隔てられていた音と映像が一致するとき、観客は単なる解釈の安定を超えたある納得の〈感覚〉を得るだろう。一つの音でつながれた二つの異なる映像が、どこか共通の〈感覚〉を観客に与える。テーブルクロスがたまたまある時間をかけて落ちゆくのを見たブレッソンは、〈互いにもっとも隔たりあいもっとも相違しあっている〉カットを取り結ぶ〈絆〉を得たのではないか。〈印象〉〈感覚〉として。彼はそれに基づいて、この映像に然るべき音を重ね合わせた。それはテーブルクロスを落下させる「重力」の仕事と、イヴォンに襲いかかった「運命」の仕事の「近さ」の〈感覚〉とでも言うべきものだ。きっと〈自然〉と〈自動〉の「近さ」でもあるだろう。

筆者はこれを手前勝手な「妄想」ではないと信じているが、過度の言語化ではある可能性は認めないといけない。ブレッソンに倣って、フォルムに留まろう。この一連において、モデルのアクション、オブジェの運動、それらの立てる〈物音〉たちをひたすら〈フォルム〉として〈配置〉する、ブレッソンの〈手仕事〉の繊細さをただ見るのだ。聞くのだ。

君の映画の中に人が魂と心情を感じるようでなければならぬ、が、と同時にそれは手仕事のようにして作られねばならぬ。

（三三頁）［130］

ここまで本稿が示そうとしてきたのは、ロベール・ブレッソンの実際的且つ唯物的な「手つき」である。本稿の目的であった「脱-神秘的」に読むこととは、いわば「つまらなく」「無味乾燥」な作業の積み重ねとしてシネマトグラフの制作を捉え返すことであった。ただ、もう一つ目的があるとすれば、その実際的極まりない〈手仕事〉を通じて、ブレッソンの映画は〈人が魂と心情を感じるよう〉に作られていることを指摘することだ。ときに〈平板〉で、「無感情」と捉えられるとしても、ブレッソンは自分の映画が感情的であることを一切否定しない。

シネマトグラフの映画――情動的であり、表象的ではない。
（一三六頁）［131］

顔の上に、また仕草の中に感情を覗かせること、それは俳優の技術であり、演劇である。顔の上に、また仕草の中に感情を覗かせないこと、それはシネマトグラフではない。意図的でなく表情豊かなモデルたち（意図的に無表情な、ではない）。

（一〇八頁）［132］

シネマトグラフにおいて、〈感情〉は一切否定されないどころか、それはむしろ目指されるべきものなのだ。

モデルたちは〈意図的に無表情〉なのではまったくなく、〈意図的でなく表情豊か〉なのである。ただ、その〈表情〉の〈豊かさ〉は〈真実〉ではあるけれども、もしくは〈真実〉であるがゆえに極めて微小で、〈誰にも気づかれずに過ぎてゆく〉。だからこそ「再構成」が必要とされるのだ。

感動的な映像によって人を感動させるのではなく、映像に生気を与えると同時にそれを感動的なものにもする、映像相互間の諸関係によって感動させること。（一一九―一二〇頁）〔133〕

シネマトグラフは観客の〈感動〉もまた一切否定しない。それは常に〈映像と音の配置〉によって達成される必要があるというだけのことだ。ブレッソンの映画がこの上なく感情的で、表情豊かで、感動的でもあることを、ここまで読み進めてきた読者もまた同意してくれることを筆者は願ってやまない。それは常に唯物的な〈手仕事〉の成果として生じる事態である。彼を神秘的な映画作家として称揚するのでもなく、平板で無感情な作品をつくる偏屈な監督として忌避するのでもない。その中間に差し戻すこと。常に具体的な身体と物へのアプローチと〈映像と音の配置〉を通じて、映画が〈魂〉や〈感情〉へとたどり着くための実践の書として、『シネマトグラフ覚書』を読むこと。それが目的であった本稿は、間もなく終わろうとしている。ただ……、ここに至ってもなお彼の映画が最終的に〈水に浸した水中花のように生を取り戻す〉うえで不可欠な事柄を十分に指摘できていない。そもそもこの「再生」が起こるのは、単に〈或る種の秩序の中に置かれ〉たとき、即ち「再構成」がなされたとき、ではない。それを経て〈スクリーンの上に映写されるとき〉だとブレッソンは言っている。つまり、映画は実のところ再構成によって「三度目の死」を経験し、「四度目の誕生」の瞬間を待っているのだ。その再生の成否は、スクリーンに向けられた眼と耳、即ち「観客」にかかっている。

明確なもの、正確なものによって、君は注意力の集中を強いなければならない、眼も耳もぼんやりしている連中に。

（一三七頁）〔134〕

9　シネマトグラフの未来

私が今日（＊）立ち会ったのは、映像と音の映写ではない。それらが互いの間に及ぼしあっていた眼に見える瞬時の作用に、そしてそれらの変容に、私は立ち会ったのだ。魔法にかかったフィルム。

＊一九五六年十月のモンタージュ？

（九四―九五頁）〔135〕

註として付された〈一九五六年十月のモンタージュ？・〉という記述から（書籍刊行にあたって記録を確認したのだろうか？・）、これは同年十一月にフランスで劇場公開された『抵抗（レジスタンス）　死刑囚の手記より』の試写に立ち会ったロベール・ブレッソン自身の反応だと思われる。『田舎司祭の日記』における決定的な転回を経て、更に純然たる〈映像〉と〈音〉の再構成へと軸足を移したと言える作品だ。その〈映像と音〉が自身の想像通り、もしくはそれ以上に理想的に働き合う様子を見たブレッソンは、映画が〈魔法にかかった〉と自身の恍惚と喜悦を表現する。この感想は「自画自賛」とも見えるかもしれないが、それまでよりも遥かに実験的なものとなった試み、その成否に対してブレッソンが強い不安を抱いていたことの裏返しだろう。この断章が示すのは〈映像と音〉が相互作用と変容を起こすのは〈映写〉の瞬間をおいて他にないということだ。一本の映画が〈水に浸した水中花のように生を取り戻す〉か否かは、〈スクリーンの上への映写〉の瞬間にのみ決定される。

ちょうど、絵具がいつまでも乾かずにいる画家の画布のように、私の映画がまなざしの凝視のもとで次第次第に作り上げられてゆくことを、私は夢見た。（一七五頁）［136］

ここまで『覚書』を読んできた我々には、この〈まなざし〉を〈映写〉の段階におけるものと解することができる。このことは「映画は観客に届いて完成する」という紋切型とは異なる。ブレッソンの映画に完成はない。それは常に〈まなざしの凝視のもとで〉、具体を通じて〈次第次第に〉作られてゆくほかはないものだ。〈まなざしの凝視〉が必要となるのは、例えば〈断片化〉されて宙に浮いたようなショット間の〈絆〉は、画面内の「運動」や「視線」を捉える観客の精神にしか存在できないからだ。シネマトグラフにおいては〈注意深く〉見聞きする者の精神のみが、フィルムの糊のように機能する。ブレッソンの映画が驚きに満ちたものとして受け取られる上で、決定的な役割を果たすのはこの〈まなざしの凝視〉なのだ。だからこそ、彼は〈注意力の集中〉を促すべく〈映像と音〉を配置するように努めた。

注意を他処に逸らすものを抹消し去ること。（一二二頁）［137］

もし眼が完全に魅了されたなら、耳には何も、ないしほとんど何も、与えないこと（＊）。人は、全身が眼になり同時に耳になるということはできない。

＊そして逆に、もし耳が完全に魅了されたなら、眼には何も与えないこと。（七八―七九頁）［138］

すべては逃れ去り、散らばってしまう。すべてを一つのものへと絶えず連れ戻すこと。（八三頁）［139］

おそらくは画面の〈平板さ〉さえも、見聞きする者の〈注意力〉を保持するため〈限界領域〉を定めた結果だろう。〈映像〉と〈音〉のどちらかを常に優位に立たせて、それらの〈リレー〉を構成することの目的も間違いなくそうだ。また、［81］の〈残余のすべてがそこに引っ掛かってゆくような、様々な核〉の形成を促す謎めいた文言は、〈逃れ去り、散らばってしまう〉見聞きする者の〈注意〉を〈一つのものへと絶えず連れ戻す〉ことを念頭に置いて、〈順次モンタージュ〉することを指していたとも考えられる。しかし、自分の精魂込めた〈手仕事〉を最終的に受け取るのが〈眼も耳もぼんやりしている連中〉であることは、ブレッソンを終生悩ませる宿痾のようなものだった。彼の生きる社会はむしろ〈不注意を教えこむ〉ことを是としているからだ。

シネマ、ラジオ、テレビ、雑誌、それらは人々に不注意を教えこむ学校だ――人は見ることなく視線をそそぎ、聴くことなく耳を傾ける。（一五〇頁）［140］

ブレッソンが現代に生きていたら、この〈学校〉にインターネットも確実に加えていたことだろう（彼にとってはそれを体験しないことは幸運だった）。とは言え〈不注意〉の時代に既に生きていたブレッソンは、自分の映画が観客にも批評家にも相応しく受け取られないことを嘆かずにはおれない。

観客が理解するよりも前に感じとろうという姿勢で臨んでくれるならば、どれほど多くの映画が彼にすべてを提示し、説明することだろうか！（一六〇頁）[141]

演劇を見る眼でもって判断を下す怠惰で時代遅れの批評は、何という災禍をもたらすことか！荒廃は観衆の中だけにとどまるものではない。（一八〇頁）[142]

彼の繊細な〈手仕事〉をここまで追ってきた我々にとって、こうした嘆きは正当化されて感じられはする。ただ筆者は、本稿で記したような幾つかの映像と音の具体に接して深く驚嘆しつつも「一体、誰に向けてこんなことをしているのか」と思わずにはおれなかった。筆者がその具体にかろうじて気づき、記述をしているのは、何人もの先達の導きや畏友の指摘の積み重ねがあってのことでしかない。結果として現在、筆者が確信しているのは「自分はその細部に、まだ全く十分に気づいていない」ということだ。おそらく、映像や音において明示されていながらも、気づくことなく通り過ぎている細部があまりに多く存在する。それらは姿を現すかに見えて、それを認識し、言葉にする前に隠れてしまう。もちろん、それは我々の〈不注意〉の所為なのだけれども、何よりもブレッソン自身がそれを〈隠して〉いるからでもある。

観念というもの、これは隠しておくこと、だが人が見出すことのできるような仕方で。もっとも重要な観念とは、もっとも見出しがたく隠された観念だろう。（五一頁）［143］

観念に似た形式（フォルム）。それを真の観念と見なすこと。（四五頁）［144］

目に見え、耳に聞こえる具体が〈形式（フォルム）〉である。ブレッソンは〈真の観念〉――それは実体として確認できないものであるだろう――とはあくまで〈観念〉に似た〈形式〉なのだと言う。その内実はわからないものの、〈観念〉つまりは〈形式〉を〈隠しておく〉ように、とも提言する。〈観念〉≒〈形式〉はいずれ見いだされることを期待しつつ〈隠され〉る。ただし、重要度が高いほど、より〈見出しがたく〉。つまり目に見える〈もっとも重要な〉フォルムこそ、〈もっとも見出しがたく隠され〉る。だからこそ、それが発見されるには〈張りつめた注意力〉が必要ともなるのだ。

しかし……ブレッソン以外の誰がそれをできるのか？　かくも〈見出しがたく隠され〉るならば、観客がブレッソン映画を見るときの〈注意〉はいとも簡単に行き場を見失って、切断されざるを得ない。それが、映画を最終的に〈作り上げる〉ために不可欠であるにもかかわらず。

ブレッソンが遂行する仕事は常に、相反する目的を持ったもうひとつの仕事とともに為され、互いに干渉しあう。それが上手く進まないのは当然だ。しかし、この相矛盾した仕事を同時になすことこそがシネマトグラフ全体を貫く〈創造〉原理なのだ。〈鉄のごとき掟〉は〈背く〉ためにこそ課される。

私はどこから出発するのか？　表現すべきオブジェからか？　感覚からか？　私は二度出発するのか？

（一九五頁）［145］

この問いに対する答えは『覚書』内では示されないが、答えは是であり非であるだろう。現実に在る〈オブジェ〉即ち「対象」と、「自分自身」の〈感覚〉、その両方から出発しなくてはならない。ただし〈二度〉と言わず、交替的に、何度でも出発しなくてはならないのだ。一方から他方へとアプローチしては、そこから再-〈出発〉を繰り返す。カメラと録音機を用い、〈構想〉を絶えず〈即興〉的に矯正しながら。〈シネマトグラフ〉はいわば幾つもの「デュアル・システム」を重ね合わせることから成る。二つの異なる原理をほとんど同時に走らせつつ、互いに葛藤させることによって、映画をある〈正確さ〉へと研磨する。ただでさえ複雑なそれを重ね合わせるというのだから、当然それは今まで見てきたような尋常ならざる「複雑怪奇」なプロセスにもなる。

極度の複雑さ。君の映画——試み、試行。

（一二三頁）［146］

何度も分解してモンタージュをやり直すこと。強度を得るに至るまで。

（六八頁）［147］

何度でも、何度でも、それは〈試み〉られる。〈強度〉とは〈正確さ〉のことであり、〈印象〉と〈感覚〉への「忠実さ」でもある。

一本の映画を制作するには多くの人間が必要だが、自分の映像と自分の音を作り、壊し、また作り直してゆく人間はただ一人いればよい。彼は、それらの映像や音が生まれるきっかけとなった、他人には理解しがたい最初の印象ないし感覚に、毎秒ごと立ち戻りながらそれを行なうのだ。

（一六六―一六七頁）［148］

ブレッソンの〈印象〉や〈感覚〉は、誰とも共有不可能なものであった。だとしたら、彼は〈ただ一人〉で〈何度も〉〈自分の映像と自分の音を作り、壊し、また作り直してゆく〉以外ない。ブレッソンは他の誰も当てにしない。もちろん、観客も。

特別に観客のことを慮って仕事をするのは、無益で愚かしいことだ。私は自分の為すことを、それを為すときに、ただ私自身の上に試みることしかできない。あとはただ、よく為すことだけが問題となる。

（一八一頁）［149］

ブレッソンはただ、自分自身の〈印象〉〈感覚〉及び〈注意力〉を基準として、自らの仕事をただ自分の上に為すことしかできない。しかし、何という孤独だろう。〈ただ一人〉。映画の生に最も不可欠な観客の〈まなざし〉ですら、ブレッソンは頓着しない。いや、できないのだ。彼はそのように振る舞うことしかできない。

ここで我々は気づくことができる。シネマトグラフそれ自体が、モデルたちと〈同質〉の「内向性」を持つということを。シネマトグラフの〈実質〉＝〈真実〉もまたその内に〈閉じこもって〉、観客には〈ちらりとしか〉示されない。それをほんのわずかでも、たとえば〈印象〉や〈感覚〉としてだけでも捉えるにはどうしたらいいのか。答えははっきりしている、観客はブレッソンと〈同質〉の〈張りつめた注意力〉を持たねばならない。そんなことができるだろうか。できはしまい。ただ、〈シネマトグラフ〉の観客たちには、ブレッソンのように〈限界領域〉を定めることを許されてはいないが、未来の無限の時間が残されている。何度でも繰り返し映画を見返し、聞き返すことが許されている。それが〈眼も耳もぼんやりしている〉我々に与えられた唯一のアドバンテージだ。それを活用しないという理由はあるまい。それができたとき、我々も次のような〈奇蹟〉へと参入できるのかも知れない。

> もしスクリーンの上で力学（メカニック）＝装置が消滅するならば、もし、君が君のモデルたちに喋らせた言葉や彼らにやらせた仕草が、ついに君のモデルたちと、君の映画と、君自身と一体をなすようになるならば、
> ――奇蹟とはそのことだ。　（五〇頁）［150］

スクリーンの上に注がれた〈まなざしの凝視〉が、かつて起きていた〈正確に作用する偶然〉を、〈テレパシーの交換〉を「今・ここ」において捉え直すなら、この事態が起きる。

過去を現在へと置き直すこと。現在という魔法。

（七一頁）［151］

過去に撮影現場で起きていた出来事が〈映写〉の瞬間、生々しい現在となる。思えば〈予知能力〉は未来を現在として捉える力であった。同様に時間の法則に逆らい、「今・ここ」という現在を立ち上げるこの〈魔法〉や〈奇蹟〉を可能にするのは、やはり〈凝視〉する自分を、ある〈メカニック〉と軌を一にする態度を持つことによって、だ。

知的ないし頭脳的な力学（メカニック）＝装置は必要なし。一つの単なる力学＝装置でよい。

（五〇頁）［152］

予見の力、この名を、私が仕事に用いる二つの崇高な機械に結びつけないわけにはいかない。キャメラとテープレコーダーよ、どうか私を連れて行ってくれ、すべてを紛糾させてしまう知性から遠く離れたところへ。

（一九六頁）［1／再掲］

〈知性〉を不活性化し、〈形式〉をただ〈印象〉や〈感覚〉として捉えることを可能にする〈張りつめた注意力〉は、カメラと録音機を模範とする態度から生じる。このとき初めて、我々の眼と耳に〈予見の力〉を持つ可能性が与えられる。その眼と耳は、ロベール・ブレッソンの映画を〈作り上げ〉、〈生〉を与えるのに不可欠なものだ。そして、それを持つことは新たな〈シネマトグラフの未来〉にもつながっているだろう。

シネマトグラフの未来は、制作に有金残らずはたき、しかもこの職業の現場の因習に足を取られることなく映画を撮りつづける孤独な若者たちからなる、新たなる一種族のものである。

（一六八—一六九頁）〔153〕

筆者も一実作者として、自分もこの〈新たなる一種族〉の一員であったなら、と夢想しなくはない。しかし、無理だろう。筆者がもはや〈若者〉と呼べる年齢でなくなってしまったこととは関係がない。大前提として書き付けておきたいのは、筆者がこれから実作者としてロベール・ブレッソンの〈シネマトグラフ〉の模倣を図ることはない、ということだ。ここまでそれなりの紙幅を費やして『シネマトグラフ覚書』を読んできたけれど、ブレッソンの〈シネマトグラフ〉こそが映画制作の唯一絶対的な方法であって、他のいわゆる〈シネマ〉は唾棄すべきものである、とは筆者は一切考えていない。ロベール・ブレッソンの〈シネマトグラフ〉は彼の〈実質〉と結びついた、彼だけに固有の〈模倣不可能〉な実践だ。特に筆者の〈実質〉はブレッソンのそれから最も遠く隔たったものの一つであると感じる。ただ、ブレッソンの「カメラ」や「録音機」の原理に関する思索で無視していいものは一つもない、とだけ感じている。

天から降ってきた驚嘆すべき機械（*）。わざとらしい作り事を飽きもせずに反芻するためだけにそれらを用いることは、もうあと五十年もたたぬうちに、常軌を逸した愚かしい行為と映るようになるだろう。

*キャメラとテープレコーダー。

（一七一頁）〔154〕

一九七五年の『シネマトグラフ覚書』の刊行から、現時点で五十年近くが経っているのだけれど、未だにこの予言が実現する気配はない（この点でもブレッソンは超能力としての〈予知能力〉は持っていなかったと断言できる）。遅すぎるかも知れないが、この〈天から降ってきた驚嘆すべき機械〉を〈わざとらしい作り事を飽きもせずに反芻するためだけに〉使うことへの批判と反省なくして、自分の映画づくりにも未来はない。それぐらいは〈予見〉できる。

ひとまずは自分の「欠陥」と差し向かいになることから始めたい。ロベール・ブレッソンは「ただそのようにしか為すことのできない」自分自身を徹底的に活用して〈シネマトグラフ〉を制作した。その「変えがたさ」を、まさにそれゆえに敢えて「欠陥」と呼ぼう。有効な方法は常に、変えることのできない「原理」と、およそ変えがたい自身の「欠陥」を見定めることから生じる。

『シネマトグラフ覚書』から、次の断章を引いて終わろうと思う。ロベール・ブレッソンの作品を見ることと、〈若者〉たちの映画制作を励ますために。

シネマトグラフの領野は途方もなく広い。それは君に、限りない創造力を与える。

（八三頁）［155］

本書のための書き下ろし、二〇二二年七月

あとがき

本書『他なる映画と2』に収められている文章は、基本的に雑誌や書籍などの媒体から依頼を受け、それらへと掲載するために書かれた。レクチャー原稿を基にした『他なる映画と1』とは、明らかに性質の異なるテキストたちがここには集成されている。まずもって、各原稿のご依頼をいただいた編集者・担当者の皆様に、御礼を申し上げたい。

筆者は映画監督として、映画は「いつか、どこかで、誰かに見られるもの」と思ってつくってきた。生きている間に誰にも見られない可能性だってあるが、未来においてどこかの誰かに「見られてしまう」ものであり、それどころか「いつかは隈なく見尽くされる」という恐怖と（少しの期待と）ともにつくってきた。ここに収録されてある文章も「いつか、どこかで、誰かに読まれるもの」として、同質の感情を抱きつつ書いてきた。なので、その場で口にしたそばから消えてしまう言葉という前提で書かれた『他なる映画と1』のテキスト群とは、書く際の気構えは随分違った。というわけで、書籍としては分けることにした。分量的に二冊構成になることは早くから予想されており、編集者との間では「レクチャー篇」「批評篇」と呼び習わしたり、「話し言葉篇」「書き言葉篇」と書名に添えることを提案したりしたが、どちらも本の実相を正確に言い当てられてないよう感じられて、結局この二冊のタイトルとしては単に「1」「2」とナンバーのみが振られている。

ではしかし、この「2」に集められた文章は一体何なのか。何だと思って自分は書いていたのか。それらを「批評」と呼ぶことは実のところどうも、ためらいを感じる（初版の帯文には「批評集成」とあるらしいけれども）。「批評」の枠に当てはまらないテキストも収録しているから、ということだけではない。作品や被写体について論じた文章が主だけれど、そこでは価値判断は前景化していない。もちろん批評とは単に価値判断ではないが、簡単に言えば「言うまでもなく、よいと思っている」ものについてだいたいの文章は書かれた。書いた理由は「書くために対象を見返すことが、自分のためになる」という手前勝手なものでしかない。自分が文章を書くことでしようとしていたことの言語化をもう少しだけ試みるならば――特に本書冒頭の相米論を書きながら自覚的になったことだが――それは、その作品なり作家なりの生産原理を摑むことだった。文章によって、その原理の核心を鷲摑みにすること。但し、ほとんどの場合それは不可能なので、せめて尻尾だけでも摑んで離さないこと。各文章において、それがどこまで果たされているかは読者の判断に任せたい。

自分はあくまで「映画をつくりながら見る人」もしくは「映画を見ながらつくる人」として文章を書いてきた。だから、他の映画監督や作品について書かれた文章も常に、どこか自分自身の制作と響き合っている。文章が自分語りに滑り落ちないように常に配慮はしてきたが、往々にしてそうなりもした。ただ、最終的にそうした自己言及から文章を引き離し、救ってくれたのは文章の対象（主に映画）そのものだった。映画は決して書き取り得ない。だからこそ映画について書くことには尽きせぬ快楽もまたある。書くことが決して嫌いでないのは、この快楽のせいだろう。結局、自分は自分のため以外に文章を書いたことがない。

ただ一方で無論、書かれた言葉は自分だけのものではない。特に二〇一八年以降、畏友たちと「勉強会」をする機会に恵まれた。各々の忙しさが許す範囲で月に一回程度のペースを目指して行われたこれらの勉強会は、自分に画面・音響を見聞きする新たな方法とそれを叙述する言葉を与えてくれた。映画監督の三宅唱さんと映画研究者の三浦哲哉さんとの「演出勉強会」、芸術学研究者の平倉圭さん（二〇二二年まで）とダンサー・振付家の砂連尾理さんとの「動きの勉強会」が自分に与えてくれたものは計り知れない。彼らの教示について具体的に名前を挙げられる時は二冊を通じてそうしたけれど、勉強会の成果は近年の文章のあらゆる箇所に染み込んでいると言える。この場に皆さんへの心からの感謝を、書きつけておきたい。

また、「ある覚書についての覚書」の文章を書く際、映画研究者の角井誠さんには『ジャンヌ・ダルク裁判』のフランス語台詞の聞き取り・確認をお願いし、新たに訳出までしていただいた。大学でフランス語を真面目にやったとは言えない自分の稚拙な読みに、実に丁寧に付き合ってくださった。角井さんには『シネマトグラフ覚書』の原書もお借りしたのだが、邦訳書では「予見の力」と「予知能力」と訳し分けられている言葉が原語ではともに「divination」である、と角井さんから伺った際にこの論考は着想されたことも併せて記しておきたい。『彼自身によるロベール・ブレッソン』の訳者である角井さんの助力を得られたことと、拙文に対して好意的に反応をいただけたことから、特に誰に依頼されたわけでもない文章を完成させる上で、大いに勇気をいただいた。あらためて感謝を申し上げる。

本書の編集者、中村大吾さんにもこの場を借りて、御礼を申し上げたい。二冊の文章の区分や並びは、基本的に彼からの提案に、自分が応答する形で編まれた。また、再録にあたってタイトルを変更・追記した文章は、同様の提案に基づいている。最初に本書の出版計画が持ち上がってから、気がつけば六年も経っている。文章を書くとは、本をつくるとはこんなにも大変なことなのか、というおそらくは出版業の人には当たり前のことも実感させられる日々だった。言及されている映画や文章もよくご確認いただき、実物に即した数々の具体的な指摘を大吾さんから受けた。その都度、顔から火が出るような思いをしながら初出原稿に修正を加えて書き進めた。とは言えある時期の自分の精神の「ドキュメント」として、間違いと指摘されたり、今ならそうは書かないことでも残した箇所が二冊ともにある。ご笑覧いただきたいところだが、ご批判ももちろん受け止める。読みの細かさに応じて編集作業が延びていくことに焦れる思いもなかったわけではない。が、ここまで仔細に自分の文章を読んでくれる人がいるというのは幸せ以外の何物でもなかった。

最後に、妻の葉月に心からの感謝を述べておきたい。彼女のツッコミを受けて、ハッとする。私の日常の大部分はそのことから成り立っている。フリッツ・ラング監督『真人間』のシルヴィア・シドニーに諭されて覚醒するならず者たちの姿を見ると、少し自分と重なる。とは言え、詐欺師的に誠実さを語るよりは、誠実に詐欺師でありたいと願っている私と暮らすのは大変だろうとも想像する。ただ、ありがとう、と感謝と労いの言葉をかけたい。

これからも少しボケっとしつつ、映画を見聞きしては、つくり、たまに書くだろう。いつかどこかで誰かが、自分の仕事を見たり読んだりしてくれたらこの上なくありがたいことだ。しかし、そのことは究極的にはあまり自分とは関係ないこととも感じる。感想も特に必要とはしていない。何かを見たり読んだりしてきた自分が、誰かに見聞きされ、読まれるものをつくっているというただそのことだけで僥倖と感じる。

見ること、聞くこと、つくること。たまに書くこと。そのサイクルを淡々と、続けていきたい。世間には申し訳ないが、それ以外のことをするつもりはない。ただ、それを続けるために必要なことであるなら、何でもやる気ではいる。

二〇二四年四月　濱口竜介

シリーズ名

映画作品名

1は『他なる映画と1』を、2は『他なる映画と2』を示す。

人名

濱口竜介（はまぐち・りゅうすけ）
1978年生まれ。映画監督。

［監督作品］
『何食わぬ顔』（2002年、98分、short version：2003年、43分）
『はじまり』（2005年、13分）
『Friend of the Night』（2005年、44分）
『遊撃』（2006年、17分）
『記憶の香り』（2006年、27分）
『SOLARIS』（2007年、90分）
『PASSION』（2008年、115分）
『永遠に君を愛す』（2009年、58分）
『THE DEPTHS』（2010年、121分）
『なみのおと』（酒井耕と共同監督、2011年、142分）
『明日のキス』（2012年、3分、オムニバス作品『明日』の一篇）
『親密さ』（2012年、255分、short version：2011年、136分）
『なみのこえ 新地町』（酒井耕と共同監督、2013年、109分）
『なみのこえ 気仙沼』（同上、2013年、103分）
『うたうひと』（同上、2013年、120分）
『不気味なものの肌に触れる』（2013年、54分）
『Dance for Nothing』（2013年、27分）
『ハッピーアワー』（2015年、317分）
『dance with OJ』（2015年、28分）
『天国はまだ遠い』（2016年、38分）
『寝ても覚めても』（2018年、119分）
『偶然と想像』（2021年、121分）
『ドライブ・マイ・カー』（2021年、179分）
『Walden』（2022年、2分）
『悪は存在しない』（2023年、106分）
『GIFT』（2023年、74分、石橋英子ライブ・パフォーマンス用映像）

［脚本参加作品］
『スパイの妻』（黒沢清監督、2020年、野原位・黒沢清との共同脚本）

［著書］
『カメラの前で演じること：映画「ハッピーアワー」テキスト集成』
（野原位・高橋知由との共著、左右社、2015年）

他(た)なる映画と 2

2024年7月1日 初版第1刷発行
2024年8月1日 初版第2刷発行

［著者］
濱口竜介

［編集・デザイン］
中村大吾（éditions azert）

［発行者］
丸山哲郎

［発行所］
株式会社インスクリプト
〒102-0074 東京都千代田区九段南2丁目2-8
tel: 042-641-1286 fax: 042-657-8123
info@inscript.co.jp
http://www.inscript.co.jp

［印刷・製本］
中央精版印刷株式会社

ISBN978-4-86784-007-8
Printed in Japan

装幀使用図版＝『Walden』（濱口竜介、2022年）

落丁・乱丁本はお取り替えいたします。定価はカバー・帯に表示してあります。

同時刊行——

他なる映画と 1

映画講座集成！ すべて初活字化

「映画をこれまでほとんど見ていない」ような人でも理解できて、しかもその人をできるだけ自分の感じている「映画の面白さ」の深みへと連れて行けるように、という思いで構想した。——まえがきより

四六判並製仮フランス装・四三二頁｜二五〇〇円

目次

ゴダール的方法　第2回表象文化論学会賞受賞

平倉圭 著

ハイ・レゾリューション・ゴダール！

その音‐映像を0.1秒オーダーで注視せよ。高解像度の分析によって浮かび上がる未聞のJLG的映画原理。映画史＝20世紀史を一身に引き受けようとするゴダールは、映画に何を賭しているのか？　そして21世紀のゴダールはどこへ向かうのか？　映画論の「方法」を更新する、画期的ゴダール論。「『動きすぎてはいけない』（千葉雅也著）と並んで二〇一〇年代に完成したすごい仕事の一つ」（三浦哲哉、『群像』二〇二二年七月号より）

二〇一〇年―A5判上製・三三六頁―三二〇〇円

森﨑東党宣言！

藤井仁子 編

世紀の大喜怒劇映画！

笑いと涙と、正しき怒りを今一度。喜劇を超えて、喜怒劇へ。『喜劇 女は度胸』から『生きてるうちが花なのよ死んだらそれまでよ党宣言』を経て最新作『ペコロスの母に会いに行く』まで、型破りな面白さと圧倒的な熱気に満ち溢れる森﨑映画の真髄に迫る。特別掲載＝脚本『男はつらいよフーテンの寅』準備稿。高橋洋、青山真治、濱口竜介、三宅唱らによる作家論・作品論も収録。

二〇一三年―四六判並製・四三二頁―三八〇〇円

ヒッチコック

エリック・ロメール＆クロード・シャブロル 著｜木村建哉・小河原あや 訳

ヌーヴェル・ヴァーグによるヒッチコックの擁護と顕揚

一九五七年フランス、二人の駆け出しの映画作家が、世界で初めてヒッチコックの全作品を徹底的に論じ上げた――。秘密と告白、運命と意志、悪の誘惑、堕罪と救済、そしてサスペンス。通俗的な娯楽映画という世評に抗し、ヒッチコックの華麗な演出に潜む形而上学的主題へと迫った、ヌーヴェル・ヴァーグによる「作家主義」の記念碑的書物。「ヒッチコックは、全映画史の中で最も偉大な、形式の発明者の一人である。」

二〇一五年｜四六判上製・二六四頁｜二八〇〇円

オーソン・ウェルズ

アンドレ・バザン 著｜堀潤之 訳

ヌーヴェル・ヴァーグ前夜のウェルズ論争

一九五〇年フランス、毀誉褒貶の只中からウェルズを救い出すべく、若き批評家がついに筆を執る。ウェルズ作品の革新性を主題の深さから画面の深さへと論じ抜く、「作家主義」批評の先駆け。コクトーによる序文、サルトルやサドゥールらの『市民ケーン』評も収録。「『市民ケーン』は私たちにとって従うべき手本ではない。」（サルトル）「オーソン・ウェルズのシークェンス・ショットは、映画言語の進化の決定的な一段階である。」（バザン）

二〇一五年｜四六判変形上製・一九二頁｜一七〇〇円

（価格は税別）